改訂3版

プログラマー[確実]養成講座Ver.3.0

これからはじめる

プログラミング基礎の基礎

メディックエンジニアリング
谷尻豊寿 監修
谷尻かおり 著

技術評論社

はじめに

- **プログラムが書けるようになりたい。**
- **IT業界に入るためにプログラミングを勉強したい。**
- **子どもにはIT技術者を目指してほしい。**
- **プログラミングって、いったい何をするんだろう？**
- **子どもに聞かれたら、ちゃんと答えられるかな……？**

——この本を手にされた方は、おそらくこんな思いを持っていることでしょう。でも、**何から始めたらいいのかわからない……**、そんなことはありませんか？

実は、私がそうでした。「プログラミングを勉強するぞ！」と意気込んでパソコンの前に座ってはみたものの、何をしたらよいかがわからない。適当な入門書を用意して、そのとおりに入力したら確かに動いたけれど……。結局、プログラムが書けるようになったという実感を得られないまま、いろいろな本をとっかえひっかえ同じことを繰り返していたように思います。

いまから思えば、当時の私にはゴールが見えていなかったのかもしれません。「プログラムが書けるようになりたい」という気持ちを抑えきれずに走り出してはみたものの、ゴールが決まっていないから走り続けることができなくて立ち止まってしまう。そのときに残っているのは疲労感だけで、達成感はゼロ。そんな感じでしょうか。

では、プログラミングを勉強するうえでのゴールとは何でしょうか？　正直なところ、その答えは私にもわかりません。でも、ひとつだけいえるのは、

目標をはっきり決めて、それを確実に達成していくこと

——これが、いちばん大切だということです。

しかし、「プログラミングを勉強したいな」という段階では、目標を決めることも難しいと思います。そこで私から、ひとつ提案があります。

プログラミングに必要な考え方を身につけること

——これを最初の目標にしてみませんか？

この本は、特定のプログラミング言語の解説書ではありません。ですから、この本を読んでも、パソコンやスマートフォンで動くプログラムはひとつも作れません。この本は、

- **コンピュータはどのようにして動いているのか**
- **プログラムとはどういうものなのか**
- **プログラムには何を書いたらいいのか**
- **どういうふうにプログラムを組み立てていけばいいのか**
- **プログラミングの世界で当たり前のように使われている言葉は何を指しているのか**

など、**プログラムを作る前の土台**——つまり、**プログラミングの概念**を築き上げるための本です。「いますぐプログラムが書けるようになりたい！」という人にはガッカリな内容かもしれませんが、そういう人にこそ読んでいただきたいのです。なぜなら、この土台は、すべてのプログラム、そしてすべてのプログラミング言語に共通するものだからです。

世の中にはプログラミング言語の解説書がたくさんあります。でも、その解説書に出てくる言葉の意味や概念がわからなければ、内容はさっぱり頭に入ってきませんよね。プログラムが書けるようになりたいのなら「急がば回れ」です。まずは、この本で土台をしっかり身につけてください。そうすれば、実際にプログラムを作る段階になってプログラミングの解説書を手にしたときに、その内容がすらすら理解できるはずです。

「プログラムが書けるようになりたいけれど、何から始めたらいいのかわからない」「過去にプログラミングにチャレンジしたけれど、挫折してしまった」「プログラマーになるつもりはないけれど、プログラミングがどういうものか知っておきたい」——そんな思いを抱えた皆さんに、この本が新たな一歩を踏み出すきっかけになることを祈っています。

末筆ながら、本書の執筆にあたりお世話になった株式会社 技術評論社の跡部和之編集局長に、心より御礼申し上げます。

2018年10月

谷尻かおり

第2章 コンピュータが動く仕組み 37

第3章 日本語でプログラミング 60

第7章 データの入れ物 164

第3部 次のステージへ 247

第10章 何を作るか考えよう 248

第11章 道具を揃えよう 267

第1部

プログラミングへの招待

第1章
コンピュータと仲良くなろう

「プログラムが書けるようになりたい！」と思いながら「でも、コンピュータは、ちょっと苦手……」――そんな人はいませんか？　それとも、あなたは「コンピュータなんて簡単カンタン。何でもいいから早くプログラムの書き方を教えてよ」というタイプ？

この章は、いまよりも少しだけコンピュータと友だちになるためのパートです。コンピュータが苦手という人は抱えている不安を少しでも軽くするために、またプログラムが書きたくて書きたくてしょうがない人は相手（コンピュータ）をもっとよく知るために、この章で気持ちと頭を整理しましょう。

1　コンピュータのある暮らし

みなさんは**コンピュータ**という言葉から、どんなものを連想するでしょうか？　パソコン（パーソナルコンピュータ；*Personal Computer*）？　それともスマホ（スマートフォン；*Smartphone*）？

私たちのまわりには、たくさんのコンピュータが隠れています。「コンピュータはちょっと……」と尻込みしているあなたも、**実は知らないうちにコンピュータを使っていた**――それが、いまの私たちの日常です。コンピュータのない生活に戻ることは、もうできないのです。

1.1 携帯できるコンピュータ

「じゃあ、明日の朝9時に○×駅に集合ね。遅刻は10分までなら許すけど、それ以上遅れたら先に行くよ」――携帯電話やスマートフォンが世の中に存在しなかったころは、こんな約束をしていたものです。

目覚まし時計をセットし忘れた太郎くんが目を覚ましたのは午前9時。どんなに急いでも、約束の時間には間に合いません。「あと30分だけ待ってて！」と連絡しようにも、その手段がありません。行き先が決まっていれば後から追いかけることもできますが、あいにくこの日は集合したときの気分で決めることになっていたから大変です。寝坊した太郎くんは、1日を棒に振ることになってしまいました……。

一方、太郎くんの友だちはというと、隣町においしいイタリア料理屋さんができたと聞いて近くまで来たものの、なかなかお店が見つかりません。ぐるぐる歩き回っているうちにお腹がすいて、結局、お馴染みのファーストフード店でランチを食べることになってしまいました……。

非現実的な話に思えるかもしれませんが、少し前までは、ごく当たり前のことだったのです。誰もがスマートフォンを持つようになったいまは――

寝坊をした太郎くんは「あと30分待って！」と友だちのスマホにメッセージを送ってみたものの、友だちからは「待てないよ」という、つれない返信。大急ぎで支度をして、最寄りの駅で再びスマホの画面を見ると「今日のランチはイタリアン！」というメッセージとともに、お店のホームページアドレス（URL）が届いていました。

行き先は話題のイタリア料理屋さんです。地図アプリを使って、太郎くんも迷うことなくお店に到着。友だちとも無事に合流できました。おいしいランチを食べながら、お店の人に許可をもらって料理やデザートの写真をSNSにアップし、楽しく過ごした後にQRコードを使って手に入れたクーポン画面を表示したところ、料金が10％引きになって大満足です。さあ、この後はどうしようか、という話になって「近くのおすすめ観光スポットは？」とスマホに聞くと、水族館が見つかりました。経路を確認すると、ここから電車と徒歩で40分。さっそく移動開始です。途中の自動販売機でジュースを買いましたが、ここでも取り出したのはスマートフォン……。

1990年代の初期、スマートフォンがまだ世の中に出てくる前の時代、限られた人だけが所持できる「携帯する電話」がありました。そこにカメラやGPS機能が搭載され、データ通信や電子決済ができるようになり、多くの人が携帯電話を使って便利な生活を送るようになりました。そして2000年代半ば、スマートフォンの登場で、いろいろなアプリが利用できるようになり……、みなさんもご存知のとおり、いまはスマートフォンが1台あれば何でもできる時代です。スマートフォンが「**携帯するコンピュータ**」であることは、誰もが認めるところでしょう。

1.2 姿を隠したコンピュータ

「スマートフォンなら使えるけど、パソコンはちょっと……」という人はいませんか。「メールを送受信する」「インターネットで検索する」「レポートを書く」という行為だけを見ればパソコンとスマートフォンに違いはないにもかかわらず、「スマートフォンなら使える」というのはなぜでしょうか？　おそらく、それは、コンピュータらしくない形のおかげです。

本体とモニター、キーボードとマウス。――パソコンを使うには、これだけの物を置くスペースが必要です。持ち運びのできるノートパソコンもありますが、電車の中で立ったままでは操作できそうにありません。また、日本人にはまったく馴染めない並びでたくさんのキーが配置されたキーボードは、それだけで操作が難しそうに見えますね。

一方、スマートフォンには画面しかありません。ポケットからさっと取り出してボタンを押すだけで、いつでもすぐに使える状態になります。もちろん、日本語を入力するには専用の画面を表示しなければなりませんが、それでも指1本で画面に触れるだけです。これだけ手軽にパソコンとほぼ同じこと、もしかしたらパソコン以上のことができるのなら……。たしかに、パソコンは必要ないと感じるかもしれませんね。

スマートフォンという形になって、コンピュータはとても身近な存在になりました。しかし、姿を隠したコンピュータは、スマートフォンだけではありません。スマートフォンが普及するもっと前から、私たちの生活の中にコンピュータは存在していたのです。

1.3 家庭の中のコンピュータ

あなたの家には、コンピュータがいくつありますか？　スマートフォンがあるだけ？　そんなことはありません。一般的に、家庭には20～30個のコンピュータがあるといわれています。ただ、スマートフォンと同じようにコンピュータらしくない形をしているために、その存在に気づいていないだけなのです。

あなたの家には、どんな家電製品がありますか？　電子レンジ、冷蔵庫、炊飯器、洗濯機、掃除機、エアコン、テレビ、レコーダー……。いろいろあるでしょう。この家電製品のほとんどに、コンピュータが隠れているのです。たとえば、電子レンジに組み込まれたコンピュータは、食品の温度をつねに監視して、食べごろの温度に調節する仕事をしています。掃除機に組み込まれたコンピュータは、床面の材質やホコリの量を感知して、吸い込む力や排気の量を制御する仕事をしています。エアコンに組み込まれたコンピュータは、部屋の温度（室温）や人の気配を監視して、設定温度を保つように風量や風の向きを調節する仕事をしています。

コンピュータが組み込まれた家電に囲まれて、私たちは快適な生活を送っています。もしも、いま、この瞬間から電子レンジや冷蔵庫が使えなくなったら……。スマートフォンもコンビニもあるし、特に困ることはない？　では、スマートフォンが使えなくなったらどうでしょう？「そんな生活、考えられない！」という人がほとんどではないでしょうか。

1.4 街角にあるコンピュータ

朝起きてカーテンを開けてみたら、とてもよい天気！　どうしますか？　インドア派というあなたも、今日は思い切って外へ出かけましょう。

出かける前に財布の中を確認すると、どうも心細いようです。交通系のICカードも持っていますが、念のために最寄りの銀行で現金を引き出しましょう。今日は日曜日ですが、自動現金預払機（ATM）が利用できるので大丈夫。ポケットにスマートフォンを入れたら、さあ、出発です。

まずはATMでお金を補充して、それから駅の自動券売機でICカードに入金（チャージ）しましょう。目的地はどこでもOKです。自動改札機にICカードをタッチしてホームに上がり、電車が来るまでの間に自動販売機でジュースを買いましょう。小銭を持っていなくても大丈夫。商品ボタンを押してICカードをタッチし、取り出し口からジュースを取った後は、スマートフォンで今日のニュースをチェックしましょう。

さて、ここで問題です。家を出てから電車を待っている間に、あなたが触れたコンピュータはいくつありましたか？　スマートフォンでニュースを読んだだけ？　そんなことはありません。では、あなたが触れた機械はいくつありましたか？　ATM、自動券売機、自動改札機、自動販売機……。これらの機械にもコンピュータが隠れています。たとえばATMの中のコンピュータは、挿入されたカードと入力された暗証番号、またはかざした指の指紋を照合して銀行口座を確認し、指定された金額を引き落として現金を支払う仕事をしています。また、自動販売機の中のコンピュータは、押されたボタンに応じて商品を取り出し口に送り出すと同時に、タッチされたICカードにチャージされている金額を確認して購入額を引き算し、残高を表示する仕事をしています。

もしもコンピュータがなかったら……。銀行の窓口が閉まっていたら、現金を引き出すことができません。お店が休みだったら、喉が渇いていてもジュースを買うことすらできません。私たちの普段の何気ない生活は、いろいろな場面でコンピュータに支えられているのです。

1.5 雲の上のコンピュータ

いつもの道を歩いていたら、地図を片手にキョロキョロしている外国人に遭遇しました。どう見ても道に迷っているようです。さあ、あなたならどうしますか？急いでいるフリをして足早に立ち去る？　それとも「英語には自信があるよ！」というあなたはニコニコしながら声をかける？　しかし、道に迷っている外国人が英語圏の人とは限りません。「Di mana adalah kantor pos di sini ?」と聞かれたら、慌(あわ)てずに対応できますか？

一昔前なら、お互いに身振り手振りでなんとか乗り切る場面ですが、スマートフォンが普及したいまは違います。ポケットから さっと取り出して、もう一度、今度はスマートフォンに向かって話してもらいましょう。次の瞬間、画面には「この近くの郵便局はどこですか」と日本語訳が表示されます。あなたも「次の信号を左に曲がって……」のように、日本語でスマートフォンに話しかけましょう。

さきほどと同じ言語*1に翻訳された画面を見せて、道案内は無事に完了です。――もちろん、翻訳用のアプリは必要ですが、スマートフォンがあれば世界中どこの国の人とでも友だちになれそうですね。

スマートフォンが“携帯できるコンピュータ”であることは、もう十分に理解していると思います。しかし、いろいろな言語に翻訳できるのは、スマートフォンがコンピュータだからではありません。実は、スマートフォンの先には、もっと大きなコンピュータがつながっているのです。

インターネットを利用するためにコンピュータが必要だったのは過去の話。いまは、私たちのまわりにある多くの「モノ」が、インターネットにつながっています*2。そのおかげで、私たちの暮らしは格段に便利になりました。たとえば、スマートフォンに話しかけるだけで他の言語に翻訳できたり、近くにあるレストランや観光名所を調べられたり、そして交通系のICカードで買い物ができたり……。私たちは毎日どこかでインターネット上にある膨大な資源を利用したサービスを受けています。ただ、それを意識していないだけなのです――。

1.6 コンピュータと仲良くなろう

いかがでしたか？「コンピュータは特別な教育を受けた人だけが操作できる難しい機械」というのは、大昔の話です。スマートフォンが普及したいまは、多くの人がメッセージアプリで連絡を取り合ったり、インターネットで情報を入手したりショッピングをしたりしています。使っている道具がコンピュータなのかスマートフォンなのか、もしかしたら動物の形をした可愛いオモチャかもしれません。そこが違うだけで、子どもからお年寄りまで、すでに幅広い年齢の人がコンピュータを利用しているのです。「スマートフォンなら使えるけど、コンピュータはちょっと……」という人は、どう見ても指1本では操作できそうにないパソコンの形が原因かもしれませんね。スマートフォンだと思っていたのが、実はコンピュータだったと考えると、ちょっと自信が湧いてきませんか？

もうひとつ。「コンピュータは何でもできる」と思われがちですが、これも間違いです。実際は、私たちが指示したことだけを忠実に実行する機械です。コン

---

*1 例として使用したのはインドネシア語です。

*2 IoT（*Internet of Things*）という言葉で表現されることもあります。

ピュータが勝手に難しい仕事をしているのではなく、実は全部、私たちの命令に従って動いているのだと考えると、ちっとも怖くないでしょう？

すでにいま、インターネットを利用できるかどうかで、集められる情報の量や受けられるサービスの質に差が生じています。たとえば、飲食店のクーポン券。インターネットで入手したクーポン券をレジで提示できるかどうかで、支払う金額が変わる時代です。これがもっと進めば、知らないところで大きな損をすることにもなりかねません。

これから先、コンピュータは私たちの生活にもっと入り込んで、もっともっと触れる機会が増えてくるでしょう。嫌でもコンピュータに囲まれた時代が来るのなら、快適な生活をするためにコンピュータとどう付き合っていくかを考えた方がトクです。ほんの少しコンピュータのことを知るだけで、これまでは気づかなかった新しい世界が見えてくるに違いありません。

2 プログラミングって何のこと?

「コンピュータを動かすにはプログラムが必要だ」という話は、誰もが一度は耳にしたことがあるでしょう。しかし、プログラムがどんなものなのか、見たことがないから本当のところはよくわからない。だから難しそうな気がする……。そんなことはありませんか？

現役でバリバリ仕事をしているプログラマーたちも、かつては同じような不安を抱えていたのです。でも、最初の一歩を踏み出したときに転ばなかったら、そこから先は大丈夫。勇気を出して、一歩前に足を出してみましょう。

2.1 そもそもコンピュータとは?

computer を英和辞典で調べてみると「計算機」という訳が載っています。「計算機 ➡ 計算する機械 ➡ 電卓」のように連想しがちですが、電卓とコンピュータには大きな違いがあります。

電卓は、計算の答えを求めるための機械です。たとえば、

1 0 ÷ 3 =

この順番でキーを押すと「10÷3」の答えが表示されます。式のとおりにキーを押すだけなので、計算方法や意味のわからない子どもでも、難しい計算式の答えを間違いなく求められます。おそらく計算以外の目的で電卓を使用することはないでしょう。

ところが、コンピュータは違います。あなたはパソコンを何に使っていますか？レポートを書いたり、家計簿をつけたり、デジタルカメラで撮影した写真を整理したり、音楽を聴いたり、インターネットに接続してショッピングをしたり情報を集めたり……。いろいろなことに利用していませんか？

コンピュータには「これ」という、決まった使い方が定義されていません。**プログラム**を替えることで、ワープロになったり、アルバムになったり、電卓になったり……、いろいろな使い方ができる機械です。

プログラムを使うかどうか

——これが、電卓とコンピュータの違いです。

2.2 いろいろな種類のコンピュータ

コンピュータは、使う目的や処理能力によって、いろいろな種類に分けることができます。まず、家電製品や自動販売機に組み込まれている「見えないコンピュータ」。——これは**マイクロプロセッサ**とか**マイクロコンピュータ**（**マイコン**）と呼ばれるとても小さな部品で、決められた仕事だけをするようにプログラムされたコンピュータです。たとえば、冷蔵庫に組み込まれたマイコンは庫内の温度をつねに監視して、一定の温度を保つようにプログラムされていますし、炊飯器に組み込まれたマイコンは、米の量や水加減に応じて釜の温度や圧力をコントロールして、おいしいごはんを炊くようにプログラムされています。パソコンのように、いろいろな仕事ができるわけではありません。

次に、家庭や職場にある個人用のコンピュータ。——**パソコン**と呼ばれるこのコンピュータは、プログラムを替えるだけで、ワープロになったりオーディオになったり、絵を描いたりすることのできる、とても便利な道具です。スマートフォンも、仕組みはパソコンと同じです。タップしたアイコンに対応して異なる

プログラムが動くことで、電話になったりカメラになったり、メッセージを送受信したりしています。

このほかに、もっと大型のコンピュータ（スーパーコンピュータやサーバーなど）もありますが、これはパソコンを高性能にしたものという程度の理解でかまいません。マイコン、パソコン、スマートフォン、大型コンピュータ……すべてに共通することは、**プログラムがあるから動く**という点です。

2.3 コンピュータとプログラム

あなたは家庭用のゲーム機で遊んだことがありますか？　ゲーム機本体だけを持っていても遊べないって知っていますか？　ゲーム機とゲームソフトは別のもので、ゲームソフトがなければ遊べないということは、子どもの世界でも常識ですね。

コンピュータとプログラムの関係も、これと同じです。たとえば、コンピュータをワープロとして使うには、ワープロ用のプログラムが必要ですし、音楽を聞くには音楽を再生するためのプログラムが必要です。たとえパソコンを持っていても、自分がこれから行う作業に必要なプログラムを持っていなければ、パソコンはゲーム機本体と同じように何の役にも立たない「ただの機械」でしかありません。

「でも、うちのパソコンは何もしていないけれど、買ってきたその日からなんでもできるよ」という人もたくさんいるでしょう。それはワープロ用のプログラムやお絵描き用のプログラム、動画や音声の再生用のプログラム、ゲーム用のプログラムなど、いろいろなプログラムがあらかじめ**インストール**＊3された状態のパソコンを購入したからです。梱包を開けて電源ケーブルをコンセントにつなぐだけで、誰もがすぐにパソコンが使えるようになったいま、「コンピュータを使うにはプログラムが必要だ」という意識は薄れてきているかもしれませんね。

プログラムは、コンピュータを動かすために欠かすことのできない大切なものです。その正体は、

コンピュータが何をすればよいのかを細かく書いた指示書

＊3　パソコンにプログラムを組み込むことを**インストール**（*install*；取り付ける）と呼びます。つまり「プレインストール」または「プリインストール」（*pre-install*）は「あらかじめパソコンにインストールされている」という意味になります。

です。あなたが使っているパソコンにも、たくさんのプログラムが入っています。ところが、その「指示書」は、パソコンから取り出して中身を見ることができません。

では、世の中のプログラマーは、目に見えないものをどうやって作るのでしょうか?――それは、この後ゆっくり説明するとして、ここでは、

コンピュータはプログラムに書いてある仕事を忠実に行う機械である

ということだけを覚えておきましょう。買ったその日からすぐに使えるコンピュータを「何でもできる便利な機械」と思っている人がいたら、それは大きな間違いです。何でもできるどころか、コンピュータはプログラムに書かれていないことは、たとえば「1+1」のような簡単な計算でさえできない機械なのです。

アプリとプログラム

Column

あなたはスマートフォンをどんなことに利用していますか? 友だちとの連絡に使ったり音楽を聴いたり、写真を撮ってSNSに投稿したり……。いろいろなことができるのは、**アプリ**[*4]のおかげです。

アプリはスマートフォンを動かすためのプログラムです。メッセージをやりとりするプログラム、音楽や動画を再生するプログラム、カメラを動かすプログラム……。いろいろなアプリがあるおかげで、スマートフォンは便利な道具になっているのです。もしもアプリがまったく入っていなかったら?――プログラムが入っていないパソコンが「ただの機械」であるのと同じように、スマートフォンも見た目が格好いい「ただの板」でしかありません。

*4 正式には**アプリケーション**といいます。アプリケーションについては第2章の「**3.1 いろいろな種類のプログラム**」(52ページ)で説明します。

2.4 プログラムには何が書かれているのか?

人間は、いろいろな情報を瞬時に整理して判断することができます。たとえば、

それ、取って

と話しかけられたときに、その場の状況や相手の目線などから、

この人は、いま、コーヒーを飲もうとしている
左手でシュガーポットを指差している
……ということは、"それ"はシュガーポットのことに違いない

というように瞬間的に判断して行動することができます。

ところが、コンピュータは「考える」ことができません。プログラムに書かれている命令をそのまま受け取って実行するだけです。「それ、取って」と命令されても"それ"が何を指しているのか、"取って"から何をすればいいのか、コンピュータにはさっぱり理解できないのです。

では、どういう命令ならばコンピュータに理解してもらえるのでしょうか? 答えは、

ほかには解釈のしようがないほど、細かく噛み砕いて命令すること

です。たとえば「それ、取って」という命令も、

棚の上にシュガーポットがある
シュガーポットを持ち上げて、
私の目の前にあるテーブルの上に置きなさい

このように指示すれば、コンピュータにもちゃんと伝わります。これを、コンピュータにわかる言葉に翻訳したものが、プログラムです。

2.5 プログラムを書くコツ

「今日こそはプログラムを作るぞ。まずは電卓にチャレンジだ!」と勢い込んでパソコンの前に座ったものの、

計算に使う値をキー入力するには、どうすればいいのかな？
どこに答えを表示しよう？
あれ？　キー入力した値を使って計算するには、どうすればいいんだろう？
⋮

と、次から次へと疑問が湧いてきて、なかなか先に進めずに、ついにはあきらめてしまった……。過去にこんな経験をした人はいませんか？

プログラムは**プログラミング言語**という、日本語でも英語でもない、特殊な言葉で書きます。見慣れない言葉を使うのですから、簡単でないことは確かです。しかし、「プログラムを書く」という作業を、

❶ コンピュータにしてほしいことを考える
❷ プログラミング言語に翻訳する

という2つに分けて順番に処理していくと、それほど難しいことではないのです。過去に挫折を経験した人は、いきなりパソコンの前に座ってプログラミング言語の勉強をしながら、コンピュータにしてほしいことを考えたりしていませんでしたか？　プログラミングの経験が少ない状態で、この2つの作業を同時に行うのは不可能です。

プログラムを書くために、特別な知識は必要ありません。数学や英語の知識も、あればそれに越したことはありませんが、なくても大丈夫。プログラムはコツさえつかめば、誰でも書けるようになります。そのコツとは、

コンピュータにしてほしい仕事を、できるだけ詳しく、正確に書き出すこと

です。日本人であれば、日本語で考えればよいのです。これができれば、あとは日本語をプログラミング言語に翻訳するだけです。日本語の指示書があれば、他のプログラミング言語に置き換えること*5も簡単です。**日本語の指示書こそが、万能のプログラム**だということを覚えておきましょう。

*5　完成済みのプログラムを他のプログラミング言語に置き換える作業のことを**移植**と呼びます。

3 心の準備

プログラマーに必要なのは特別な知識ではなく、考えることのできないコンピュータを相手に、自分の気持ちを伝えたいという熱意と好奇心です。この後の質問にすべて「はい」と答えることができた人は、プログラマーの素質を十分に備えています。しかし、自信を持って「はい」と答えられなくても大丈夫。いつか「はい」と答えられるように、日頃から意識していればよいだけのことです。

プログラムは、コツさえつかめば、誰にだって書けるのです。もちろん、あなたにも！

3.1 新しいことに興味はありますか?

喫茶店に入ってメニューを開くと、そこには見たことも聞いたこともない料理名が書かれていました。あなたならどうしますか？　迷わず注文する？　とりあえず、お店の人に聞くだけ聞いてみる？　それとも食べ慣れたものを注文する？——新しいものを前にしたとき「これは何だろう？」と疑問に思うこと、すべてはここから始まります。

プログラムを書くには、プログラミング言語に関する知識がどうしても必要になります。人間の世界にも日本語、英語、フランス語、ドイツ語、中国語、韓国語……など、たくさんの言語があるように、コンピュータの世界にもいろいろなプログラミング言語があり、それぞれ使用する単語や文法が異なります。人間の言葉ならば少しくらい使い方を間違っても相手に用件を伝えられますが、プログラミング言語は違います。コンピュータは考えることのできない機械ですから、自分が知っている言葉遣いと少しでも違ったところがあると、理解できないのです。本当に厄介（やっかい）ですね。

プログラムをはじめて勉強する人にとって、プログラミング言語は未知の世界です。それを身につける近道は、残念ながらありません。コツコツ勉強するしかないのです。右を見ても左を見てもわからないことだらけの世界で、たとえ行き詰まっても途中で投げ出さずに続けるために必要なもの——それは、

面白い、楽しい！

と感じることです。

たとえば、サーカスの動物たち。自転車に乗るクマ、玉乗りをするゾウ、火の輪をくぐるトラ……。彼らはいろいろな曲芸を見せてくれますが、自然界で生活している動物に、これらの芸は必要ありません。人間と暮らすようになって、はじめて覚えたことのはずです。「人間が言葉を発した瞬間にたまたま座ったら、なぜかリンゴをくれた。よくわからないけれど、これはおいしいゾ！」―― 始まりは、こんな出来事だったのかもしれません。それを繰り返しているうちに、動物たちは難しい曲芸を次々に身につけていったのです。

人間だって同じです。子どもの頃、お小遣いを目当てにせっせとお母さんの手伝いをした記憶はありませんか？　誰でも「ごほうび」をもらえると嬉しいものです。それが次の行動につながることもあるでしょう？

プログラムを勉強しているときに「ごほうび」になるもの。―― それは、

作ったプログラムが動いたときの感動

です。ところが、なかなかうまくいかないのがプログラムです。ベテランのプログラマーでさえ、

どうして動かないんだろう？
何が悪いんだろう？
どこが間違っているんだろう？

―― 毎日、これを繰り返しているのです。うんざりするような疑問の数々にめげずにぶつかっていくことができるのか、それとも簡単にあきらめてしまうのか……。プログラムが動いたときの感動を味わえるかどうかは、ここで決まります。苦労して調べているうちに動かなかった原因がわかれば嬉しいし、プログラムが動くようになれば、もっと新しいことにチャレンジしようという意欲も湧いてきます。

新しいものを前にしたときに、

これは何だろう？　どうなっているんだろう？

と疑問に思うこと。そして、その疑問に少しでもいいから踏み込んでみること。

まずは、そこからです。喫茶店で見かけた不思議なメニューも「食べてみたら、意外とおいしかった！」「これは苦手な味だ……」―― 結果がどうであれ、一歩前に進んだことは確かです。行動したことは、必ずあなたの経験となって残ります。

3.2 細かなことは得意ですか？

「性格はアバウト。口うるさくもないし、いたって気楽な人間ですよ」―― お付き合いするには、理想的な人ですね。ところが、付き合う相手がコンピュータとなると、話は別です。コンピュータとうまく付き合うには、何事も白黒つけなければ気が済まないほど几帳面（きちょうめん）で口うるさいくらいが、ちょうどいいのです。

「コンピュータは考えることができない」という話、覚えていますか？　たとえば、

それ、ちょっとだけ動かして

という命令。人間だったら、

この人は、いまソファに座って、テレビを見ている
テレビとソファの間にはテーブルがあって、その上に花瓶が置いてある
テレビを見るときに、花瓶が邪魔になっているようだ

というように、その場の状況を素早く判断して、

それ　➡　**花瓶**
ちょっとだけ　➡　**テレビを見るのに邪魔にならない程度に**

と、足りない部分を自分なりに補って、適切な場所に花瓶を移動することができます。

ところが、考えることのできないコンピュータは違います。

それ　➡　**何のこと？**
ちょっとだけ　➡　**どれくらい？**
動かして　➡　**どこに？　どんなふうに？**

と、いろいろな疑問にぶつかって、いつまでたっても作業を始めることができません。コンピュータに仕事をしてもらうには、

テーブルの上にある花瓶を、私から見て右の方向に30cm移動してください

というように、**何を、どうしてほしいかを正確に伝えなければならない**のです。人間を相手にこんな指示をしていたら「面倒くさい人だなあ……」と思われるかもしれませんが、相手はコンピュータ。「嫌だ」とか「うるさい」とか、そんな文句は決していいません。むしろ、口うるさくいわれたほうが、コンピュータはありがたいのです。

もうひとつ。**コンピュータは長い文章を理解するのも苦手**ということも覚えておきましょう。コンピュータが理解できるのは、単文——つまり、

何を、どうする

という程度です。ですから、上の命令も本当は、

1. **テーブルの上に花瓶があります**
2. **いまの花瓶の位置にAという名前を付けなさい**
3. **Aから右方向へ30cm離れた場所にBという名前を付けなさい**
4. **AからBの位置に花瓶を移動しなさい**

というように4つの文に分解して、ようやくコンピュータに理解できる命令になります。

なぜ、こんなに細かく命令しなければならないのでしょう？　答えは簡単。コンピュータはプログラムに書かれた**命令を、出てきた順番どおりに忠実に実行する機械**だからです。もしも上の命令を、

1. **テーブルの上に花瓶があります**
2. **この花瓶を移動しなさい**

という2つの命令で済まそうとすると、コンピュータは花瓶をどんどん動かし続けて、しまいにはテーブルから落として壊してしまいます。これが**コンピュータが暴走する**という状況です。

コンピュータに命令するときに大切なこと。それは、

コンピュータにしてほしいことを、できるだけ詳しく書き出すこと

です。「このくらい、いわなくてもわかるだろう」というのは、人間側の勝手な思い込みです。繰り返しになりますが、コンピュータは考えることができません。どんな些細(ささい)なことでも、たとえそれがさきほどの命令とよく似たものだったとしても、コンピュータにはきちんと伝えなければならないのです。少し面倒ですが、これがコンピュータとお付き合いするための最低限のマナーです。

この少し風変わりなマナーを身につけるには、毎日の生活の中で、

自分は、いま、なぜ、こういう動作をしたのだろう？

ということを考えてみるといいかもしれません。いつもは無意識に行っている作業にちょっとだけ目を向けて、それを言葉にしてみること。── 無意識の行動の中にいろいろな理由が隠れていて、案外面白い発見があるかもしれませんよ。

3.3 「もしも」のときの備えがありますか？

今夜は大雨になるらしい。最近、停電なんて滅多にないけれど、もしものときのために懐中電灯を用意しておこう。万一、川が氾濫したら、避難もしなくちゃならないし……。非常持出袋はどこにあったかな？ ── あなたは「もしも」のときの備えをしていますか？　その「もしも」、本当にそれだけで十分ですか？

私たちの日常には、たくさんの「もしも」があります。たとえば、お母さんに「○×社（食品メーカー）の中辛のカレールウを買ってきて」と頼まれたとき、あなたは何も悩まずにカレールウを買って戻ってくることができるでしょうか？

もしも指定のメーカーのカレールウがなかったら……
もしも「中辛」が売り切れだったら……
もしもスーパーが休みだったら……

いろいろな「もしも」が考えられませんか？　状況を素早く判断し、過去の経験をもとに行動できる人間にとって、この程度の「もしも」は、たいしたことではありません。指定されたカレールウがなかったら別のものを買うなり、その店が休みなら別の店に行くなり、カレーを作ることをあきらめるなり、対処方法は

いろいろあるでしょう。買えなかった理由を説明すれば、お母さんだってわかってくれるはずです。

ところが、考えることのできないコンピュータにとって「もしも」は大問題です。「○×社の中辛のカレールウを買ってきて」という命令だけでは、別のカレールウを買うことも、買わずに戻ってくることもできません。その場で動くことをやめてしまうのです。これが、**コンピュータが固まった**とか**フリーズ**[*6]**した**という状況です。

プログラムの良し悪しは、**どれだけの「もしも」に対応しているか**で決まります。たとえば「○×社の中辛のカレールウを買ってきて」という命令。命令そのものは正しくても、これは決して良いプログラムとはいえません。その命令を行うときにコンピュータが遭遇しそうな「もしも」を考えて、

もしも○×社のカレールウがなかったら、□社のものを買う
もしも「中辛」が売り切れだったら「辛口」を買う
もしもスーパーが休みだったら、別の店に行く
もしもお金が足りなかったら、何も買わずに戻ってくる
⋮

というように、「もしも」のときに何をすればよいのか、きちんと指示してあるものが良いプログラムです。「もしも」のときの備えがないプログラムは、スーパーが営業中で、目的のカレールウもたくさんあって、お金も十分に足りているときは正しく動きますが、どこか1つでも予想外のことがあれば、たちまち動くことをやめてしまうか暴走するか、そのどちらかになってしまいます。

プログラムを書くときに、最も大切なこと。それは、

つねに「もしも」を意識すること

です。「そんなことはありえない」というのは、人間の思い込みでしかありません。ありえないことを考えるというのは難しいことかもしれませんが、ありえないことが起こったときには、それが重大な事故になってしまうのです。そうならないためにも、普段からいろいろな「もしも」を考えて、それに対して何をどうすべきか考える練習をしておきましょう。

＊6　フリーズ（*freeze*）には「氷が張る」のほかに「立ちすくむ」という意味があります。

3.4 負けず嫌いですか?

今日のテニスの試合、またアイツに負けちゃった。—— こんなとき、あなたはどうしますか？「仕方がないよ、アイツにはこれまで一度も勝ったことがないんだもん。格が違うんだよね」とあきらめるタイプ？　それとも「なんで勝てないんだろう？　サーブの威力だっていっしょくらいなのに。ラケットの握り方が悪いのかな。それとも……」と、あれこれ考えるタイプ？ —— プログラミングに向いているのは、後者の性格です。

苦労して作ったプログラム。ドキドキしながら動かしたのに……　あれれ？　動かない！ —— というのは、よくあることです。使用するプログラミング言語にもよりますが、コンピュータを動かすには間違いのない、完璧なプログラムが必要です。どこか1カ所、たとえば「and」を「amd」と間違えて書いただけで、コンピュータは動くことを拒絶してしまいます。そんなときに「あ〜、もうイヤだ！」と思ってしまったら、あなたの負けです。

コンピュータが動かないのは、コンピュータが悪いわけではありません。コンピュータに対する命令、つまりプログラムの中に理解不能な箇所があるために、コンピュータもどう処理していいのかわからず困っているのです。まるで作者であるあなたが悪いといっているようですが、本当のことだから仕方ありません。

しかし、作ったプログラムが動かなかったからといって落ち込むことはありません。ベテランのプログラマーだって、作ったプログラムが一発で動くなんていうことは滅多にないのですから。

経験の浅いプログラマーと経験豊富なプログラマー。いちばんの違いは、

トラブルに遭遇したときに、その対処方法をどれだけ知っているか

という点です。経験豊富なプログラマーは、プログラムが動かなかったとき、または予想していたこととは違う動きをしたときに、過去に似たようなことがなかったか思いを巡らして、簡単に間違いを発見し、それを修正することができます。しかし、当然のことながら、経験の浅いプログラマーに同じことはできません。間違っている箇所を見つけるだけでも苦労するでしょう。だからといって、すぐにあきらめてしまうのでは、いつまでたってもプログラムを書けるようにはなりません。

現役でバリバリ仕事をしているプログラマーは、誰でもみな、たくさんの時間

と努力を費やしてきたはずです。そこを飛ばすことが許されるほど、プログラミングの世界は甘くありません。ちょっと腰が引けてきた？　大丈夫、苦労したことは必ず記憶に残ります。たくさんの経験を積むことで、同じ失敗を繰り返すことが少なくなるだけでなく、似たような間違いにすぐに気づいて修正できるようにもなります。**たくさんの失敗は、あなたの大切な財産**です。作ったプログラムが思いどおりに動かなかったときは、むしろ「ラッキー！」と思うようにしましょう。

3.5 「こだわり」はありますか？

デザインは気に入ったんだけど、色があまり好きじゃない。サイズはピッタリだけど、襟の感じが好きになれない……。こだわりのある人ほど、洋服を買うときに、あれこれ迷うものです。この「こだわり」も、プログラマーには大切です。

物を作るときに大切なこと。それは、

作る物にどれだけの情熱がかけられるか

です。たとえば、おにぎり。——おにぎりなんて料理のうちに入らないほど簡単で、誰にでも作れるものです。ところが、職人さんが握ったおにぎりと、何も考えずに握ったおにぎりは、どこかが違うのです。

おそらく職人さんは、使用する米や水、塩など、素材を厳選しています。それだけでなく、米の研ぎ方やごはんを炊くときの水加減、火加減、握るときの塩の量、力加減など、いろいろなことに気を配っています。おいしいおにぎりを作るために、たくさんの時間をかけて試行錯誤を繰り返してきたはずです。たくさんの情熱がこもっているから、職人さんの握ったおにぎりはおいしいのです。

もしも職人さんが「こんなもんでいいや」と思ってしまったら、おそらく店の売上はガタ落ちです。その程度のおにぎりなら、誰にだって握れるのですから。そうならないために、「もう少しおいしくならないかな？」と、つねに自分の作ったおにぎりを厳しく見つめるのが職人さんです。

自分の思いどおりにプログラムが作れるようになってきたら、自分の作ったプログラムを見直すことも大切です。「動いているから、これでいいや」ではなく「**もっとうまく動かす方法はないかな？**」と考える作業です。もしかしたら、必要のない作業をコンピュータにさせているかもしれません。たとえば「○×社の中辛のカレールウを買ってくる」というプログラムの中に「公園でブランコに乗る」という命令が含まれていたらどうなるでしょう？　「カレールウを買ってくる」という本来の仕事を終えるまでに、たくさんの時間を費やすことになってしまいます。それよりも、家からスーパーまでの道のりを正しく命令したほうが、早くカレーを食べられると思いませんか？

動いているプログラムを見直す作業は、よほどの凝り性でなければできないかもしれません。「このほうが、もっと早く動くかもしれない」、「こうしたほうが使い勝手がよくなりそうだ」、「こんな機能があったら、もっと便利になりそうだ」……。考えたらキリのない作業です。しかし、ひとつだけ間違ってほしくないことは、

凝りすぎて、他の人に理解できないような物にしてしまわないこと

です。こだわりを持つことは大切ですが、度が過ぎるのは禁物です。いくらおいしい出汁（だし）がとれるからといって、鰹節と煮干しと昆布とシイタケと鶏ガラと豚骨と……何でもかんでも入れた味噌汁は、不思議な味になると思いませんか？

プログラムもこれと同じです。同じ処理でもやり方はいろいろあるし、プログラムの書き方もいろいろです。本当に新しい手法を見つけた場合は別ですが、それ以外、たとえば「格好いいから」とか「難しく書いたほうが賢そうに見えるから」という理由で複雑な作り方をするよりも、みんなと同じで誰にでもわかる方法、書き方のほうが、実は喜ばれるということを忘れないでください。

第2章 コンピュータが動く仕組み

「コンピュータはプログラムがあるから動く」というだけでは、ちょっと物足りない。プログラムはコンピュータの中のどこに隠れているのか、コンピュータはプログラムをどうやって理解しているのか。——本格的にプログラミングの学習を始める前に、まずは、コンピュータがどういう仕組みで動いているのかを理解しましょう。

1 コンピュータ徹底解剖

あなたが使っているパソコンはノート型？　それともオールインワン型？　それともデスクトップ型？　デスクトップ型のパソコンを使っている人は、パソコンのカバーを開けて中を覗(のぞ)いたことがありますか？——もちろん、中に入っている部品や配線まで詳しく理解する必要はありませんが、パソコンを動かすためにはどういう「モノ」が必要で、その「モノ」がどんな仕事をしているのか、簡単に見ていきましょう。

1.1 ハードウェアとソフトウェア

家庭用ゲーム機で遊ぶには、ゲーム機本体とゲームソフトが必要ですね。ゲーム機本体だけ、またはゲームソフトだけを持っていても、遊ぶことはできません。コンピュータもこれと同じです。**ハードウェア**と**ソフトウェア**が揃って初めて一人前の機械になります。どちらか一方では仕事ができません。

◉ ハードウェア

ハード(*hard*)には「硬い」、ウェア(*ware*)には「製品」という意味があり、**ハードウェア**(*hardware*)とは本来は「金物」という意味ですが、コンピュータの世界で使う「ハードウェア」は、コンピュータ本体とそれに付随する機器全般のことを意味しています。単に**ハード**と呼ぶこともあります。

パソコン本体、モニター、キーボード、マウス、プリンタ、外部記憶装置……。形のあるものは、すべてハードウェアです。家庭用ゲーム機の本体も、もちろんハードウェアに含まれます。

◉ ソフトウェア

ソフトウェア(*software*)はハードウェアに対する言葉で、手で触ることのできない「形のないもの」を指すときに使います。コンピュータを動かすための**プログラム**や、コンピュータを使って操作する**データ**が、これに当たります。ゲームソフトの"ソフト"も、語源はソフトウェアです。このように、単に**ソフト**と呼ぶこともあります。

◉ メディア

「ちょっと待って。プログラムはCD-ROMやDVDに入っているし、本に書いてあるプログラムも見たことがある。だから、プログラムもハードじゃないの？」と思うかもしれませんが、これは間違いです。プログラムも写真のようなデータも、紙に印刷することで目に見えるようになるだけであり、コンピュータが扱っている姿そのものを見ることはできません。

なお、CD-ROMやDVDはプログラムやデータを入れるためのもので、この入れ物を**メディア**と呼びます。

1.2 パソコンを構成する装置たち

家庭や企業で広く使用されているパソコン。どんな姿をしていますか？　ノート型やデスクトップ型、タブレット型やオールインワン型など、形は異なりますが、私たちはパソコン本体とモニター、キーボードとマウスを含んだ装置一式を指して**パソコン**と呼んでいます。でも、それぞれの装置の役割をきちんと理解していますか？

◉ パソコン本体

最も重要な装置です。パソコンをワープロとして使ったり、DVDを見るために使ったり……。すべての仕事はパソコン本体で行われます。「パソコンの本体なんて、どこにも見当たらないよ？」という人は、おそらくノート型やタブレット型、オールインワン型のパソコンを使っているのでしょう。この場合、本体はキーボードまたは画面の奥に隠れています。

パソコン本体の中身とその役割については、この後の「**1.3 パソコン本体を構成する部品たち**」(40ページ)で改めて説明します。

◉ キーボード／マウス

パソコンを利用するには、自分がやりたいことをパソコンに伝える必要があります。そのときに使うのがキーボードとマウスです。ノート型のパソコンには指で触れるタッチパッドもあります。

キーボードの仕事は、どのキーが押されたかをパソコン本体に通知すること、マウスやタッチパッドの仕事は、画面上でマウスの位置を表す矢印*1が、どの方向にどれくらいの距離を移動したかをパソコン本体に通知することです。パソコン本体に命令や情報を入力する装置であることから、これらは**入力装置**と呼ばれています。

◉ モニター

キーボードやマウスを使ってパソコンに何か指示を出すと、パソコンはその指示に従って動き始め、その結果はモニター(ディスプレイ)を通して私たちに伝えられます*2。

モニターの仕事は、画面上の小さな点を発光させて、文字や画像を表示することです。どの点をどのように発光させるかは、パソコン本体が命令しています。モニターが考えているわけではありません。パソコン本体が処理した結果を出力する装置ということで、モニターは**出力装置**と呼ばれています。なお、画面に触れることで操作するタブレット型パソコンのように、入力装置と出力装置の両方の機能を備えたもの(タッチパネル)もあります。

---

*1 この矢印を**マウスポインタ**と呼びます。

*2 時にはスピーカーを利用して「ピッ」とか「ポン」という音で結果を伝えることもあります。

パソコンをとりまく装置たち　Column

プリンタやスキャナ、インターネットに接続するためのモデムやルータ、データを記憶するためのハードディスクなど、パソコンといっしょに使う装置のことを**周辺機器**と呼びます。周辺機器も役割によって入力装置や出力装置、記憶装置のように分けることができます(**図2-1**)。

図2-1

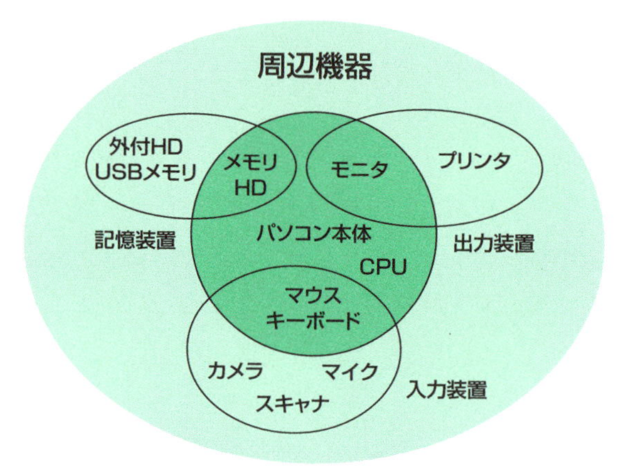

1.3 パソコン本体を構成する部品たち

パソコン本体は、たくさんの部品で構成されています。もちろん、そのすべてを覚える必要はありません。パソコンを買いに行ったとき、店頭でCPUやメモリ、ハードディスクという言葉を見かけませんでしたか？　いまの段階では、これらの部品だけを覚えておけば十分です。

◎ メモリ

パソコンのカタログで**RAM**という言葉を見たことはありませんか？　これが

メモリ[*3]です。RAM（ラム）は*Random Access Memory*の頭文字をとったもので、**実行中のプログラムや処理途中のデータを並べておく作業台**のような領域です。**主記憶装置**と呼ぶこともあります。

RAMの最大の特徴は、

情報を電気信号として覚えておく

という点です。「いきなり電気信号っていわれても……」――戸惑うばかりですね。詳しいことは、この後の「**2　コンピュータの仕事の流儀**」（44ページ）で説明するので、ここでは**RAMが利用できるのは電気が流れている間だけ**ということを覚えてください。電源を切ると同時に、それまで記憶していた内容はすべて失われます。

◉ ハードディスク

ハードディスク（HD；*Hard Disk*）も、プログラムやデータを記憶するための入れ物です。**補助記憶装置**と呼ぶこともあります。

RAMとハードディスクの最大の違い。――それは、

ハードディスクは磁気を利用して情報を記録する

という点です。RAMは電気的に情報を記憶するために、電源を切ると内容が失われてしまいますが、ハードディスクに記録した情報は**「ファイル」として残る**ため、必要なときに取り出して再び利用することができます。

◉ CPU

*Central Processing Unit*の頭文字をとってCPU。――*Central*（中央）、*Processing*（演算処理）、*Unit*（装置）、つまり**中央演算処理装置**と呼ばれるこの部品は、パソコンの心臓部です。なんだか難しそうな装置ですが、簡単に説明すると、CPUの仕事は次の3つです。

❶ キーボードやマウスから情報を受け取って、

＊3　メモリには、もうひとつ、**ROM**（*Read Only Memory*；ロム）というものもあります。これは、私たちが自由に利用することのできない特殊なメモリで「❶パソコンの電源を入れたときに接続された機器を確認し、❷問題がなければOSを起動しなさい」というプログラムが組み込まれています。ROMは、この後の「**3.1　いろいろな種類のプログラム**」（52ページ）でも登場します。

❷ その情報を使って処理を行い、
❸ 結果をモニターに出力すること

パソコンのカタログで「Core 2 Duo / Quad」や「Core i5 / i7」、「Xeon」という言葉を見たことがありませんか？　これらはすべてCPUの名前です。

また「2GHz」や「3GHz」という数値も目にするかもしれません。これは**クロック周波数**と呼ばれるもので、1秒間にCPUが何回動作するかを表しています。つまり、クロック周波数の値が大きいCPUほど、仕事の速いパソコンということになります。

メモリとハードディスクの関係 Column

パソコンは、何か処理を行うときに、メモリを作業場所として使います。たとえば、パソコンを使ってレポートを書いたとき。プログラムを終了する前に必ず「保存しますか？」というようなメッセージが表示されますね。これは「いままで作ってきたデータ。いまならメモリ上にあるけれど、このままプログラムを終わるとなくなっちゃうよ。本当にいいの？」と、パソコンが確認しているのです。

プログラムを終了すると、それまでに使っていた作業場所はきれいに片づけられます。作業場所の広さには限りがあるため、たとえ作成途中のデータがあったとしても、それを消して次の作業のための場所を確保する必要があるからです。しかし、プログラムを終わるたびにデータがなくなってしまうのでは、一向に作業が進みません。そこで登場するのがハードディスクです。ハードディスクには磁気を利用して情報を書き込むため、プログラムを終了しても、その情報が消えることはありません。

パソコンから「保存しますか？」と聞かれたときは、よく考えて行動しましょう。「いいえ」を選択すると、作ったデータは跡形もなく失われます。「せっかく苦労して作ったデータを、最後の最後で消しちゃった……！」という経験、ありませんか？　そうならないためにも、作業の途中でこまめにファイルに保存する癖をつけておきましょう。特にプログラムの勉強をするときは要注意です。何の予告もなく、作ったプログラムが消えてしまうというのは、よくあることです。

1.4 パソコンが動く仕組み

パソコンを使って何らかの作業をするには、そのためのプログラムが必要です。たとえば、パソコンをワープロとして使うにはワープロ用のプログラムが、DVDを見るには映像再生用のプログラムが必要です。ほとんどのパソコンは、買ったその日から使えるように、いろいろなプログラムがあらかじめ組み込まれていますが、それ以外の作業――たとえば快適にプログラムを開発するための環境が必要であれば、そのためのプログラム（ソフトウェア）を自分でパソコンに組み込まなければなりません。この作業を**インストール**と呼びます。

インストールしたプログラムは、アイコンをダブルクリックしたりメニューから選択したりすることで、いつでも好きなときに利用できます。これは、プログラムがメモリではなく、ハードディスクに保存されているからです。

アイコンをダブルクリックする、またはメニューからアイコンを選択すると、そのプログラムが動きだす――これは正しい解釈ですが、このときにパソコンの内部（CPU）は、

1. **アイコンがダブルクリックされた**
2. **プログラムを動かさなくちゃ**

と判断し、必要なプログラムをハードディスクから取り出して、作業場所であるメモリに並べ始めます。もちろん、適当に並べているわけではありません。プログラムに書かれている1つ1つの命令を、実行する順番や作業の内容別に、きちんと整理整頓して並べています。そして、すべての命令を並べ終えた後、CPUはメモリに並べられた命令を1つずつ読み込んで処理を開始します。その結果がモニターに表示されるのを見て、私たちはパソコンが動いていることを認識します。

物凄い速さで難しい仕事をしているように見えるパソコンですが、実際には**メモリに並べられた命令をCPUが1つずつ実行しているだけ**なのです。

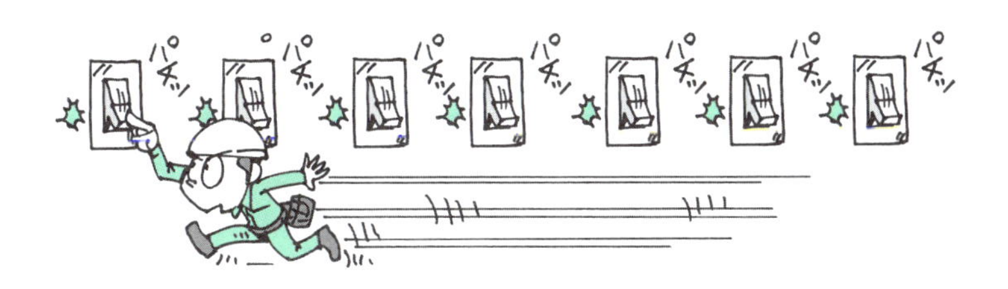

2 コンピュータの仕事の流儀

あなたが持っているパソコンは、どんな仕事ができますか？　何でもできる？本当に？――ワープロになったり、グラフを描いたり、音楽を聴かせたり、DVDを見せたり……。何でもできそうに見えるパソコンですが、本当は、たった3つの仕事しかできません。それに計算も間違うって知っていましたか？

これからプログラムを作るあなたは、コンピュータがどういう仕事のしかたをするのか、きちんと知っておく必要があります。

2.1 コンピュータにできること

何でもできるように見えるコンピュータですが、本当は**入力**と**演算**、**出力**という3つの仕事しかできません。演算という言葉がしっくりこないという人は「計算」や「加工」など他の言葉で置き換えてもかまいません。要するに、

❶ **情報を受け取る** ◀ 入力
❷ **情報を処理する** ◀ 演算
❸ **処理した結果を出力する** ◀ 出力

という3つが、コンピュータのできる仕事のすべてです。

そんなはずはない？――そうですね。パソコンは1台でワープロにもなるし、絵も描けるし、インターネットに接続してWebページを閲覧することもできます。確かに見た目は違う仕事ですが、その内容をよくよく観察すると、**すべての仕事は入力、演算、出力の3つで構成されている**のです。

たとえば、パソコンを「電卓」として使うとき。まずはプログラムを起動しましょう。これは、

❶ **電卓用のアイコンがダブルクリックされたという情報を受け取って、**
―― **入力**

❷ **電卓用のプログラムをハードディスクからメモリ上に読み込み、**
　―― **演算**
❸ **モニターに電卓用の画面を表示する**
　―― **出力**

という3つの仕事で構成されています。
　次は「1＋2」という計算をしてみましょう。これも、

❶ **キーボードまたはマウスから計算式（1＋2＝）を受け取って、**
　―― **入力**
❷ **計算して、**
　―― **演算**
❸ **答えを画面に表示する**
　―― **出力**

という3つの仕事で構成されています。
　最後に電卓を終了するときは、

❶ **「電卓を終了しなさい」という命令を受け取って、**
　―― **入力**
❷ **電卓が使ったメモリをきれいに片付けて、**
　―― **演算**
❸ **電卓用の画面を消去する**
　―― **出力**

となります。
　プログラムの起動、計算、プログラムの終了。仕事の内容は異なりますが、どの仕事も入力、演算、出力の3つだけで構成されているでしょう？　ワープロとして使うときも、Webページを閲覧するときも、音楽を聴くときも「**入力 ➡ 演算 ➡ 出力**」の基本は変わりません。そして、この中のどれか1つが欠けるということもありません。なぜなら、「入力」がなければコンピュータは仕事を開始することができません。「演算」がなければ、入力されたものをそのまま出力することになるので意味がありません。また「出力」がなければ、コンピュータが本当に仕事をしたのかどうか、私たちは知ることができません。

コンピュータができることは「**入力 ➡ 演算 ➡ 出力**」の3つだけです。そして、コンピュータがこの3つの仕事をするために必要なものが**プログラム**です。どんなに複雑な仕事を行うプログラムも、そこに書かれているのは、

❶ コンピュータがどんな情報を受け取って、
❷ その情報をもとにコンピュータがどのような処理をして、
❸ 結果をどのような形で返すのか

という繰り返しです。そう考えると、プログラムを書くという作業、意外と簡単そうに思えませんか？

2.2 コンピュータの得意分野と苦手分野

「走るのは得意だけれど、水泳は苦手」とか「社会は得意だけれど、数学は苦手」とか、人間に得手不得手があるように、機械や道具にも得意な分野と苦手な分野があるって知っていますか？　たとえば、交換式のペーパーモップ。髪の毛やホコリを吸着するのは得意ですが、少し大きめのパン屑を吸着するのは苦手です。これと同じように、コンピュータにも得意分野と苦手分野があります。プログラムを書くときには、コンピュータのそんな性格を頭に入れておく必要があります。

◉ 得意分野

コンピュータは機械です。命令されたことは何ひとつ文句をいわず、忠実に実行します。「待て！」といわれれば何時間でもずっと待ち続けるし、「1＋2＋3＋……のように、1つずつカウントアップしながら足し算しなさい」という命令も、答えがどんどん大きくなってコンピュータが処理しきれなくなるまで、延々と計算しつづけます。

コンピュータに得意な分野があるとすれば、それは、

命令には決して逆らわず、いわれたことだけを忠実に実行すること

です。こんな部下がいたら助かる？　確かに、とても信頼できる部下のようにも思えますが、これが落とし穴になることもあるので注意しなければいけません。

たとえば、水平線と交わる直線を引くプログラムで、水平線と直線のなす角度を「0.1度」とすべきところを「1度」としたらどうなるでしょう？　コンピュータは、いわれたとおりに、交わる角度が1度になるような直線を描画します。これ

がグラフや絵を描くためのプログラムであれば、0.1度と1度の違いは見た目がおかしくなるだけで、さほど問題にはならないかもしれません。しかし、医療用機器や飛行機を動かすためのプログラムだったら大変です。命に関わる重大な事故を引き起こすことにもなりかねません。

コンピュータは、いわれたことを何でも忠実に実行しますが、その命令が正しいかどうかを判断したり、間違いを指摘したりする能力はありません。プログラムに間違いがあった場合は、間違いをそのまま実行します。コンピュータの得意分野も、見方を変えると危険と隣り合わせにあるということを覚えておきましょう。

苦手分野

コンピュータには苦手なことがたくさんあります。中でもいちばん苦手なのは、

曖昧な命令を理解すること

です。たとえば「直線を引きなさい」という命令。これだけでは「どこに」「どのような」直線を引けばよいのかコンピュータは理解できません。そのため、いつまでも仕事を開始することができずに、コンピュータはフリーズしてしまいます。

残念ながら、機械や道具は、自分で苦手分野を克服することができません。そんな厄介(やっかい)なものをうまく操れるかどうかは、私たち人間の腕次第です。たとえば、ペーパーモップが苦手とする大きめのパン屑は、掃除機で吸うなり手で拾うなり、一手間かけるだけで部屋はきれいになるでしょう？　コンピュータもこれと同じです。きちんと仕事をしてもらうには「（x座標100, y座標100）と（x座標200, y座標200）を線で結びなさい」のように、直線の開始位置と終了位置を正確に教えてやればよいのです。

手間はかかりますが、相手は考えることのできないコンピュータです。機嫌よく仕事をしてもらうためにも、プログラムを書くときには、できるだけ詳しく、正確に命令することを心がけてください。

2.3 コンピュータが数を数える方法

私たちは0、1、2、3、4、5、6、7、8、9の10個の数字を使って、1、2、3……のように数を数えます。9の次は1つ桁が上がって10、11、12……ですね。このように10個の数字で数を数える方法を**10進法**、それによって表される値を**10進数**と呼びます。

ところが、コンピュータは0と1、たった2つの数字で数を数えます。この方法を**2進法**、それで表される値を**2進数**と呼びます。数え方は10進法と同じです。0、1の次は桁が1つ繰り上がって10、11。これですべての数字を使ってしまったので再び桁を繰り上げて、11の次は100になります。

このほかにも**8進法**や**16進法**という数え方もあります。8進法は0、1、2、3、4、5、6、7のように数を数えて、その次は1桁繰り上げて10、11、12……のように数える方法です。16進法は0、1、2、3、4、5、6、7、8、9、A、B、C、D、E、Fのように10個の数字と6個のアルファベットを使って数を数える方法で、Fの次は1桁繰り上げて10、11、12……19、1A、1B……になります。これらの方法は、コンピュータが処理する値（2進数）を効率よく表すために使われます。**表2-1**を参照してください。2進数では「1111」のように4桁になる値も、16進数では「F」という1桁で表現できます。

どうしてコンピュータは10進法ではなく、2進法を使って数を数えるのでしょ

表2-1

10進数	2進数	8進数	16進数
0	0	0	0
1	1	1	1
2	10	2	2
3	11	3	3
4	100	4	4
5	101	5	5
6	110	6	6
7	111	7	7
8	1000	10	8
9	1001	11	9
10	1010	12	A
11	1011	13	B
12	1100	14	C
13	1101	15	D
14	1110	16	E
15	1111	17	F

う？　それは、コンピュータが豆電球と同じように電気で動く機械だからです。豆電球は電気が流れると点灯し、電気が流れないと消えますね。電気が流れている状態が「オン」、電気が流れていない状態が「オフ」です。ちょっとだけ電気が流れているという状態も「オン」に含まれます。電気で動く機械は、すべて、このどちらかの情報だけを使って動いています。

たとえば「8＋5を計算しなさい」という命令。——「8」を「1000」、「5」を「101」のように置き換えれば、**電気のオン／オフで表すことができる**でしょう？　人間にとってはわかりにくい2進法も、コンピュータにとっては、ごく自然な数え方なのです。

2.4 コンピュータが扱う大きさの単位

これまでに**ビット**（*bit*）や**バイト**（*Byte*）という言葉を聞いたことはありませんか？　これらは、コンピュータの世界で大きさを表す単位です。

ビットは2進数の1桁を表す大きさで、1ビットで表現できる値は0か1のどちらかです。これが2ビットになると、**図2-2**のように10進数の0、1、2、3の4つの値を表現できるようになります。4ビットになると0～15まで16個の値を表現できます（**表2-1**参照）。

図2-2

ファイルサイズを表すときに使うバイトという単位は、ビットが8個集まったものです。0または1の2種類の値を表現できるビットが8個集まっているので、

それぞれが2種類の値を表す

$$2 \times 2 \times 2 \times 2 \times 2 \times 2 \times 2 \times 2 = 256$$

それが8個

となり、1バイトでは256種類——つまり、10進数の0〜255*4の値を表現することができます（**図2-3**）。

図2-3

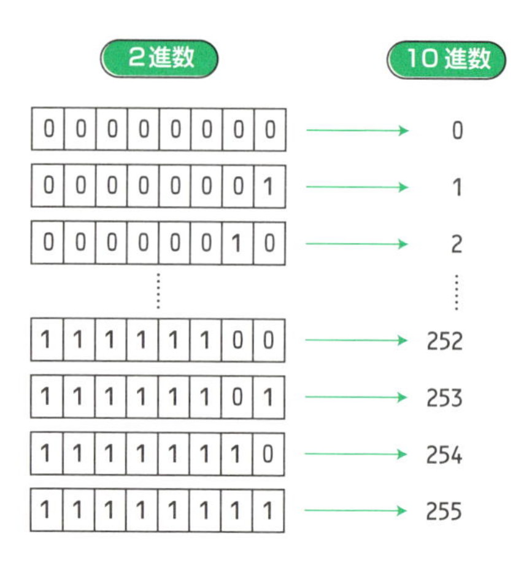

私たちは、普段の生活の中で1000gを1kg（キログラム）、1000mを1km（キロメートル）のように「キロ（k）」という単位をよく利用しますね。日常生活で1キロといえば、それは1000を表しています。

コンピュータの世界でも1KB（キロバイト）のように**キロ**という単位を使用しますが、このときの**1キロは1000ではなく1024**になるので注意しましょう。また、1000と区別するために、小文字の「k」ではなく大文字の「K」を使用します。

1024は、なんだか中途半端な数字に見えますが、これは2を10回掛けた値（2^{10}）であり、数を2進法で数えるコンピュータにとって区切りのよい値です。つまり、1キロバイト（KB）は1024バイトと同じ値になります。

コンピュータのカタログに表示されているMB（メガバイト）、GB（ギガバイト）、TB（テラバイト）は、さらに大きな値です。1MBは1024KB、1GBは1024MB、1TBは1024GBと同じ値になります。

*4 ここで紹介した10進数の値（0〜255）は、扱う値を正の数に限定しています。負の数を扱う方法は、第4章の「**2.2 整数型／実数型**」のコラム「**正の数と負の数**」（100ページ）を参照してください。

2.5 コンピュータも計算を間違える

「コンピュータが計算を間違える？　そんなはずはないだろう！」というのは、大間違い。実は、コンピュータは小数点を含んだ計算が苦手なのです。

電気で動くコンピュータは、すべての情報を0か1に置き換えて処理しています。たとえば「8＋5」という計算も、2つの数字を「1000」と「101」に置き換えてから足し算しています。この例のように計算に使う値が整数であれば、きちんと2進数に置き換えることができるため、コンピュータが計算を間違うことはありません。問題は小数点を含む値です。

小数点を含んだ値の中には、どうしても2進数に置き換えられない値があります。たとえば10進数で「0.1」という値は2進数で「0.0001100110011……」のように、いつまでも延々と続く値になり、どうしても誤差を含んだ値になってしまいます。そのため、0.1＋0.1＋0.1＋……という足し算を100回繰り返したとき、10進数で考える私たちは「10」という答えを出しますが、コンピュータの出す答えは「限りなく10に近い値」になります。ということは……コンピュータが計算間違いをしているわけではなく、

正確に計算した結果に誤差が含まれている

というのが正しい表現になります。

電気で動くコンピュータを使うのですから、小数点を含んだ値に誤差が含まれるのは仕方のないことです。しかし、最初は無視しても何ら問題ないくらい小さな誤差も、複雑な計算を繰り返しているうちに「明らかにおかしい」という誤差になる可能性があることを覚えておきましょう。あらかじめ誤差が生じることが予想される場合は、できるだけその誤差が少なくなるようなプログラムを作る[*5]ことを心がけてください。

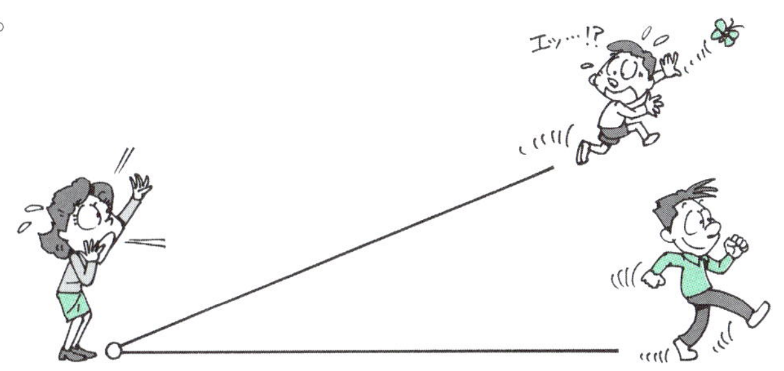

＊5　詳しくは、第5章の「**2.2　計算誤差を減らす工夫**」（114ページ）を参照してください。

3　プログラム徹底解剖

コンピュータが動くにはプログラムが必要です。しかし、コンピュータが理解できるプログラムと、私たちが理解できるプログラムの間には、高い壁があるって知っていますか？　その壁を越えるために、私たちが手にしたもの――それが**プログラミング言語**です。

3.1　いろいろな種類のプログラム

コンピュータを動かすためのプログラムは、仕事別にいくつかのグループに分けることができます。中でも有名なグループは**BIOS**と**OS**、**アプリケーション**です。このほかにも**ユーティリティ**や**アクセサリ**、**ミドルウェア**などのグループもありますが、これらは「コンピュータ上で使える、ちょっと便利な道具」程度の認識でかまいません。

◉ BIOS

あまり馴染みのない言葉かもしれませんが、コンピュータの電源を入れたとき真っ先に動くのが、このプログラムです。*Basic Input / Output System* の頭文字をとったもので「バイオス」と発音します。日本語に訳すと「基本入出力の仕組み」となるでしょうか。

BIOSの仕事は、

1. **コンピュータを構成する装置（メモリやハードディスクなど）に不具合がないかどうかを調べる**
2. **コンピュータに接続されている入出力装置（キーボードやマウス、モニターなど）を使えるようにする**
3. **OS（WindowsやmacOSなど）を実行する**

――この3つです。「コンピュータの電源を入れれば、すぐにWindowsやmacOSが起動する」というのは大きな間違いです。BIOSがなければ、コンピュータは仕事を開始することができないのです。

それだけ重要なプログラムですから、BIOSはコンピュータの中の**ROM**（ロム）という特別な領域に組み込まれています。ROMは電源を切っても内容が消えない特別な記憶領域で、私たちがそこにデータやプログラムを保存することはできません。*Read Only Memory*——つまり、**読み込み専用のメモリ**です。

OS

Operating System の頭文字をとって**OS**（オーエス）。日本語では**基本ソフト**といいますが、OSのほうが一般的ですね。パソコン用の有名なOSには、WindowsやmacOS、Linux、UNIX、スマートフォン用であればiOSやAndroidなどがありますが、仕事の内容は基本的に同じです。

たとえば、押されたキーを認識する、マウスの動きに合わせて画面上のマウスポインタを移動する、画面に文字を出力する、指定されたデータをプリンタに出力する、作成したデータをファイルに保存する……。これらは、コンピュータをワープロとして使うときにも、Webページを閲覧するときにも、共通して行う処理です。OSには、このように、あらゆる場面で共通して使う処理が書かれています。

いまの段階では、OSの有難味がよくわからないかもしれません。また、OSの中身を詳しく知る必要もありません。ただ、

OSがあるおかげで、私たちは、自分がやりたいことだけをプログラミングすればいい

ということだけを覚えておいてください。たとえば「キー入力された値を計算に使いたい」という場合は「入力された値を、ここに入れてください」と命令するだけで、あとはOSが処理してくれます。命令のしかたはプログラミング言語ごとに覚えなければなりませんが、それ以外の難しいことを考える必要はありません。

アプリケーション

レポートを書くときはワープロ用のプログラム、写真を加工するときはレタッチ用のプログラム、DVDを見るときは映像再生用のプログラム……。目的によって、使用するプログラムが異なりますね。このように、ある目的のために作られたプログラムを**アプリケーション**と呼びます。「基本ソフト」に対する言葉として**応用ソフト**という言葉を使うこともあります。一般的に「プログラムを作る」といった場合は、アプリケーションを作ることを意味しています。

仕事の数だけアプリケーションは存在しますが、そのすべてに共通することは、

アプリケーションは、OSがなければ動かない

という点です。OSのところでも触れましたが、キー入力や画面への表示のように、どのアプリケーションでも共通して使う仕事はOSが担当することになっています。つまり、OSがなければアプリケーションは、キーボードやマウスから入力された情報を受け取ったり、結果を画面に表示したりできないということです。また、OSの機能を使用するために、

アプリケーションは、OSが理解できる言葉で書かれている

ということも覚えておきましょう。たとえば、OSがWindowsでWindows用のアプリケーションを使用しているのであれば、何も問題は起きません。では、macOSでWindows用のアプリケーションを動かそうとすると、どうなるでしょう？　アプリケーションが「キー入力した値をください」と命令しても、macOSはその言葉を理解できないので何も仕事をしてくれません。だから、同じアプリケーションでもWindows用、macOS用と分かれて販売されているのです。アプリケーションを新たに購入するときは、パッケージに書かれている対応OSをよく確認しないと、痛い目に遭いますよ。

3.2 パソコンはプログラムを読めない？

これまでにプログラムを書いた経験がないという人でも、プログラムについては何らかのイメージを抱いているのではないでしょうか。それは、おそらく**リスト2-1**のようなもの――日本語でも英語でもなく、とにかくアルファベットや数字がたくさん書かれたもの――ではないでしょうか。

リスト2-1

```
#include <stdio.h>

int main(void)
{
    int  answer;
```

```
    answer = 1 + 1;
    printf("%d¥n", answer);

    return 0;
}
```


リスト2-1は「1＋1の答えを画面に表示する」というプログラムを、**C言語**というプログラミング言語で書いたものです。このプログラムをコンピュータが読めるかといえば、答えは「ノー」です。その理由は**コンピュータは電気で動く機械だから**です。

この章の「**2.3　コンピュータが数を数える方法**」（47ページ）でも触れましたが、電気で動く**コンピュータが理解できるのは、電気信号のオン／オフだけです**。これを数値で表すと、0または1。――この2つしかコンピュータは理解できないのです。つまり、本当にコンピュータが理解できるプログラムは、**リスト2-2**のように0と1だけで書かれたプログラムです。

リスト2-2

```
01001101 01011010 10010000 00000000 00000011 00000000 00000000 00000000
00000100 00000000 00000000 00000000 11111111 11111111 00000000 00000000
10111000 00000000 00000000 00000000 00000000 00000000 00000000 00000000
01000000 00000000 00000000 00000000 00000000 00000000 00000000 00000000
00000000 00000000 00000000 00000000 00000000 11110000 00000000 00000000
00001110 00011111 10111010 00001110 00000000 10110100 00001001 11001101
00110001 10111000 00000001 01001100 11001101 00110001 01010100 01101000
                    ⋮
```

3.3 プログラミング言語の生い立ち

リスト2-1はプログラミング言語で書かれたプログラム、**リスト2-2**はコンピュータが理解できる**機械語**（**マシン語**ともいいます）で書かれたプログラムです。さて、あなたがコンピュータに命令するとしたら、どちらの言語を使いますか？

私たちが機械語を自由に操ることができるのなら、プログラミング言語なんて必要ありません。しかし、相手は電気のオン／オフで点いたり消えたりする豆電球ではなく、複雑な仕事をするコンピュータです。そのコンピュータを相手に私たちが0と1だけで命令するなんて、絶対に無理な話だと思いませんか？

もうひとつ困ったことに、

機械語はすべてのコンピュータの共通言語ではない

のです。たとえば、Aというコンピュータが**リスト2-2**を理解できたとしても、Bというコンピュータが理解できるという保証はどこにもないのです。どんなに頑張って機械語をマスターしても、コンピュータが変われば一（イチ）から勉強し直しなんて、悲しいですね。

そこで考えられたのが、**リスト2-1**のようなプログラミング言語です。確かに英語でも日本語でもありませんが、0と1よりは、はるかに人間に近い言葉になっているでしょう？　つまり、コンピュータを動かしたいと思ったら**プログラミング言語を身につける**のが、正しい選択です。

3.4 プログラミング言語と機械語の溝を埋めるプログラム

「ちょっと待って。コンピュータは0と1しか理解できないんでしょ？　だったら、プログラミング言語を勉強しても意味がないじゃない」なんて、早合点しないでくださいね。プログラミング言語は、**0と1しか理解できないコンピュータと、0と1の羅列を理解できない私たちとの間の溝を埋めるために開発された言語**です。勉強する意味がないなんてことは絶対にありません。

人間の言葉にも、日本語や英語、フランス語、ドイツ語、中国語、韓国語……といろいろあるように、プログラミング言語も目的別にいろいろな種類がありますが、すべてに共通していることは、

機械語に翻訳するためのプログラムがある

という点です。レポートを書くときにワープロ用のプログラムを使うのと同じように、プログラムを作るときは翻訳用のプログラム*6を利用すればいいのです(**図2-4**)。安心してプログラミング言語の勉強に取り組んでください。

図2-4

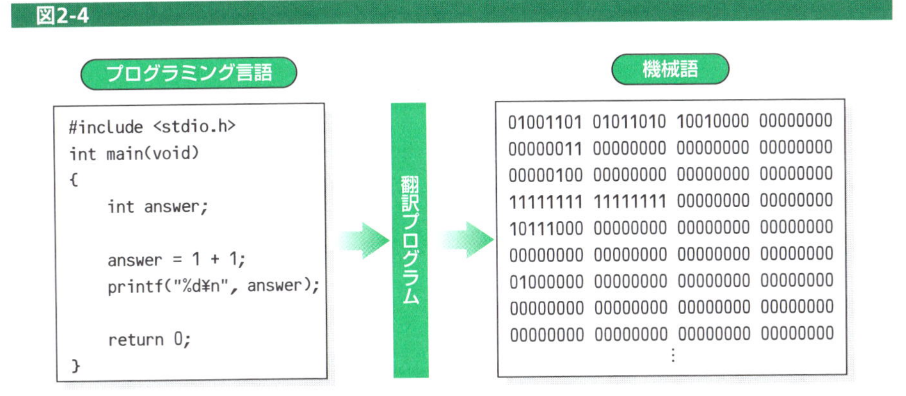

4 プログラマーへの道

コンピュータがどのような機械か、どんな仕組みで動いているか、なんとなくイメージできたでしょうか。「そんな話はどうでもいいから、早くプログラミングのコツとやらを教えてよ！」と、焦ってはいけません。意欲満々のあなたに対してこんなことをいうのもなんですが、プログラマーへの近道はないのです。

少し気持ちが萎えてきた？——大丈夫です。近道はありませんが、プログラマーへの道を歩き続けるための秘訣を、こっそりお教えしましょう。

4.1 まずは1つの言語をマスターする

人間の世界にもたくさんの言語があるように、コンピュータの世界にもたくさ

*6 詳しくは、第11章の「**3 Cプログラムに必要な道具**」(285ページ)を参照してください。

んのプログラミング言語があります。しかし、そのすべてを覚える必要はありません。日本語が話せれば、生活には困らないでしょう？　それと同じです。

世の中には複数のプログラミング言語を自由に操るプログラマーがたくさんいますが、彼らに憧れて、最初からあれもこれも勉強しようと思ってはいけません。本当にプログラムが書けるようになりたいのなら、どれか1つの言語に絞って、その言語でプログラミングの基本をしっかり身につけるべきです。ここでいう「プログラミングの基本」とは、

- **プログラム作りに必要な考え方**　とても重要！
- **プログラミングの世界で使う言葉**　とても重要！
- **プログラミング言語の使い方**　重要！

――この3つです。中でも最初の2つは特に重要で、ここを疎かにしてプログラムを書くなんて、絶対に無理な話です。この本でしっかりマスターしてください。

また、1日も早くプログラムが書けるようになりたいのであれば、プログラミング言語の使い方を覚えることも大切です。プログラミング言語には目的別にいろいろな種類があり*7、途中であれこれ目移りしてしまいそうですが、そこはグッと我慢です。最初の言語を習得するまでには時間もかかるし、たくさんの苦労もあるでしょう。しかし、人間界の言葉と違ってプログラミング言語は、種類が違っても共通する部分がたくさんあります。1つの言語をしっかりマスターすれば、他の言語を覚えるのは意外に簡単です。たくさんのプログラミング言語を自由に操るベテランプログラマーも、そうやってちょっとずつ使える言語を増やしてきたのです。

4.2 小さな目標をたくさん作る

「どうして小さな目標？　夢は大きいほうがいいんじゃないの？」と思われるかもしれませんが、プログラマーへの道のりを歩み続けるには、**目標は小さいくらいがちょうどいい**のです。それに「プログラムが書けるようになりたい」という大きな夢を、すでに持っているではありませんか。

「入金と出金と、そうそう、何に使ったか内容もきちんと書けるような、そんなお小遣い帳を作りたいな」とか「デジタルカメラで撮った写真を自由にトリミ

*7　詳しくは、第11章の「**2　いろいろなプログラミング言語**」（270ページ）を参照してください。

ングするプログラムを作りたいな」とか……。プログラミングをマスターしたら、作ってみたいプログラムはいろいろあるでしょう。でも、ちょっと待って。そのプログラム、いまの知識で作れますか？　無理ですよね。では、「キーボードから入力した数字を画面に表示するプログラム」ならどうでしょう？　もちろん、いますぐには無理でしょうが、ちょっと調べたら、なんだかできそうな気がしませんか？

第1章の「**3　心の準備**」(28ページ)でも触れましたが、新しいものを習得するとき、挫折せずに続けるには「ごほうび」が必要です。プログラミングであれば、そのごほうびは、

自分が作ったプログラムが動いた！ という感動

です。「キーボードから入力した数字を画面に表示する」「2つの数字を使って足し算する」「キーボードから入力した2つの数字を使って足し算する」……小さな目標だったら、少しの努力で達成できます。かつ、「動いた！」という感動も達成感も味わえます。なんだか胡散臭い話にも聞こえますが、それでいいのです。プログラマーになるための近道があるとすれば、それは、

ほんの少しの努力を積み重ねること

です。そのためには、小さな目標をたくさん作ることが大切です。

第3章 日本語でプログラミング

プログラムを作る作業は、ドラマのシナリオを書く作業とよく似ています。シナリオライターはあなた、役者はコンピュータです。曖昧（あいまい）な言葉や長文読解が苦手なコンピュータが、あなたの思いどおりに演じてくれるように、細かなところまで注意して指示を出すように心がけましょう。

1　プログラムができるまで

プログラムを作ろうと思ってパソコンの前に座ったけれど、あれ？　何をすればいいのかな？――プログラミングの経験が少ない人は、誰でも皆、ここでストップしてしまいます。考えられる理由は、

- **プログラム作りの手順を間違えている**
- **コンピュータにどんな仕事をしてほしいのかが、頭の中できちんと整理できていない**

――この2つです。プログラムを作る作業は、パソコンに向かって行う作業ばかりではありません。その前に、もっとやらなければならないことがあるのです。

1.1　プログラミングの7つのステップ

モノを作るときには、決まった手順があります。たとえばカップラーメンを作るとき、

1 フタを開ける
2 スープと具を入れる
3 お湯を入れる
4 フタをする
5 指定された時間が経過するまで待つ

という手順を無視して、フタを開けずにいきなりお湯をかけてしまったら大変です。ラーメンができるどころか、火傷(やけど)をするかもしれません。カップラーメンほど厳密ではなくても、プラモデルを作るときも料理をするときも、だいたいの手順が決まっているでしょう？

プログラム作りにも、次のように**決まった順番**があります。

1 テーマを決める
2 あらすじを作る
3 シナリオを書く
4 プログラミング言語に翻訳する
5 動かしてみる
6 確認する
7 バージョンアップ

（4～6：パソコンでする作業）

この中で、パソコンに向かってする作業は4～6です。過去に「プログラムを作るためにパソコンの前に座ったけれど、何をしていいかわからなくてやめてしまった」という経験がある人は、1～3の作業を飛び越えて4から始めようとしていたのです。順番を間違えるというよりも、必要な作業をしていなかったのですから、プログラムが作れなかったのも納得がいきますね。

1～3と7の作業に、パソコンは必要ありません。むしろ、パソコンから離れたほうが良い仕事ができます。まずは紙と鉛筆を用意しましょう。

1.2 テーマを決める

プログラム作りの工程で、いちばん最初にすることは、

何をするか

という点を明確にすることです。たとえば「お小遣い帳を作ろう」と思ったとき、

お小遣い帳を作る

では、テーマとして不十分です。どんなお小遣い帳がほしいのか、頭の中でイメージできていますか？　入出金の記録だけを残したいのか、それとも何にいくら支払ったのかメモを残せるようにしたいのか、はたまた文房具屋さんで家計簿として売られている帳面と同じように食費や光熱費など項目別に入力したいのか……（**図3-1**）。入力のしかたによって、プログラムの作り方は大きく変わってきます。また、入力したデータは、後で何かに使うのか、使うとすればそれはどのような使い方をするのかによっても変わってくるでしょう。

図3-1

入力イメージ①

日付	繰越・入金	食費	医療	日用品	被服	レジャー	趣味・教養	その他	残高
5月1日	28,652								28,652
5月1日		3,258		525					24,869
5月2日	30,000								54,869
5月3日						18,600			36,269
5月4日		2,865			3,980				29,424
5月5日							4,200		25,224

入力イメージ②

日付	繰越・入金	出金	残高	内容
5月1日	28,652		28,652	前月繰越
5月1日		3,258	25,394	○×スーパー食料品
5月1日		525	24,869	洗剤
5月2日	30,000		54,869	△△銀行
5月3日		18,600	36,269	日帰り温泉旅行
5月4日		2,865	33,404	○×スーパー食料品
5月4日		3,980	29,424	Tシャツ
5月5日		4,200	25,224	CD

「テーマを決める」というのは、**漠然としているイメージを具体的にする作業**です。このときに大切なのは、

最初から欲張らないこと

です。使用するプログラミング言語にもよりますが、プログラムは最初から最後まで完璧に作り上げて初めて動くものです。どこか途中に1つでも間違いがあれば、まったく動いてくれません。「あれもしたい、これもしたい」と欲張って、いろいろな機能を盛り込むと、プログラムはどんどん長くなります。それに伴って、プログラムの中に間違いが含まれる確率もどんどん増加し、さらに間違いをなかなか見つけられないという悪循環に陥ってしまいます。その結果、どうなるか……。ワクワクしてプログラムを動かしてみたのに、ちっとも動かない。えーっと、ここを直して、あそこを直して……。それでもまだ動かないぞ。なんで？んもー、イヤになってきちゃったな。やめちゃおうかな。やーめた。——これでは、いつまでたってもプログラムが書けるようにはなりません。

第2章の「**4 プログラマーへの道**」(57ページ)でも触れましたが、プログラムが書けるようになるための近道は**プログラムが動いたときの感動を味わうこと**です。そのためには、小さな目標を用意することが大切です。人間とはおかしな生き物で、自分の力を過信してしまう傾向がありますが、プログラムを勉強するときは「このくらいならできそうだ」という考えを、思い切って捨ててください。「たったこれだけ？」と感じるくらいの目標が、実はちょうどよいのです。

簡単な目標であれば、少しの努力で達成できます。そして、目標を達成できたなら、次はもう少し高い位置に目標を設定する。——これを繰り返していけば、いつか必ず自分でも驚くほど高い目標をクリアできているはずです。

さて、欲張らずにテーマを決めるには、どうすればよいか。それは、

これがなければ○○○○○とは呼べない

というレベルにまで機能を絞り込むことです。たとえば、お小遣い帳であれば、いちばん大切なのはお金の流れです。そこに注目すると、

- **使った金額（出金）を入力したら、残高が表示される**
- **もらった金額（入金）を入力したら、残高が表示される**

——この2つの機能は、どうしても必要です。その他の情報、たとえば日付やお金を何に使ったかなどの情報は、仮になかったとしても、それほど不自由ではありません。

入金額または出金額を入力したら、現在の残高が表示される

最初のテーマは、このくらいがちょうどよいのです。

1.3 あらすじを作る

テーマが決まったら、次は、あらすじを考えましょう。設定したテーマを完成させるために、どのような作業が必要なのかを洗い出す工程です。このときに大切なのは、

順番を間違えないこと

です。なぜなら、コンピュータはプログラムに書かれている命令を、上から1つずつ順番に処理するからです。たとえば「歩く」という動作。プログラム風に書くと、

1. **右足を出す**
2. **左足を出す**
3. **右足を出す**
4. **左足を出す**

⋮

になりますね。もしもこれを、

1. **右足を出す**
2. **右足を出す**
3. **右足を出す**
4. **左足を出す**

⋮

にしたら、どうなるでしょう？　同じ足ばかりを出していたら、前に進むどころか転んでしまうと思いませんか？　処理の順番を間違えると、コンピュータはおかしな動作をしたり、場合によっては処理をストップしたりしてしまいます。

あらすじ作りは、全体の流れに矛盾はないか、足りないところはないかを確認するために必要な作業です。この節も、最初にプログラム作りの7つのステップを紹介し、それから各ステップの内容を説明しています。最初に示した7つのステップが「プログラム作り」のあらすじです。もしも、この順番が、

1. **確認する**
2. **シナリオを書く**
3. **テーマを決める**
4. **バージョンアップ**
5. **プログラミング言語に翻訳する**
6. **動かしてみる**
7. **あらすじを作る**

になっていたらどうでしょう？　それぞれの項目の内容がどんなに詳しくても、読み進めていくうちに頭が混乱してくると思いませんか？

あらすじを作るとき、細かなところまで考える必要はありません。この段階では、少し高い位置からプログラムを眺めることが大切です。前髪ばかりを見ながら自分で切り揃えていて、ふと鏡に映った自分の顔を見た瞬間に「ええっ、こんなのありえない！」と叫んだ経験、ありませんか？　小さなところばかり気にして全体を見ることを疎かにすると、とんでもないことになりますよ。

1.4 シナリオを書く

あらすじが出来上がったら、次は、いよいよシナリオ作りです。あらすじに沿って、細かなところまで煮詰める作業になります。役者はコンピュータ、あなたはシナリオライター兼演出家です。あなたの思いどおりにコンピュータに動いてもらうには、

コンピュータの性格をよく理解したうえでシナリオを書くこと

――これが、いちばん大切です。

◉ 性格その１――いわれたことしかできない

　コンピュータには「考える力」がありません。たとえば、

コーヒーをいれてください

という命令も、人間であれば「コーヒーを飲みたいんだろうな」と想像して動くことができますが、コンピュータにはそれができないために、カップにコーヒー豆を入れて持ってくるかもしれません。そうならないためには「コーヒーをいれるとは、どういう作業か」「どういう手順で何をすればよいのか」など、

細かく指示すること

が大切です。

　また、コンピュータは「記憶すること」も苦手です。「覚えておきなさい」という命令を出さないかぎり、ほんの１秒前の出来事も、きれいさっぱり忘れてしまいます。そのため、

さっきと同じコーヒーをもう１杯いれてください

と命令しても、コンピュータには伝わりません。

　人間を相手に同じ話を何度も繰り返すと嫌な顔をされますが、幸いなことに、コンピュータには感情がありません。同じことを何度繰り返しても、絶対に文句をいいません。むしろ、覚えておくことのできないコンピュータは、そのほうが有難いのです。いわれたことしかできないコンピュータには、

同じ内容でも繰り返して命令する

という姿勢が大切です。

◉ 性格その２――曖昧（あいまい）な表現は理解できない

　コンピュータは自分で状況を把握して動くことができません。たとえば、

コーヒーをいれてください

と命令されても「どんなコーヒー」を「どこに入れて」「それからどうすればいいか」など、コンピュータには判断できないことだらけです。その結果、とんでもない動きをするか、まったく動こうとしないか、どちらにしろ困った状況になることだけは確実です。

コンピュータに命令するときは、

抽象的な言葉を使わずに、はっきりと伝えること

が大切です。たとえば、上の命令も、

階段脇の自動販売機で100円のホットのブラックコーヒーを買って戻ってきなさい

というように伝えると、コンピュータにも理解できるようになります。

◉ 性格その3 ―― 長文読解は苦手

しかし、コンピュータは長い文章を理解することも苦手です。コンピュータが理解できるのは、

何を、どうする

程度の、ごく短い文章であることを忘れてはいけません。つまり、上の命令は、

1. **階段脇にある自動販売機に行きなさい**
2. **コインの投入口に100円を入れなさい**
3. **ホットのブラックコーヒーのボタンを押しなさい**
4. **コーヒーができるまで待ちなさい**
5. **取り出し口からコーヒーを取り出しなさい**
6. **コーヒーを持って、戻ってきなさい**

というように短い文章に分解して、ようやくコンピュータにも理解できるようになります。

「あれもこれも、全部いわなきゃいけないなんて面倒くさいなあ……」なんて思ってはいけません。相手は考えることも記憶することもできないコンピュータです。コンピュータがあなたの思いどおりに動くかどうか、ここが最大の正念場です。

あらすじ作りのところでも触れましたが、シナリオを書くときにも、

順番を間違えないこと

が大切です。コンピュータがあなたの思いどおりに演じてくれるように、「これ以上は詳しく説明できない！」というくらいに詳細なシナリオを作ってください。ここでシナリオをきちんと作っておくと、次の作業がとても楽になります。

1.5 プログラミング言語に翻訳する

「プログラムを作ろう！」と思ってから、どれくらいの時間が経過したでしょう？　プログラム作りの4番目の工程は、いよいよパソコンの前に座ってプログラムを書く作業です。

シナリオ――つまり、コンピュータにしてほしい仕事はすでに出来上がっているので、ここでの作業は日本語をプログラミング言語に翻訳するだけです。英和辞典を片手に英文マニュアルを読むのと同じように、使用するプログラミング言語のマニュアルを片手に頑張ってみましょう。

もちろん、プログラミングの経験が少ないうちは、どんな命令があるのかがわからなくて当然です。マニュアルのどこを見ればよいか、見当をつけるのも難しいでしょう。そんなときは、自分の調べたい言葉を英語に置き換えてみてください。「英語？　苦手なのに……」と落ち込むことはありません。プログラミング言語で使われている命令は、中学1年生で習う程度の、ごく簡単な単語の組み合わせでできています。たとえば、プログラムでは「もし〜ならば」という表現をよく利用しますが、このときに使う命令は「**if**」です。また、コンピュータから値を取得するときは「**get**」、逆に情報を設定するときには「**set**」という単語がよく使われます。日本語のシナリオをプログラミング言語に翻訳するとき、どんな命令を使えばよいのかわからなくなったときは、自分のしたいことを英単語に置き換えて、そこから調べていくと案外簡単に目的の命令にたどり着けるものです。

シナリオ作りの最後のところで「シナリオをきちんと作っておくと、次の作業がとても楽になる」という話をしました。なぜなら、シナリオがきちんとできていれば、パソコンの前に座ってからプログラムの内容を考える必要がないからです。日本語をプログラミング言語に翻訳するだけでも大変なのに、そこでコンピュータにさせたい仕事を同時に考えるなんて、プログラミングの経験が少ない人には、とても難しい作業です。命令のしかたがわからないのか、コンピュータにさせたい仕事がわからないのか、次第にどちらがわからないのか混乱してきて、作業がストップしてしまいます。

もしも日本語からプログラミング言語に翻訳する途中で作業が止まってしまったら、まずは日本語のシナリオを見直してください。シナリオをよく読んで、どこにも矛盾や間違いがないことがわかったら、あとはプログラミング言語のマニュアルを調べるしかありません。苦労したことは、必ずあなたの力となって蓄えられます。それを信じて頑張りましょう。

プログラムにメモを残す　Column

日本語のプログラムをプログラミング言語に翻訳するときは、適度にメモを残しておきましょう。プログラムの中に書くメモを**コメント**と呼びます。**図3-2**は、C#というプログラミング言語で書いたプログラムです。スラッシュ（//）に続く部分がコメント[*1]です。

図3-2

```
private void button1_Click(object sender, EventArgs e)
{
    double a;       // 値1
    double b;       // 値2
    double answer;  // 答え

    // 変数に値を代入
    a = double.Parse(txtA.Text);
    b = double.Parse(txtB.Text);

    // 足し算
    answer = a + b;

    // 表示
    txtAnswer.Text = answer.ToString();
}
```

＊1　コメントの書き方は、プログラミング言語ごとに異なります。プログラムを書く前に、マニュアルで確認してください。

プログラムにコメントを残しておくと、後からプログラムを見直すときや、他の人にプログラムを見せるときに役立ちます。命令を1つずつ調べなくても、そのプログラムが何をしているのか、おおよその流れをつかむことができるからです。

コメントを書くときは、処理のまとまりごとに内容を手短に書くのが基本です。命令の1つ1つにコメントを記述すると、全体の流れがつかみにくくなるので気をつけましょう。また、コンピュータはプログラムの実行中に使う値を変数*2という入れ物で扱いますが、変数や定数*3は、時間が経つにつれて、その意味を忘れがちです。これらには必ずコメントを付けておきましょう。

1.6 動かしてみる

日本語のシナリオからプログラミング言語に翻訳した本物のプログラムができたら、さっそく動かしてみましょう。一度で動いたら万々歳です。次のステップに進みましょう。もしも動かなくても落ち込むことはありません。よっぽど簡単なプログラムでないかぎり、一度で動くことなんて滅多にないのですから……。

プログラムが動かない、または、おかしな動きをするのは、作成したプログラムの中に間違いがあるからです。この間違いのことを**バグ**（*bug*；害虫）と呼び、バグを取り除く作業のことを**デバッグ**（*debug*；害虫駆除）と呼びます。プログラム作りの5番目の工程は、プログラムの中に潜むバグを見つけ出し、それを取り除いて、正しく動くプログラムを完成させることです。

プログラムに潜む間違いには、2種類あります。1つは**命令のしかたやプログラムの書き方が間違っていた**というもので、この場合はプログラミング言語からコンピュータが本当に理解できる機械語に翻訳する*4ことができません。使用するプログラミング言語にもよりますが、この種の間違いがあるとき、コンピュータは動作を開始しません。また、プログラミング言語の中には間違っ

*2 詳しくは「**第4章 「1＋1」のプログラム**」を参照してください。
*3 詳しくは、第7章の「**5 値に名前を付けて使う —— 定数**」（198ページ）を参照してください。
*4 「機械語に翻訳する」の意味は、第2章の「**3 プログラム徹底解剖**」（52ページ）を参照してください。

ている箇所を教えてくれるものもあり、見つけやすく、修正しやすい間違いです。

もう1つは、**動いてはいるけれど、なんだかおかしな気がする**という場合です。プログラムの内容そのもの――つまり、シナリオに間違いがある場合が、これに当たります。たとえば、

5,000円の商品に10%の消費税を加算しなさい

と命令すべきところを、

5,000円の商品に1%の消費税を加算しなさい

と命令したら、どうなるでしょう？　命令そのものにおかしなところはないため、コンピュータは5,000円の1%――つまり、50円を加算して「5050」という答えを出します。計算のしかたにも、出てきた答えにもおかしなところはありませんが、本当にほしかった答えではありません。正しく動いているように見えるだけに、この手の間違いは、とても見つけにくいものです。

プログラムの間違いを見つけて、それを修正するのは、とても根気のいる作業です。手間もかかるし、時間もかかります。しかし、ここであきらめてしまっては、いつまでたっても「作ったプログラムが動いた！」という感動を味わうことができません。少し複雑なパズルを解くつもりで、デバッグにチャレンジしてください。

1.7 確認する

プログラムが動くようになったら、次の作業は要求仕様どおりにプログラムが動いているかどうかを確認する作業です。**要求仕様**なんて難しい言葉がいきなり出てきましたが、要するに、

最初に決めたテーマのとおりに、プログラムが動いているかどうかを確認する

作業です。**テスト**と呼ぶこともあります。「プログラムが動いているんだもん。間違っているわけないじゃない」と早合点しないでくださいね。さきほどのように、

5,000円の商品に1%の消費税を加算しなさい

という命令だって、正しく動いてはいるけれど、本当にほしい答えではなかった

でしょう？　テストで見つけるのは「動いてはいるけれど、なんだかおかしな気がする」という間違いです。

テーマを決めたとき、あるいは、あらすじを作ったとき、シナリオを書いたとき、

何をすれば、どうなる

という部分があったはずです。テストは、この部分に注目して行ってください。たとえば、

5,000円の商品に10%の消費税を加算しなさい

という命令であれば、本当に答えが5,500円になるかどうかを確認してください。もしも間違っていれば、この命令に、またはその付近に間違いがあるはずです。見つけた間違いは確実に修正してください。また、

価格に10%の消費税を加算しなさい

という命令の場合は、いろいろな値を使って確認することも大切です。「5,000円」ではうまく計算できるのに「1,000,000円」ではおかしな答えになるかもしれません。また「－100円」や「500.5円」のように実際にはありえない価格を入れた途端に、コンピュータは「どうしたらいいの？」と考え込んで、いっさいの仕事を受け付けなくなってしまうかもしれません。このように、

1回成功したからといって、毎回成功するとは限らない

という点がプログラムの怖いところです。「こんな使い方はありえないよね」と片づけてしまわずに、テストは慎重に行ってください。

さて、最初に決めたテーマのとおりにプログラムが動くようになったら、ひとまず、ここでプログラム作りは終了です。もしも「テーマを決めるときに目標をかなり低めに設定した」というのであれば、次の「バージョンアップ」に進んでください。

1.8 バージョンアップ

いまある機能に何か新しい機能を追加する作業を**バージョンアップ**と呼びます。最初に決めたテーマが自分の作りたかったものそのものであれば、バージョンアップの必要はありません。もしもそうでなければ、最初の目標を達成した後に初めてバージョンアップに取り掛かります。

バージョンアップの手順は、プログラムを一から作るときと同じです。まずは、バージョンアップのテーマを決めてください。このときに大切なこと、覚えていますか？　そう、

欲張りすぎないこと

でしたね。バージョンアップのときも、あれこれ一度に機能を追加しようと思わずに、1つずつ、確実に動くことを確認しながら作業を進めてください。プログラム作りの7つのステップを繰り返していくうちに、確実にプログラミング能力はアップします。

2 あらすじとシナリオを書くためのヒント

プログラム作りの7つのステップの中で特に重要なのが、**あらすじを作る作業**と**シナリオを書く作業**です。なぜなら、あらすじがあやふやなままでは良いシナリオは書けませんし、その後のシナリオ作りはプログラミング言語こそ使っていませんが日本語でプログラムを書くことと同じだからです。

プログラミングの経験を積んでいくと、これらの作業も頭の中でサラサラっとできるようになりますが、そうなるまでは、面倒でも、あらすじやシナリオを紙に書き出しましょう。もしも、あらすじに悩んだり、シナリオを書いている途中で行き詰まってしまったりしたら、こんな方法があることを思い出してください。

2.1 データの変化を考える

コンピュータにできること、何だったか覚えていますか？

入力 → 演算 → 出力

この3つでしたね*5。何らかの情報を受け取って、仕事をし、そして結果を出力することがコンピュータにできることです。どんな情報を、どのように変化させるのか。——あらすじを作るときは、**データの変化**に注目してみましょう。

たとえば「炊飯器でごはんを炊く」とき。研がずに炊ける無洗米というものもありますが、そうではない普通のお米が食べられる状態になるまでの間に、どんなふうに変化するか知っていますか？

生の米

研ぎ終わった米

水を含ませた米

炊きあがったごはん

こんな感じになります。次は、上記のようにお米が変化するには、どんな作業が必要かを考えてみましょう。上記の矢印の部分で何をすればよいかを書き出してみると、次のようになります。

1. **米をボウルに入れて研ぐ**
2. **研ぎ終わった米をザルにあけて、しばらく待つ**
3. **水を含ませた米と分量の水を炊飯器にセットして、スイッチをオンにする**

これが「炊飯器でごはんを炊く」ためのあらすじです。もちろん、この方法はシナリオを書くときにも利用できます。この後、処理の流れに注目してシナリオを書く方法を紹介しますが、その処理の流れがわからなくなったときは、データの変化に注目してみると、新しいアイディアが浮かぶかもしれません。

---

*5　詳しくは、第2章の「**2.1　コンピュータにできること**」（44ページ）を参照してください。

データフローダイアグラム　Column

データフローダイアグラムは、データの流れを図で表すことで、プログラム全体の流れを視覚化する方法です。データフロー（*data flow*）は「データの流れ」、ダイアグラム（*diagram*）は「図式」という意味です。この頭文字をとって**DFD**と表記されることもあります。

データフローダイアグラムは、矢印と円が基本になります（**図3-3**）。矢印はデータの流れです。もとのデータが次のデータに変化するために必要な処理を、円の中に記述してください。

図3-3

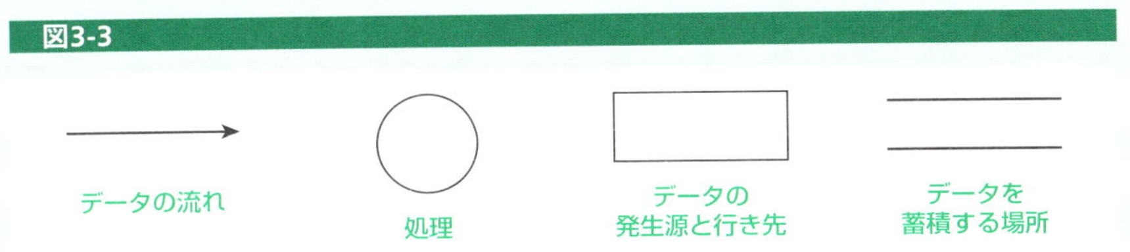

しかし、「プログラムが書けるようになりたいな」という段階で、無理に規則どおりのデータフローダイアグラムを書く必要はありません。あらすじを考えるときに思いついたことを文章に書き留めるのは大変ですし、書くことばかりに気をとられて肝心のアイディアを忘れてしまったのでは意味がありません。それよりも、思いついたことを走り書きして、それから矢印でつないだり円で囲んだりしてみようかな、くらいの気持ちで書いてみましょう（**図3-4**）。

図3-4

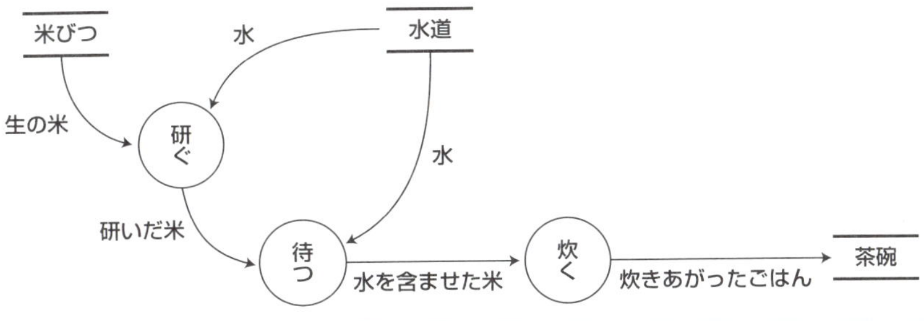

2.2 処理の流れを考える

当たり前の話ですが、シナリオを書くときは**処理の流れ**に注目しましょう。たとえば「炊飯器でごはんを炊く」とき。お米を研ぐところからの手順を書き出してみると、次のようになります。

1. 米びつから米を2カップ分取り出して、大きめのボウルに入れる
2. 米を入れたボウルに水を8分目ほど入れて、手早くかき混ぜる
3. 米をこぼさないように、水だけを捨てる
4. ボウルの奥から手前に向かって米をすくい、ボウルの底に手のひらを押しつけるようにして米を研ぐ
5. 手順4の作業を5～6回繰り返す
6. ボウルに水を8分目ほど入れて、手早くかき混ぜる
7. 米をこぼさないように、水だけを捨てる
8. 水がきれいになるまで、手順6～7の作業を繰り返す
9. 研いだ米をザルにあける
10. 30分間、待つ
11. 水を含ませた米を炊飯器の内釜に入れる
12. 2カップの水を内釜に入れる
13. 炊飯器に内釜をセットする
14. 炊飯器の蓋を閉める
15. 炊飯器のスイッチを押す

この流れを図で表したものが**図3-5**です。シナリオを書くときは、絶対に「何をどうする」という文章でなければならないということはありません。仕事の順番とその内容がきちんとわかれば、文章でも図でも、どちらで書いてもかまいません。

図3-5

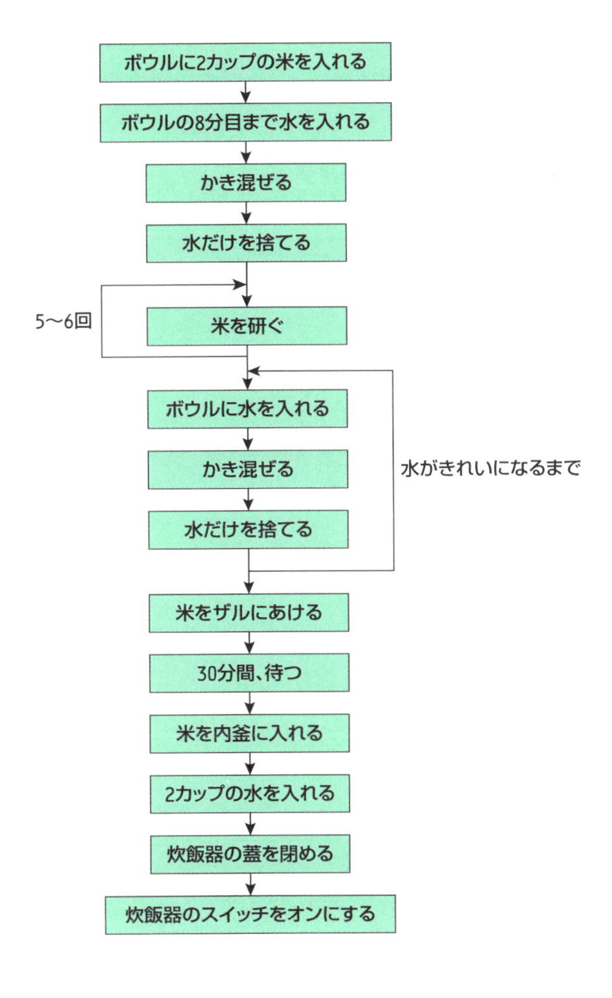

フローチャート

Column

処理の流れを表す図として**フローチャート**（*flowchart*）というものがあります。*flow*には「流れ」、*chart*には「図」という意味があり、日本語では**流れ図**と呼ばれることもあります（次ページの**図3-6**）。

図3-6

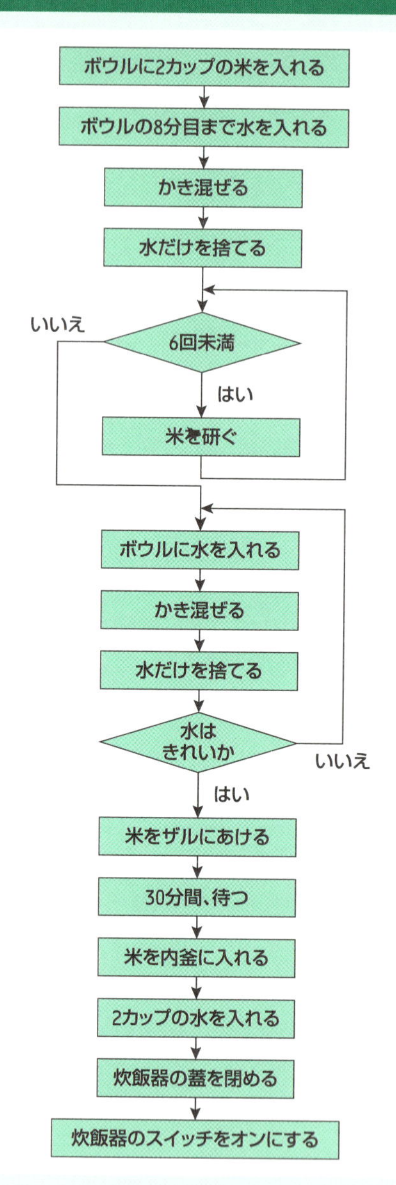

フローチャートの書き方は日本工業規格（JIS）で定められており、この規則に従った書き方をしていれば、誰が見ても同じように理解できるというメリッ

トがあります(**図3-7**)*6。しかし、「プログラムが書けるようになりたいな」という段階で、無理に規則どおりのフローチャートを書く必要はありません。「どうやって書くんだっけ?」「これで本当に正しいのかな?」と、いらないことに気を遣(つか)って思考が中断されるよりも、自分の思うままにメモを書いて、その後で「文字だけだとわかりにくいから、矢印を加えておこうかな」という程度の気持ちで書いてみましょう。

図3-7

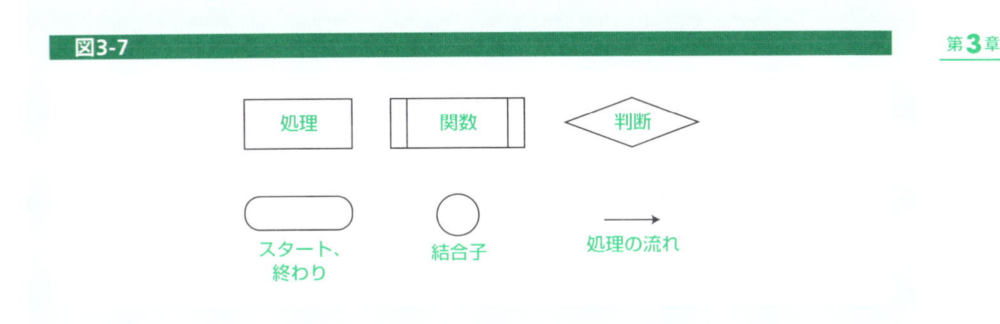

3 掃除は頼んだよ

これまでの説明で、プログラム作りのプロセスが、なんとなくわかってきたでしょうか。最後に、練習問題にチャレンジしてください。もちろん、いまの段階で本物のプログラムを書くのは無理です。ここでは、プログラム作りの最初の3つ――

1. **テーマを決める**
2. **あらすじを作る**
3. **シナリオを書く**

という部分を練習します。

*6 **図3-7**は、JISに定義されている記号の一部です。

3.1 お掃除ロボットがやってきた

何でもいうことを聞いてくれるロボットがあったらいいのにな……。子どもの頃、誰もが一度はそう思ったのではないでしょうか。二足歩行をしたり楽器を演奏したりするロボット、留守中の家を監視する犬型ロボット、ホテルのフロントでお客様を迎えるロボットや客室まで荷物を運んでくれるロボット……。少し前までは夢だと思っていた話が現実になっていることを知っていますか？ もっとロボットが進化すれば、一家に一台ロボットがあることが当たり前の時代になるかもしれません。そのときになって慌(あわ)てないように、いまからロボットと仲良く暮らす練習をしておきましょう。

ここにいるのは二足歩行ロボット、名前は「マム」です。マムは人間の基本的な動作——たとえば、立つ、しゃがむ、座る、歩く、走る、握る……など、なんでもできるロボットです。そして、あなたの指示どおりに動いてくれる、とても頼りになるロボットです。

今日は待ちに待った映画の劇場公開日。俳優さんの舞台挨拶もあるし、絶対に見に行きたい！

でも、夕方にはお姑さんが来るっていってたっけ。

どうしよう、部屋がグチャグチャだ！

でも、もう出かけないと間に合わない!!

いよいよマムの出番です。あなたが留守の間に、マムに部屋を掃除してもらいましょう。マムが間違って部屋を散らかしたりしないように、そしてお姑さんが驚くほど部屋がきちんと片づいているように、マムのお掃除プログラムを作ってみましょう。

3.2 マムの仕事内容を決める

プログラム作りの最初の工程は**テーマを決める**ことです。このときに大切なのは何だったか、覚えていますか？　そう、

最初から欲張らないこと

でしたね。しかし、「マムに掃除をしてもらう」では漠然としすぎています。マムにどこを掃除してほしいのかを、具体的に考えましょう。このときのポイントは、

これがなければ○○○○○とは呼べない

というところまでテーマを絞ることでした。部屋の汚れ具合を確認して、マムにどうしても掃除してほしいところを決めましょう。

お姑さんが真っ先に入ってくるのはリビングです。そこで、今回は、

モデルルーム並みにリビングを片づける

ということをマムにお願いすることにしましょう。もしかしたらお姑さんはトイレを使うかもしれないとか、お茶を自分でいれるかもしれないとか、あれこれ考えたら他にも掃除したいところはたくさんあるかもしれませんが、そこはあなたが早めに帰ってきて掃除してください。マムにたくさんの仕事をしてもらうということは、たくさんの指示を出さなければならないということです。指示が増えることで、間違いが増えるかもしれません。たった1つの指示を間違っただけで、マムは部屋を片づけるどころか、棚の上の花瓶を落として割ってしまうかもしれません。それよりも、リビングだけを完璧に片づけてもらうことを考えましょう。

3.3 掃除の順番を決める

プログラム作りの2番目の工程は**あらすじを作る**ことです。このときに大切なのは、

順番を間違えないこと

でしたね。普段からあまり掃除をしない人には難しい作業かもしれませんが、ここで、ついでに掃除の基本も覚えてしまいましょう。

まずは、リビングをぐるりと見回してください(次ページの**図3-8**)。床にはテレビのリモコンや宅配ピザのチラシが落ちているし、ソファの背もたれには昨日着ていたスーツがそのまま置いてあります。部屋の隅のカゴには、取り込んだままの洗濯物が入っています。テーブルの上には朝食時に使ったお皿とコーヒーカップ、エアコンのリモコンと照明器具のリモコン、眼鏡、それから大事なスマートフォンとイヤホン。棚の上には充電器や交換用のバッテリーパック。ケーブルも絡み合っ

ているし、おまけにホコリがうっすらと……。かなりひどい状態ですね。

スマートフォンと交換用のバッテリー、イヤホンは出かけるときにカバンに入れるとして……、それでもひどい状態のこの部屋をモデルルーム並みに片づけるには、どういう順番で掃除すればよいでしょう。真っ先に掃除機をかけると床に落ちているチラシを吸ってしまいそうですし、それを避けながら掃除機をかけるというのも効率が悪そうです。また、掃除機をかけてから棚のホコリを払ったら、せっかくきれいになった床に再びホコリが落ちてしまいます。これでは、いつまでたっても部屋はきれいになりません。

図3-8

掃除のコツは「整理整頓」と「上から下」です。

1. 床に落ちているものを拾って、所定の場所に片づける
2. ソファに置いてあるものを、所定の場所に片づける
3. テーブルの上に置いてあるものを、所定の場所に片づける
4. 棚の上にあるものを整理する
5. 棚やテレビの上のホコリを払う
6. 床に掃除機をかける
7. 棚とテーブルを水拭きする
8. 床に水性ワックスをかける
9. 洗濯物をたたんで、所定の場所に片づける

この手順で掃除をすれば、部屋は必ずきれいになります。

しかし、掃除の順番がわかっても、マムはまだ動くことができません。マムにとって難しいのはどこか、わかりますか？

床に何が落ちているの？
所定の場所ってどこ？
テーブルの上に何が置いてあるの？
ソファに何が置いてあるの？
ホコリってどうやって払うの？
掃除機をかけているときに壁にぶつかったらどうするの？
水拭きってどうするの？
ワックスをかけるってどういう意味？
⋮

――などなど、マムが疑問に思うことは山ほどあります。「ああ、面倒くさい！」なんて思わないでください。マムには、考えることも、状況を判断することも、何かを覚えておくこともできません。あなたが散らかした部屋を、あなたの留守中にモデルルーム並みに片づけてもらうには、マムに細かく指示しなければならないのです。その手間を惜しんで適当な指示を出してしまうと、マムはワックスのボトルのキャップを開けたまま持ち歩いて、部屋中をベトベトにしてしまうかもしれません。

3.4 マムのお掃除プログラム

あらすじができたら、次は、いよいよ**シナリオ作り**です。シナリオ作りには、たくさんのポイントがありました。全部覚えていますか？

- **順番を間違えないこと**
- **曖昧な表現は使わないこと**
- **同じことでも、何度も繰り返して指示すること**
- **「何を、どうする」程度の短い文で指示すること**

この4つでしたね。「このくらいなら通じるだろう」とか「これはさっきと同じだから、改めていう必要もないだろう」というのは、人間の勝手な思い込みでしかありません。繰り返しになりますが、マムには考えることも、状況を判断することも、何かを覚えておくこともできません。そのときにいわれたことしかできないのです。できるだけ詳しく、簡潔に指示を出すように心がけてください。

以上のポイントを頭に置いて作成したシナリオは、次のとおりです。

1 床の上のリモコン（テレビ用）を持ち上げる
2 リモコンをテレビ台のいちばん上の引き出しに片づける
3 床の上のチラシを持ち上げる
4 ゴミ箱に入れる
5 もしもゴミ箱がいっぱいなら、
6 　　キッチンに行く
7 　　レンジ台のいちばん下の引き出しから、燃えるゴミ用の袋を1枚取り出す
8 　　リビングに戻る
9 　　燃えるゴミ用の袋に、ゴミ箱のゴミを全部入れる
10 　　燃えるゴミ用の袋を持ち上げる
11 　　ベランダに行く
12 　　燃えるゴミ用の袋を、ベランダのゴミ箱に入れる
13 　　リビングに戻る
14 ソファの背もたれからスーツを持ち上げる
15 クローゼットに行く
16 スーツをハンガーにかける
17 リビングに戻る
18 テーブルの上のお皿を持ち上げる
19 テーブルの上のコーヒーカップを持ち上げる
20 キッチンに行く
21 流し台にお皿を置く
22 流し台にコーヒーカップを置く
23 リビングに戻る
24 テーブルの上のリモコン（エアコン用）を持ち上げる
25 リモコンをテレビ台のいちばん上の引き出しに片づける
26 テーブルの上のリモコン（照明用）を持ち上げる
27 リモコンをテーブルの上の小物入れに入れる
28 テーブルの上の眼鏡を持ち上げる
29 眼鏡をテーブルの上の小物入れに入れる
30 棚の上の充電器を持ち上げる

31 棚の端から5cmのところに充電器を置く
32 棚の上のケーブルを持ち上げる
33 ケーブルの絡まりを直す
34 ケーブルを充電器の脇に置く
35 ハンディモップを持つ
36 棚の上のホコリを払う
37 テレビの上のホコリを払う
38 ハンディモップをもとの場所に片づける
39 掃除機を持つ
40 掃除機のヘッドがリビングの床全体を通過するまで、
41 　　床に掃除機をかける
42 　　もしも掃除機のヘッドが障害物にぶつかったら、
43 　　　　進む方向を変える
44 掃除機をもとの場所に片づける
45 洗面所に行く
46 バケツに水を汲む
47 バケツを持ってリビングに戻る
48 バケツの水で布巾（ふきん）を洗う
49 バケツの上で布巾の水を絞る
50 布巾でテーブルを拭く
51 バケツの水で布巾を洗う
52 バケツの上で布巾の水を絞る
53 布巾で棚を拭く
54 洗面所に行く
55 バケツの水を捨てる
56 バケツを洗う
57 水道の水で布巾を洗う
58 布巾の水を絞る
59 ベランダに行く
60 物干しに布巾をかける
61 洗面所に行く
62 バケツに水を汲む
63 水性ワックスのキャップに半分だけワックスを入れる

64 キャップの中のワックスをバケツに入れる
65 キャップを閉める
66 水性ワックスのボトルをもとの場所に片づける
67 バケツを持ってリビングに戻る
68 バケツのワックス液で雑巾(ぞうきん)を洗う
69 バケツの上で雑巾の水を絞る
70 床全体を拭き終わるまで、
71 　　雑巾で床を拭く
72 　　もしも障害物にぶつかったら、
73 　　　　進む方向を変える
74 　　雑巾で拭いた面積が1平方メートルになったら、
75 　　　　バケツのワックス液で雑巾を洗う
76 　　　　バケツの上で雑巾の水を絞る
77 洗面所に行く
78 バケツの中のワックス液を捨てる
79 バケツを洗う
80 水道の水で雑巾を洗う
81 雑巾でバケツを拭く
82 バケツをもとの場所に片づける
83 水道の水で雑巾を洗う
84 ベランダに行く
85 物干しに雑巾をかける
86 リビングに戻る
87 カゴから洗濯物を取り出す
88 洗濯物をたたむ
89 クローゼットに行く
90 たたんだ洗濯物をタンスに片づける
91 リビングに戻る
92 マム用の充電台に戻る

マムの仕事は、全部で92個のステップになりました。途中で字下げをしているところは「もしもゴミ箱がいっぱいだったら」や「床全体を拭き終わるまで」のように、その条件を満たしているときだけ実行する処理です。このように字下げしておくと、プログラムの構造がわかりやすくなります。

実際にプログラムを作るとなると、これでもまだ不足しているところがたくさんあることでしょう。処理のステップが細かくなればなるほど、マムにとっては理解しやすい命令になり、間違いなく仕事ができるようになります。逆に、余分な仕事が含まれているかもしれませんが、それはマムが間違いなく仕事ができるようになってから見直せばよいことです。

シナリオができたら、次は、いよいよプログラミング言語に翻訳する作業です。でも、その前に……もう一度、シナリオを見直してください。どこかに間違いはありませんか？　プログラミング言語に翻訳するときの間違いはプログラムを実行するまでわかりませんが、指示内容の間違いは、この段階で発見することができます。

たとえば、シナリオの35番目。「ハンディモップを持つ」ところを「テニスラケットを持つ」にしてしまったらどうなるでしょう？　ホコリを払うつもりでラケットを動かしたら、棚の上に置いてある花瓶や時計が床に落ちて、最悪の場合は壊れてしまいます。

間違ったままプログラミング言語に翻訳して実行してしまったら……。そうです、マムはいわれたことをしているだけなのに、私たちの目には暴走しているように見えるのです。そうならないためにも、日本語のシナリオの段階で、指示に間違いはないか、矛盾はないかをしっかり確認してください。

4 プログラムの考え方を身につけるには

マムのお掃除プログラム、うまくできましたか？　プログラムを作った気がしない？　そうかもしれません。しかし、プログラム作りで本当に重要なのは、

❶ テーマを決める
❷ あらすじを作る
❸ シナリオを書く

この3つです。この後の「プログラムを書く」という作業は、日本語からプログラ

ミング言語に置き換えるだけなのですから。

「テーマを決める」「あらすじを作る」「シナリオを書く」という作業を練習するときは、何もプログラムにこだわる必要はありません。むしろ、プログラムとは無縁の日常生活――たとえば「買い物に行く」や「休日の予定を立てる」のようなもののほうが、よいかもしれません。なぜなら、作業の途中で行き詰まったとき、それがコンピュータやプログラムのことがわからないから行き詰まっているのか、それとも考えている内容そのものにおかしなところがあって行き詰まっているのか、判断に迷うことがないからです。

慣れないことをするときは、障害になりそうなことをあらかじめ取り除いておいたほうがスムーズに作業できます。プログラムの勉強をするときも、これと同じです。よくわかっていないプログラミング言語やコンピュータと真っ向勝負するよりも、**普段の生活の中でプログラムの考え方を身につける**ところから始めてみましょう。

第2部

プログラミングの基礎知識

第4章 「1＋1」のプログラム

太郎くんと花子さんは、それぞれ1つずつキャンディを持っています。2人のキャンディを合わせると、全部でいくつになりますか？

1＋1＝2

答えは2個。算数の式で書くとたった1行ですが、これをコンピュータに計算させるとなると、けっこう大変なんです。**図4-1**は、C言語というプログラミング言語を使って、同じ算数の問題を解くプログラムです。この中には、プログラムの基本となる重要な事柄がたくさん含まれています。

図4-1

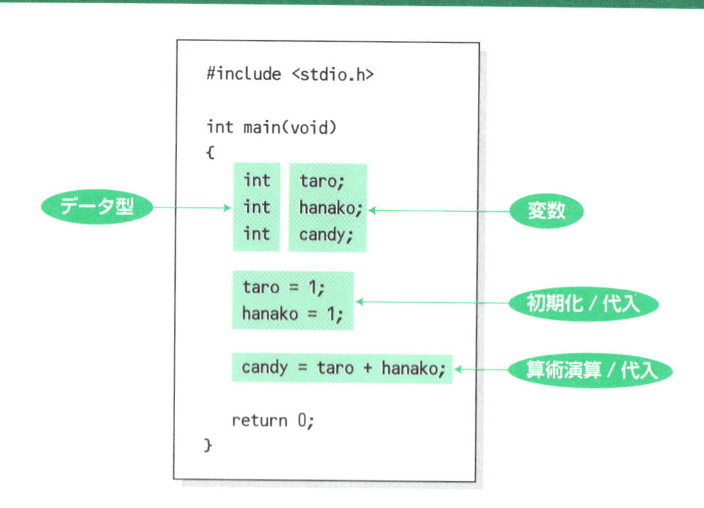


```
#include <stdio.h>

int main(void)
{
    int    taro;
    int    hanako;
    int    candy;

    taro = 1;
    hanako = 1;

    candy = taro + hanako;

    return 0;
}
```

1 値を入れる箱 —— 変数

キーボードから入力した値やファイルから読み込んだデータ、コンピュータが計算した回数を数えるカウンタなど、プログラムの実行中は、たくさんの情報を使います。この**情報を入れておくための箱**が**変数**です。

1.1 変数とは?

太郎くんと花子さんは、それぞれ1つずつキャンディを持っています。2人のキャンディは合わせていくつ? —— この程度の内容であれば、私たちは話を聞きながら誰がいくつキャンディを持っているかを記憶し、計算したという意識もないまま答えを出すことができるでしょう。ところが、コンピュータは人間と同じことができません。「誰が」「いくつ」キャンディを持っていて、それを足したら「答え」がいくつになるか、すべての情報をどこかに覚えておかないと、簡単な計算すらできないのです。このときに使うのが**メモリ**[*1]です。

たくさんの小さな箱が一列に並んだ状態を想像してください。それぞれの箱には場所を表すための番地が付けられています(次ページの**図4-2**)。コンピュータが何か作業をするときに使うメモリは、だいたいこんな姿をしていて、その箱にどういう値を入れるのか、その値をどんなふうに利用するのかを指示するのは、プログラムを書く私たちの仕事です。たとえば、次のように命令すると、コンピュータは太郎くんと花子さんが持っているキャンディの総数をきちんと計算してくれます。

1. **0001番地の箱に、太郎くんが持っているキャンディの個数を入れなさい**
2. **0002番地の箱に、花子さんが持っているキャンディの個数を入れなさい**
3. **0001番地の箱に入っている値と0002番地の箱に入っている値を足して、答えを0003番地に入れなさい**

*1 詳しくは、第2章の「**1.3　パソコン本体を構成する部品たち**」(40ページ)および「**1.4　パソコンが動く仕組み**」(43ページ)を参照してください。

図4-2

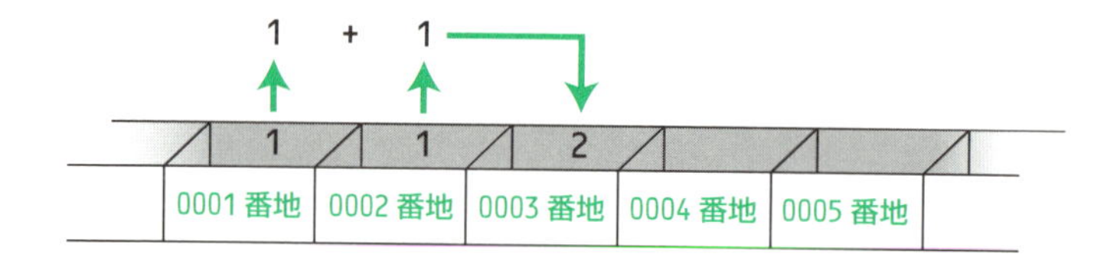

この程度の計算であれば、メモリの何番地を何に使ったか、それを私たちが覚えておくことは簡単です。しかし、コンピュータにしてほしい仕事は、こんなに単純なことばかりではありません。仕事の内容が複雑になればなるほど、コンピュータはたくさんの情報を使います。そうなると、メモリの何番地にどんな情報を入れたのかを私たちが管理して、間違わずに使うことは不可能です。

そこで、

値を入れたメモリの番地に名前を付ける

ことにしました。これが**変数**です。です。たとえば0001番地にA、0002番地にB、0003番地にCという名前を付けると、上記の3番目の命令は、

AとBを足して、答えをCに入れなさい

というように表現することができます（**図4-3**）。番地を使うよりも、指示しやすくなったと思いませんか？

図4-3

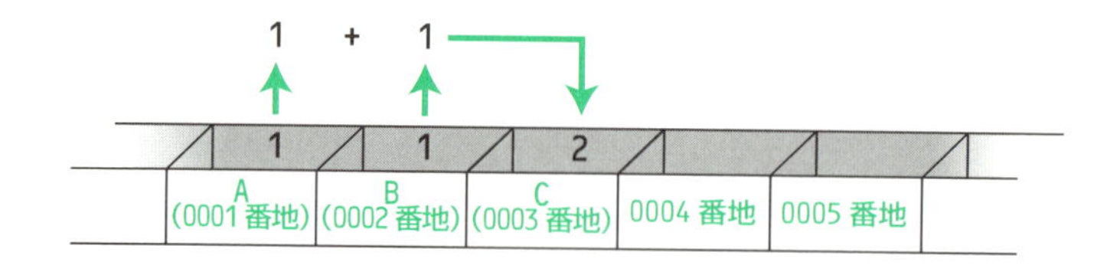

1.2 変数名の付け方

メモリの番地に付ける名前（**変数名**）は、プログラムを書く人が自由に決められます。**変数に入れる値の意味がわかるような名前**を工夫して付けてくだ

さい。たとえば「答え」を入れる変数には、

answer

というような名前を付けることができます。

プログラミング言語には、日本語を使えるものと、そうでないものがあります。開発に使うプログラミング言語が変わるたびに慌(あわ)てないよう、変数名を付けるときは**半角英数文字を使う**ようにしましょう。コンピュータは全角のアルファベットを日本語と同じように扱うため、

ａｎｓｗｅｒ ◀全角

というように書くことはできません。このほかにも、変数名を付けるときには、次のような点に注意しましょう。

◉ データの意味がわかるような名前を付ける

変数に付ける名前はプログラマーが自由に決められるからといって、自分の名前や飼っているペットの名前などを使うのはよくありません。ほかの人が見たとき、または後になって自分のプログラムを見直したときに、その変数が何を表しているのか、頭を抱えることになります。

◉ プログラミング言語の規則に従う

プログラミング言語には、必ず**名前付け規則**というものがあります。たとえば「先頭の文字はアルファベットでなければならない」や「変数名の長さは256文字以内でなければならない」「/や*のような記号は使用できない」などです。

プログラミング言語が決めた規則に従っていないときは、作ったプログラムを機械語に翻訳できません。必ずプログラミング言語のマニュアルで規則を確認し、それに従った名前を付けるようにしてください。

◉ 命令語と同じ名前は使用できない

プログラミング言語には、あらかじめたくさんの命令語が用意されています。**予約語**と呼ぶこともあります。たとえば、平均値を求める命令には「AVERAGE」や「avg」という単語がよく利用されますが、求めた答えを入れる変数に、これと同じ名前を付けることはできません。

◉ チーム内の規則に従う

自分一人でプログラムを作って楽しむ分には問題ありませんが、会社や学校では複数の人が集まったチームで1つのプログラムを作り上げることもあります。そのときはチーム内で規則を決めて、誰が見ても同じように解釈できるようにしておきましょう。それぞれが勝手なルールで名前を付けていたのでは、プログラムのメインテナンスが大変です。

◉ プログラマーの世界での常識に従う

変数には「値の意味がわかるような名前」を付けるのが大原則です。そのため「a」や「b」のようにアルファベット1文字の名前は、あまり好ましくありません。しかし、同じ1文字でも「**i**」だけは特別です。

プログラムでは**同じ処理を繰り返して実行する**という構造をよく利用します。このときに繰り返した回数を数える変数として使われるのが「i」です。*index*や*integer*（整数）の頭文字に由来しているようです。

繰り返した回数を数える変数のことをプログラマーたちは**カウンタ**と呼び、

カウンタには「i」を使う

というのが、彼らの常識になっています。プログラミング言語が異なっても、これだけは通じる約束事です。

もちろん「i」以外の名前を付けたほうがわかりやすい場合もあり、必ずしも「i」にこだわる必要はありません。プログラムの内容をよく理解して、その場に適した名前を付けることも、プログラマーの腕の見せどころです。

1.3 変数を利用する方法

変数は、値を入れるメモリの番地に付ける名前です。プログラミング言語ごとに方法は異なりますが、変数を使うときには「変数を使います」と**届け出なければいけません**。もしも届け出をせずに、

AとBを足して、答えをCに入れなさい

と指示すると、コンピュータにはAやBが何を指しているのか、そしてCがどこにあるのかがわかりません。その結果、まったく仕事をしないか、間違った仕事

をするかのどちらかになってしまいます[*2]。

コンピュータに変数の使用を届け出ることを**変数の宣言**と呼びます。この処理を行うと、

- **変数の名前**
- **どんな情報を入れるのか**
- **情報の大きさはどのくらいか**
- **その情報をいつまで使うか**

ということがコンピュータに通知されます。

「あれ？　メモリの番地は？」と思ったかもしれませんね。心配いりません。メモリの何番地を使うかは、変数の宣言を行ったときに、コンピュータが自動的に決めてくれます。私たちが番地まで管理する必要はありません。

2 箱の大きさ —— データ型

「107-6090」という数字を見たとき、おそらく多くの人が「郵便番号かな？」と思うことでしょう。なぜなら、私たちはこれまでの経験から「ハイフン(-)で区切られた3桁と4桁の数字の集まりは郵便番号だ」と記憶しているからです。しかし、コンピュータには「107-6090」が何を表しているか理解できません。もしかしたら、左から4つ目の記号をマイナスだと解釈して、引き算するかもしれません。

このような間違いを防ぐのが**データ型**です。「データ(コンピュータが使う情報)の種類」と考えてください。たとえば「107-6090」が郵便番号を表すときは全部で8文字からなる文字データですが、計算式の場合は「107」と「6090」の2つの数値データと、引き算を表す記号[*3]ということになります。

---

*2 プログラミング言語の中には、プログラムを機械語に翻訳するときに「意味不明の言葉があって翻訳できません」と教えてくれるものもあります。

*3 これを**演算子**といいます。詳しくは、第5章の「**1　計算に使う記号 —— 算術演算／算術演算子**」(111ページ)で説明します。

2.1 データ型とは?

文字や数値、写真やイラスト、音楽……コンピュータは、いろいろな種類の情報(データ)を扱うことができますが、これらをすべて「**0**」と「**1**」の2つの値だけで処理しているって信じられますか?

電気で動くコンピュータが理解できるのは、電流のオン/オフの2つの状態だけです。数値で表すと「0」と「1」。そのため、コンピュータの中では、プログラムもデータも、すべての情報が0と1だけで表現されています[*4]。たとえば「100」という値。これを計算に使う数値として扱うとき、コンピュータの内部では、

01100100

という値になります。ところが、ワープロに「1」「0」「0」と入力したときは、

001100010011000000110000

となります。キーボードから入力するときは同じ「100」なのに、コンピュータの内部では、まったく異なる値として扱われるという点に注意してください。

プログラムで変数を利用するときは、その変数にどのようなデータを入れるかを宣言しなければなりません[*5]。見た目は同じ「100」でも、数値として扱うときと文字として扱うときとでは、データの量が異なるからです。つまり、値を入れておくために必要な**箱の大きさが違う**ということです。この箱の大きさを決めるものが**データ型**です。**データの種類**と考えてかまいません。主なデータ型には、整数型や実数型、文字列型、論理型などがあります。

たとえば「100」を計算に使うときは、

整数型の値を入れる箱にkazuという名前を付けます

というように宣言して、整数を入れるための箱を用意してください。文字として扱うときは、

文字列型の値を入れる箱にmojiという名前を付けます

*4 詳しくは、第2章の「**2.3 コンピュータが数を数える方法**」(47ページ)を参照してください。

*5 プログラミング言語の中には、データの種類を宣言しなくてもよいものもあります。この場合は、はじめて変数に入れた値からコンピュータが自動的にデータ型を判断して、必要な領域を確保します。

となります。このときのデータ型を見て、コンピュータは適切なサイズをメモリ上に連続して確保し、そこに指定された名前を付けます（**図4-4**）。

図4-4

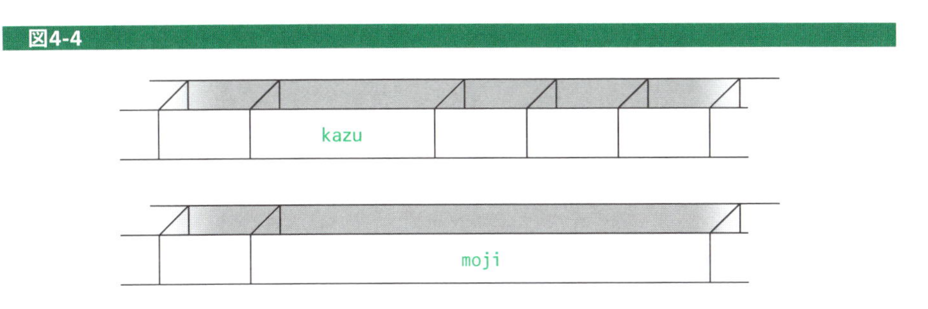

ただし、箱の大きさ──正しくは、データ型が使用するメモリサイズ──は、プログラミング言語ごとに異なります。たとえば、

整数型の値を入れる箱にkazuという名前を付けます

と宣言したとき、あるプログラミング言語ではメモリ上に2バイト（16ビット）分の大きさを確保しても、別のプログラミング言語では1バイト（8ビット）分の大きさしか確保しないこともあるので注意しなければなりません（**図4-5**）。箱の大きさが違うということは、そこに入れられる量も変わるということです。詳しくは、この後の「**2.2　整数型／実数型**」で説明します。

図4-5

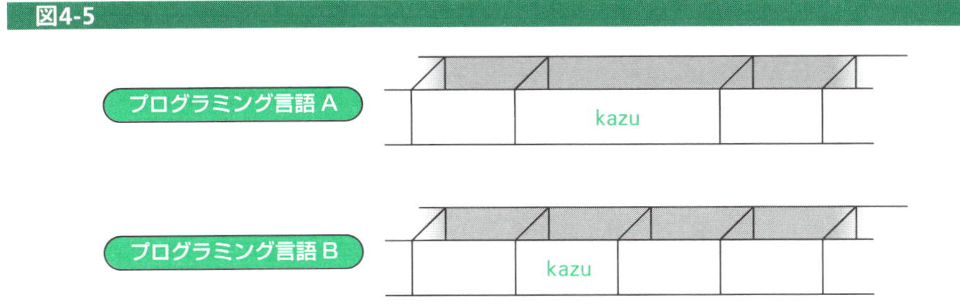

2.2 整数型／実数型

整数と実数の違い、わかりますか？ 2つの違いは、値に小数点を含むかどうかです。「1」「5」「10」のように**小数点を含まない値は整数**、「0.5」「0.05」「0.005」のように**小数点を含んだ値は実数**です。プログラムを作るときは、計算に使う値に応じて、整数型と実数型を使い分けてください。整数型では小数点を扱うことができません。

たとえば、半径が5cmの円の面積は次の式で求めることができますね。

5×5×3.14＝78.5 （3.14は円周率）

このとき、答えを入れる変数を整数型で宣言したらどうなると思いますか？ コンピュータが機転を利かせて小数点以下の値も覚えておくということは絶対にありません。整数型の箱を用意したときは、容赦なく小数点以下の値を切り捨てて、答えを「78」にします（**図4-6**）。厳密な計算結果が必要なときに、これでは意味がありません。

図4-6

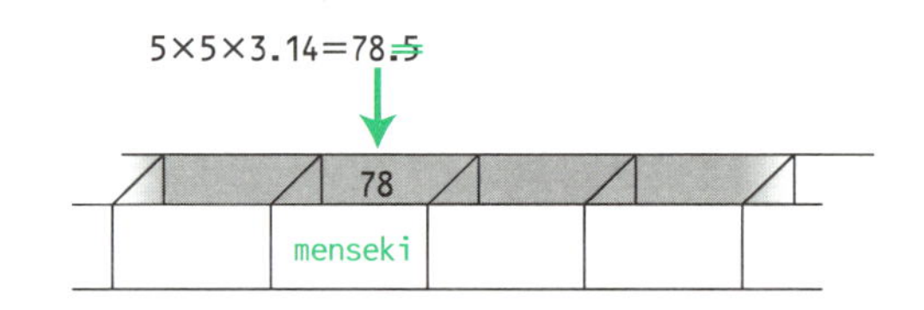

また、プログラミング言語の中には、扱う数値の大きさや小数点以下の桁数に応じて、さらに細かくデータ型を分けている場合もあります。同じ整数型でも、データ型が異なれば、扱うことのできる数値の範囲が異なるので注意してください。たとえば、メモリサイズが1バイトの整数型では0～255の範囲しか扱えませんが、2バイトの整数型では0～65535の範囲*6を扱えるようになります（**図4-7**）。

*6 ここで紹介した10進数の値の範囲（0～255、0～65536）は、扱う値を正の数に限定しています。負の数を扱うデータ型については「**コラム 正の数と負の数**」（100ページ）を参照してください。

図4-7

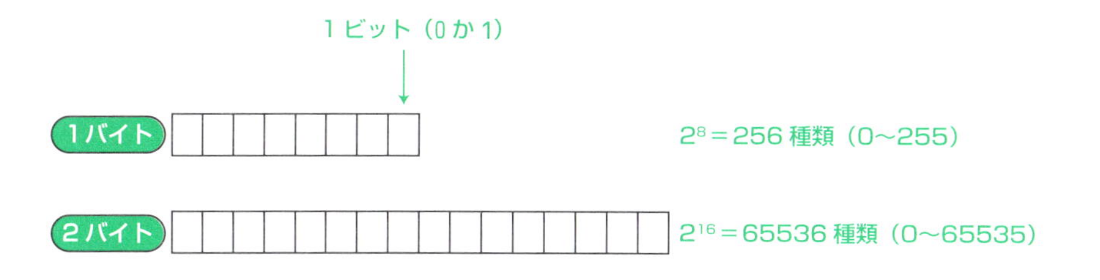

プログラムで数値データを扱うときは、

計算結果がどのような値になるかを予測して変数のデータ型を決める

ことが大切です。たとえば「100 × 100」の答えは10000ですが、これは1バイトの整数型が扱える大きさを超えてしまっています。この状態が**桁あふれ**または**オーバーフロー**です。コンピュータは、あふれた桁を無視して、1バイトの箱に残った値が正しいと思い、そのまま作業を続けます[*7]が、これでは意味がありません（**図4-8**）。

図4-8

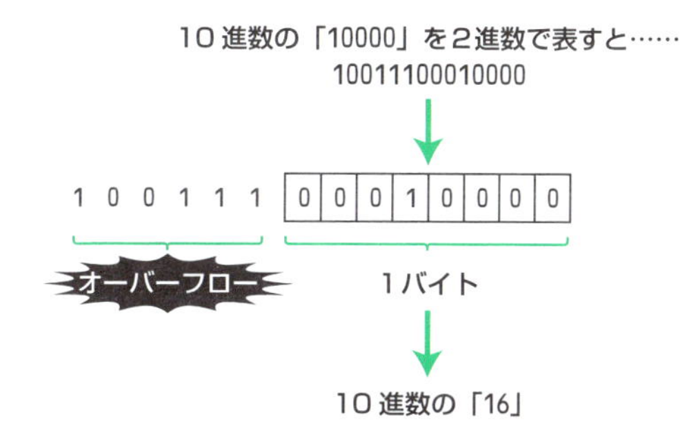

また、整数どうしの計算でも、割り算をすれば答えが実数になることもあります。大切なデータが失われることのないように、変数を宣言するときはデータ型に十分注意してください。

＊7　プログラミング言語の中には、変数に値を入れようとしたときに「オーバーフローしました」と教えてくれるものもあります。

正の数と負の数 Column

数値データは**正の数**と**負の数**の2種類に分けることができます。正の数は0以上、つまり「1」「5」「10」のような値です。0よりも小さい「－1」「－5」「－10」は負の数です。2つの数字を区別するために、コンピュータの内部では、数値データを入れる箱の先頭ビットを符号用に使用して、このビットが0のときは正の数、1のときは負の数を表すことになっています（**図4-9**）。このビットを**符号ビット**と呼びます。

図4-9

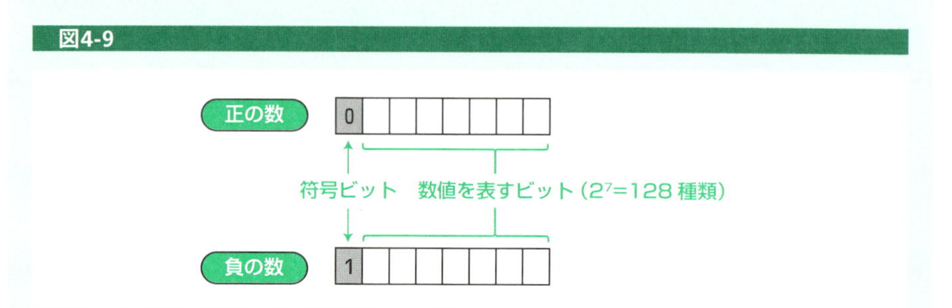

プログラミング言語の中には、**符号付き1バイト整数型**や**符号なし1バイト整数型**のように、符号を扱うかどうかでデータ型を区別しているものもあります。“符号付き”は符号ビットを使用する、そして“符号なし”は使用しないという意味です。同じ1バイトでも、符号の有無によって数値データに使えるビット数が変わる点に注意してください。その結果、扱うことのできる値の範囲も変わります。

符号なし1バイト整数型では、8ビットすべてを使って数値データを表すため、0～255の範囲の値を扱うことができますが、負の数は扱えません。一方、符号付き1バイト整数型では、7ビットで128種類の値を表現できるため、－128～127の範囲を扱うことができます。

2.3 文字型／文字列型

コンピュータの中では、**文字も0と1の並びで表現**されます。もちろん、0と1を気ままに並べているわけではなく、次ページの**表4-1**のような一覧表をもとに「Aは65番だから01000001」「Bは66番だから01000010」のように、文字に対応する番号を2進数に置き換えて表現しています。この一覧表を**文字コード**(*character code*)と呼びます。

プログラムで文字を扱うときには、注意事項がたくさんあります。1つは、データ型です。**図4-10**上のように1文字用の箱を並べて文字列を表現するタイプ、**図4-10**下のように文字数に関係なく文字列全体を1つの箱に入れるタイプなど、文字を入れるデータ型はプログラミング言語によって異なります。変数に文字を入れる方法は、ご使用になるプログラミング言語のマニュアルで確認してください。

図4-10

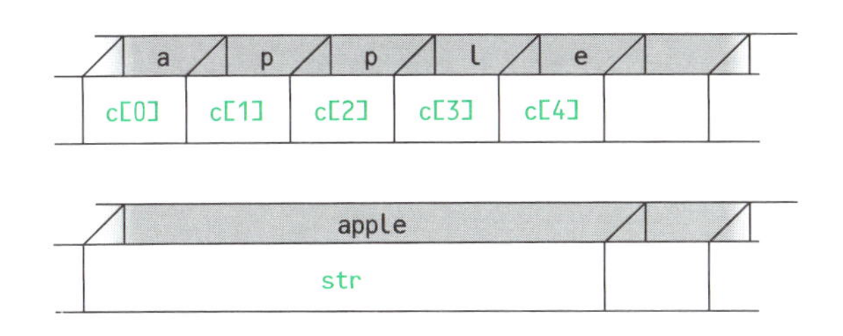

もう1つ、注意しなければいけないのは、

文字列には決まった大きさがない

という点です。たとえば、キーボードから名前を入力するときに「山田太郎」と「武者小路実篤」とでは文字数が異なります。また「ヤマダタロウ」のようにカタカナで入力すれば、同じ名前でも文字数が変わります。さらに、同じカタカナでも全角と半角とでは、使用するメモリサイズが変わります[*8]。文字データを扱うときは、

最大で何文字になるか

*8 半角カタカナは1文字につき1バイト、全角カタカナは1文字につき2バイト使用します。

表4-1 ASCIIコード表

コード	文字	コード	文字	コード	文字	コード	文字
0		32	(SPACE)	64	@	96	`
1		33	!	65	A	97	a
2		34	"	66	B	98	b
3		35	#	67	C	99	c
4		36	$	68	D	100	d
5		37	%	69	E	101	e
6		38	&	70	F	102	f
7		39	'	71	G	103	g
8	(BS)	40	(	72	H	104	h
9	(TAB)	41	)	73	I	105	i
10	(CR)	42	*	74	J	106	j
11		43	+	75	K	107	k
12		44	,	76	L	108	l
13	(LF)	45	-	77	M	109	m
14		46	.	78	N	110	n
15		47	/	79	O	111	o
16		48	0	80	P	112	p
17		49	1	81	Q	113	q
18		50	2	82	R	114	r
19		51	3	83	S	115	s
20		52	4	84	T	116	t
21		53	5	85	U	117	u
22		54	6	86	V	118	v
23		55	7	87	W	119	w
24		56	8	88	X	120	x
25		57	9	89	Y	121	y
26		58	:	90	Z	122	z
27		59	;	91	[	123	{
28		60	<	92	¥	124	|
29		61	=	93	]	125	}
30	-	62	>	94	^	126	~
31		63	?	95	_	127	(DEL)

を考えて、十分な大きさを確保してください。たとえば、名前を入れる変数に半角10文字分の領域を確保したときは「ﾔﾏﾀﾞ ﾀﾛｳ」は入れることができても「ヤマダタロウ」は途中までしか入れられません（**図4-11**）。

図4-11

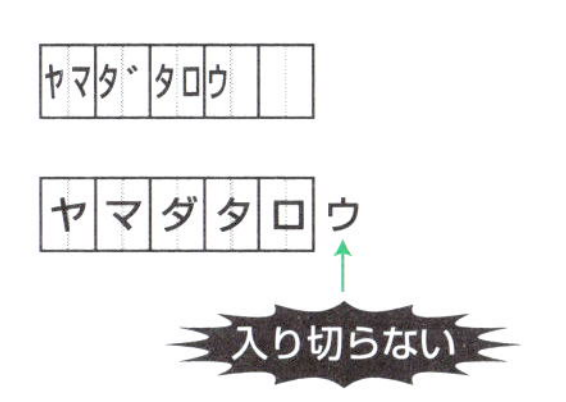

プログラミング言語の中には、文字列の最後に**終端文字**を入れる場合もあります。終端文字は「ここで文字列は終わりだよ」ということを表す特別な文字です。この場合は、終端文字を含めて十分な領域を確保してください。

文字コードと文字化け　Column

友だちから届いた電子メールや、インターネットで閲覧中のページが読めなかったことはありませんか？　これは、それぞれのコンピュータで使用している文字コードが異なることが原因です。コンピュータどうしで文字をやりとりするときに、両方のコンピュータが同じ文字コードを使っていれば問題ありませんが、そうでない場合は**文字化け**という現象を起こすことがあります。

「シフトJISコード」や「UTF-8コード」、「Unicode」のような言葉を聞いたことはありませんか？　文字コードには**表4-1**に示したASCIIコード以外にもいろいろなものがあり、どの文字コードを利用するかで文字を表す0と1の並びが変わってきます。異なる文字コード表で数値化された文字を自分の文字コード表で解釈すると、文字が化ける —— つまり、解読不能な文字になるというわけです。

2.4 論理型

私たちは日常生活で、二者択一という場面によく遭遇します。たとえば、

あなたは今日、朝ごはんを食べましたか？
「はい」と答えた人は、何を食べたかを記入してください
「いいえ」と答えた人は、食べなかった理由を記入してください

というのも二者択一です。プログラムの世界でも、これと同じように「はい」か「いいえ」、どちらを選ぶかで異なる処理をすることがあります。この**「はい」と「いいえ」を扱う**データ型が**論理型**です。**ブール型**と呼ぶこともあります。

論理型の変数に入れる値は**True**（真）または**False**（偽）のどちらかになります。「どちらともいえない」という中途半端な値はありません。もちろん、コンピュータの中ではTrueやFalseも0または1に置き換えられますが、その値はプログラミング言語によって異なります。

3 箱の使い方 —— 初期化

文字でも数値でも画像でも音楽でも、プログラムで何かデータを扱うときには必ず変数を宣言して、そこに入れることになります。プログラミング言語にもよりますが、ほとんどの場合、**宣言した直後の変数にはゴミが入っている**ということを覚えておきましょう。「ゴミ」といっても、コンピュータの中、しかもメモリ上の話ですから、入っているのは0と1のどちらかの値です。しかし、それは意味を持たない0と1の羅列です。

たとえば、

AとBを足して、答えをCに入れなさい

というように命令したとき、コンピュータは間違いなくAとBに入っている値を使って足し算を実行し、その答えをCに入れます。しかし、AとBに入っているのがゴミであれば、Cに入れた答えも意味のない値ということになります。

コンピュータに無意味な計算をさせることがないように、変数を利用するときは、

計算に使う前に、値を代入する

という処理を忘れずに行ってください。この処理を**初期化**と呼びます（**図4-12**）。

図4-12

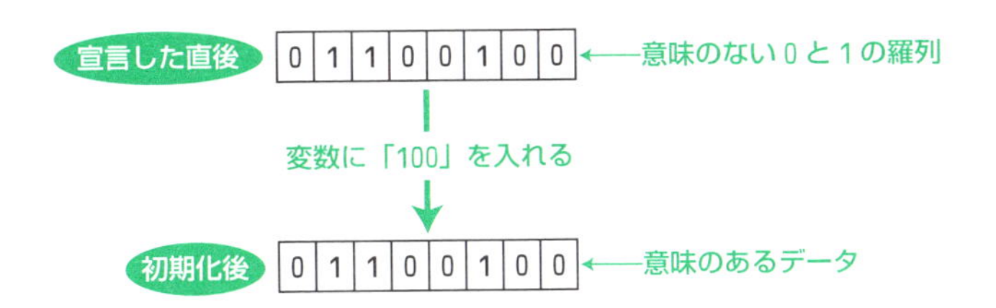

初期化に使う値――つまり、最初に変数に入れる値を**初期値**と呼びます。数値データであれば0や0.0、文字データであればスペースやNULL文字が初期値としてよく利用されますが、この値を何にするかはプログラムを作る人の自由です。キーボードから入力された値を初期値として使っても問題ありません。

NULL文字

Column

聞き慣れない言葉ですが、コンピュータの世界でNULL*9といえば**値が何もない状態**を意味します。数値の0や文字の空白（スペース）は、それぞれ「0」や「空白」というデータがある状態であり、NULLとは異なります。――ちょっと難しいですね。いまの段階では「何もない空っぽの箱なんだなあ」という程度の認識でかまいません。

さて、文字データの初期化に使う**NULL文字**ですが、これは**文字としての意味を持たない特殊な文字**ということになります。しかし、何らかの値がなければコンピュータでNULL文字を扱うことができないため、ほとんどの文字コード表ではNULL文字に「0」を割り当てています。

*9　「**null**」や「**nil**」のように表現するプログラミング言語もあります。

プログラミング言語の中には、文字列の終わりを示す文字（終端文字）としてNULL文字を使うものもあります。数値データとは異なり、文字データは大きさが決まっていないために、余裕を持って大きめのサイズをメモリ上で確保するのが一般的ですが、このときにNULL文字を使うことで「後ろに続くデータはゴミだよ」ということを表しています（**図4-13**）。

図4-13

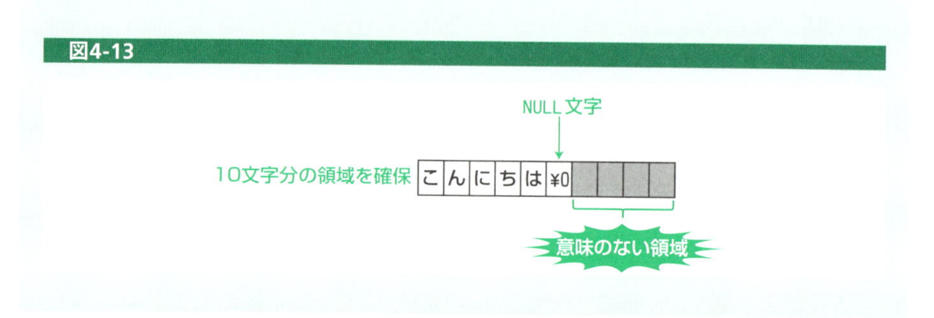

4 箱を満たす —— 代入／代入演算子

変数に値を入れることを**代入**と呼び、それに使う記号を**代入演算子**と呼びます。プログラミング言語によって代入演算子として使う記号は異なりますが、変数に値を入れる方法は共通です。本書では、代入演算子として「**=**」を使うことを前提に説明します。

4.1 イコール（=）の役割

太郎くんと花子さんは、それぞれ1つずつキャンディを持っています。2人のキャンディは、合わせていくつ？ —— これを算数の計算式で表すと、

1＋1＝2

になりますね。左辺（＝の左側）には計算式を、右辺（＝の右側）にはその答えを書くように算数の授業で習ったはずです。そして、このときの「＝」は「等しい」という意味を表しています。

しかし、プログラムでは、このような書き方はしません。なぜなら、計算をするのはコンピュータであって、答えをプログラムに書く必要はないからです。では、答えを入れる変数の名前をanswerとしたときに、

1＋1＝answer

と書くかといえば、これも間違いです。プログラムの世界で**「＝」は代入**という意味になり、

右辺に書いた値を、左辺の変数に代入しなさい

という命令になるからです。つまり「1＋1」の答えをanswerに代入するには、

answer＝1＋1

のように書くのが正解です。算数の式とは異なり、プログラムの世界では計算式を右辺に書くのが決まりです。

4.2 「a＝a＋1」の意味

算数の世界で「＝」は「等しい」という意味です。そのため、

a＝a＋1

という計算式は絶対に成立しません。ところが、プログラムの世界では頻繁に使われる式です。この計算式の意味、わかりますか？

プログラムの世界で「＝」は「代入」という意味で、右辺の値を左辺に代入するという処理になります。つまり、上記の式は、

現在のaの値に1を足して、その答えをaに入れなさい

という意味です。ちょっとややこしいですね。具体的な値を入れて考えてみましょう。たとえば、いまのaの値が「100」のときにこの命令を実行すると、命令を実行した後のaの値は「101」になります（次ページの**図4-14**）。

図4-14

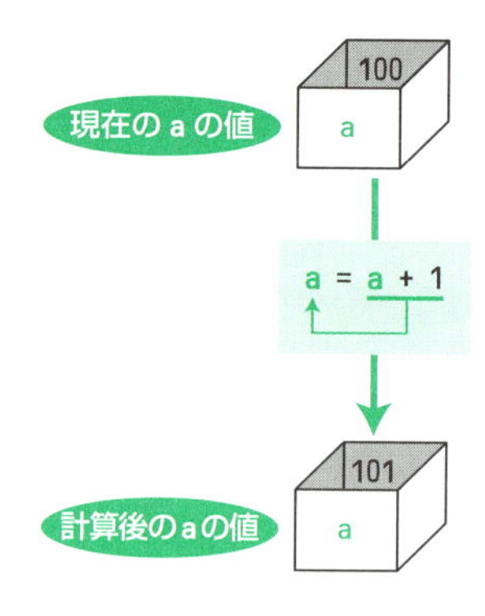

「等しい」と「代入」の区別 Column

プログラムでは「キー入力された値が100と等しければAの処理を、等しくなければBの処理を実行する」のように、値を比較した結果で次に行う処理を分けるという構造をよく利用します。厄介(やっかい)なことに、プログラミング言語の中には「等しいかどうか」を判断するときにも「=」を使うものがあります。

「プログラムの世界でイコールは代入っていう意味じゃないの？」「同じ記号を使ったら、コンピュータが迷ってしまうんじゃない？」と心配になるのは当然です。でも、大丈夫。コンピュータは、この2つを絶対に間違ったりはしません。

プログラムの世界で、イコールは基本的に「代入」という意味です。「等しいかどうか」という意味で使うのは「もしも～ならば」という場面だけです。各プログラミング言語には「もしも」を表す命令語がちゃんと用意されており、この命令と組み合わせて使ったときだけ、イコールは「等しいかどうか」という意味になります。

5 Q&A

Q1 変数って本当に必要なの?

必要です。コンピュータの仕事は、

❶ **何らかの情報を受け取って、** ──**入力**
❷ **指示された処理を実行して、** ──**演算**
❸ **その結果を出力すること** ──**出力**

の3つですが、受け取った情報を入れておく場所がなければ、コンピュータは作業を開始することができません。コンピュータが処理する情報を入れておくための**入れ物**が変数です。

Q2 変数を宣言しないとどうなるの?

変数を使うときは「整数を入れるためにanswerという名前の変数を使います」*10のように宣言しなければなりません。これを省略して、いきなり「1＋1の答えをanswerに入れなさい」と命令しても、コンピュータにはanswerが何を指しているのかがわかりません。その結果、コンピュータは仕事を開始しないか、間違った仕事をするかのどちらかになります。

Q3 データ型を間違えるとどうなるの?

データ型は、変数に入れられるデータの種類を決める大切な情報です。たとえば「整数を入れるためにanswerという名前の変数を使います」のように宣言したとき、answerに入れられるのは整数(小数点を含まない値)だけです。実数(小数点を含んだ値)を入れた場合は、小数点以下の値が失われるので、注意しなければいけません。

＊10 プログラミング言語の中には、データの種類(データ型)を宣言しなくてよいものもあります。この場合、はじめて変数に値を代入(初期化)したときに、自動的に適切なデータ型が選択されます。

Q4 初期化していない変数を計算に使うとどうなるの？

変数を宣言すると、値を入れるための場所がメモリ上に確保され、そこに名前が付けられます。変数用に確保した場所に何が入っているかは不明です。その状態で変数を使うということは、意味のない値を使って処理するということです。出てきた結果にも意味がありません。

Q5 変数に次々に値を入れたらどうなるの？

プログラムの実行中、変数には何度でも値を入れることができます。いちばん最後に入れた値が、そのときの変数の値です。

第5章 計算間違いの正体

コンピュータが計算を間違える。—— ちょっと衝撃的ですね。正しくは「コンピュータで計算した結果が、私たちの思っている答えにならない」ということです。「そんなバカな！」と思うような話ですが、2進法で数を数えるコンピュータにとって、これは仕方のないことです。コンピュータができるだけ正しい答えを出せるように、プログラムを作る人が気をつけなければならないことを覚えておきましょう。

1 計算に使う記号 —— 算術演算／算術演算子

足し算や引き算、掛け算、割り算といった計算式は、

answer＝1＋1

というように、左辺に答えを入れる変数名、右辺に計算式を書くのが、プログラムの世界の決まりです。計算式には算数で習った記号とほぼ同じものを使うことができますが、キーボードには「÷」や「×」のような記号がありません。その代わりに「/」や「*」を使うのが一般的です（次ページの**表5-1**）。計算式に使うこれらの記号を**算術演算子**と呼びます。ただし、算術演算子としてどんな記号を使うかは、プログラミング言語ごとに異なるので、注意してください。

表5-1

計算	算術演算子
足し算	+
引き算	-
掛け算	*
割り算	/

また、割り算だけは「/」のほかにも、いろいろな演算子が用意されています。

10÷3の答えは?

こう聞かれたとき、あなたはどう答えますか?

3.333333……
3余り1

どちらの答えでも正解です。しかし、コンピュータに計算させるときには、

- **小数点を含んだ答え(上記の例では3.333333……)**
- **商の部分(上記の例では3)**
- **余りの部分(上記の例では1)**

のうちどの答えが必要なのかを、きちんと伝えなければなりません。異なる答えを求めるために、割り算用の算術演算子は複数種類が用意されているのが一般的です。

また、プログラミング言語の中には「2^8」(2の8乗)というように、べき乗を求める演算子があらかじめ用意されているものもあります。どのような算術演算子があるか、計算式を書く前に、プログラミング言語のマニュアルで確認してください。

2 塵(ちり)も積もれば山となる——計算誤差

「0.1 + 0.1 + 0.1 + 0.1 + ……のように、0.1を1000回足したら答えはいくつ?」と聞かれたら、私たちは「0.1 × 1000だから、答えは100」と答えるでしょう?

ところが、いわれたとおりのことしかできないコンピュータは、律儀に0.1を1000回足して、「99.99905」という不思議な答えを出します[*1]。もちろん、コンピュータが壊れているわけではありません。私たちが思っている答えにならないのは、コンピュータの性格上、**仕方がない**ことなのです。

2.1 計算誤差が生じるワケ

割り算の答えがすっきりしないこと、ありますよね？　たとえば「10÷3」の答えは3.333333……になります。では、この答えに3を掛けたらどうなりますか？　そう、9.999999……となって、10には戻りません。これが**計算誤差**です。

整数どうしの足し算、引き算、掛け算であれば、このような誤差が発生することはありません。問題は、小数点を含んだ値（実数）です。「10÷3」の答えや円周率（3.141592……）などは、どんなに小数点以下の桁数を増やしても「これが正解」という数値にはなりません。そういう数値を計算に使うときは「円周率は3.14で計算する」というように、どこかで数値を区切らなければなりません。

コンピュータで計算するときも同じです。値を入れる箱の大きさが決まっているため、どこまでも続く数値は、そこに入れられる大きさに変換しなければなりません（**図5-1**）。このときに、ほんのわずかではありますが、誤差を含んだ値になってしまいます。

図5-1

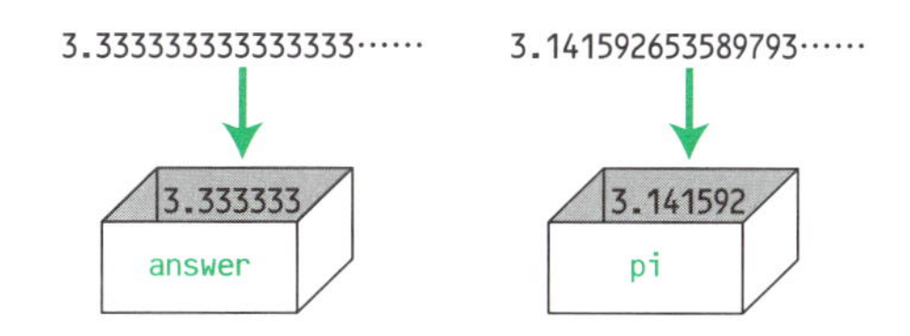

「**図5-1**はわかる。だけど、0.1の足し算は？　0.1のどこに誤差があるっていうの？」という方は、第2章の「**2　コンピュータの仕事の流儀**」（44ページ）に戻りましょう。電気信号のオン／オフで動いているコンピュータは、すべての情報

*1　Visual Basicというプログラミング言語で「0.1を1000回足し算するプログラム」を作成して実行すると、このような答えになります。

を0と1に置き換えて処理しますが、このときにどうしても2進数に置き換えられない数値があります。0.1も、そのひとつです。「0.1は0と1しか使っていないじゃないか」というのは大間違い。0.1は10進数の値であり、これを2進数で表現すると0.0001100110011……のように永遠に続く値になります。これを箱に入れるためにどこかで区切ると……(**図5-2**)。ほら、誤差が生じることになるでしょう？

図5-2

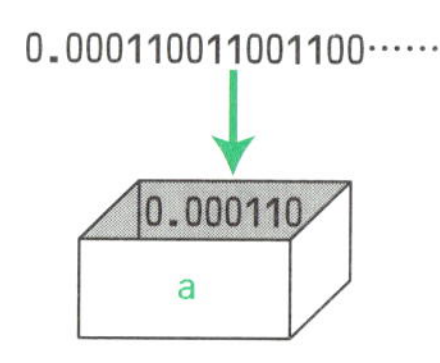

プログラムを作るときは、

実数を使った計算には、必ず誤差が含まれている

ということを頭に入れておかなければなりません。箱に入れた直後の誤差は本当にわずかなものですが、誤差を含んだまま計算を続けていると、やがて無視することができないくらい大きな誤差になる可能性もあるのです。

2.2 計算誤差を減らす工夫

実数を含んだ計算に誤差が含まれるのは、仕方がないことです。しかし、工夫すれば計算誤差を減らすことができます。最も簡単な方法は、

実数を整数に変換してから計算する

というものです。たとえば「0.1 + 0.1 + 0.1 + 0.1 …… を1000回繰り返す」という計算も、

❶ 0.1の小数点の位置を右に1つずらす ➡ 1
❷ 1を1000回足す ➡ 1000
❸ 1000の右から1桁目の位置に小数点を挿入する ➡ 100.0

というようにすれば、計算の途中に小数点が含まれることがないため、誤差が生じることはありません。

3 式の書き方で答えが変わる —— 優先順位

いわれたことを黙々とこなすコンピュータは、どんなに複雑な計算でも瞬時に答えを出してくれます。しかし、その計算式に間違いがあったら……？　答えが正しくないのは当然ですね。計算式を書くのは、あなたです。コンピュータに間違った計算をさせることがないように、計算式の書き方をきちんと覚えましょう。

3.1 1＋2×3の答え

プログラムでは、

answer＝1＋1

というように、答えを入れる変数を左辺に、計算式を右辺に書くのが決まりですが、それ以外の書き方や計算の決まりは、算数の授業で習ったものと同じです。計算の決まり、どんなものがあったか覚えていますか？　——原則は、

左から順番に計算する

です。たとえば、

answer＝1＋2－3

であれば、左から順番に計算して、答えは「0」になります（次ページの**図5-3**左）。では、

answer＝1＋2×3＊2

はどうでしょう？　答えは「7」ですが、その理由がわかりますか？　これは、

＊2　この計算式では、掛け算、割り算に算数の記号を使っていますが、実際のプログラムでは「*」や「/」などの算術演算子を使用します。以降に記載した計算式も同様です。

足し算／引き算よりも掛け算／割り算を先に計算する

という決まりに従った結果です（**図5-3**右）。

図5-3

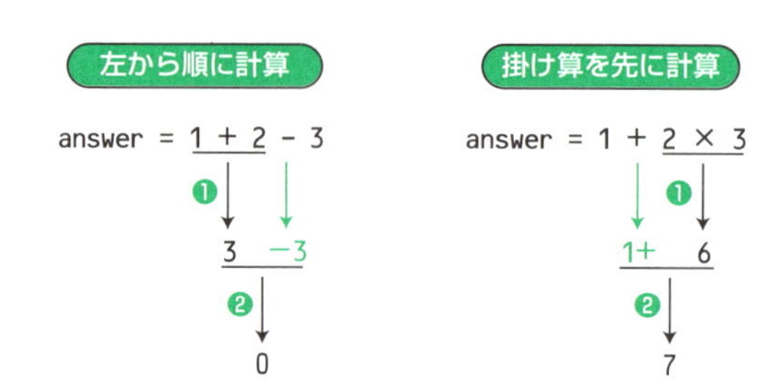

「1＋2の後に3を掛ける予定だったのに……」といっても通用しません。しかし、計算式の書き方を工夫すれば、1＋2の後に3を掛けて「9」という答えを求めることができます。その方法、覚えていますか？

3.2 算術演算子の優先順位

計算式は1つ以上の記号（算術演算子）で構成されますが、これらの記号には**表5-2**に示す順番が決められています*3。この順番を**優先順位**と呼びます。言葉で見ると難しいような気がしますが、基本は**算数で習った計算の順番と同じ**です。

表5-2

優先度	意味	演算子
高	符号	+, -
↑	掛け算／割り算	*, /
↓	足し算／引き算	+, -
低	代入	=

*3　**表5-2**に示した算術演算子は、ごく一部でしかありません。使用できる算術演算子はプログラミング言語ごとに異なるので、計算式を書く前にマニュアルで確認してください。

◉ 符号は先に処理する

符号は、数値の前に付けて、正の数か負の数かを表すための記号です。これは他の算術演算子よりも先に処理されます。たとえば、

answer＝1 ＋ －1

という計算式は「1」と「－1」を足すという処理になり、答えは「0」になります。

◉ 優先度が同じ演算子が複数含まれるときは左から順番に処理する

表5-2のいちばん下以外は、1つの行に複数の算術演算子が記されています。これは**同じ行に書かれている演算子は優先順位に差がない**ことを表しています。つまり、掛け算と割り算、足し算と引き算は優先順位が同じです。この場合は、計算式の左から順番に処理します。たとえば、

answer＝10÷2×5

という計算式は、

❶ **10÷2 ➡ 5**
❷ **5×5**

の順番に処理をして、答えは「25」になります。

◉ 足し算／引き算よりも掛け算／割り算を先に処理する

表5-2を見ると、足し算／引き算の算術演算子よりも掛け算／割り算のほうが上に位置しています。つまり、1つの式にこれらの記号が混在する場合は、先に掛け算／割り算を行うことになります。たとえば、

answer＝10×2＋10÷2

という計算式は、

❶ **10×2 ➡ 20**
❷ **10÷2 ➡ 5**
❸ **20＋5**

の順番に処理をして、答えは「25」になります。

◉ 代入はいちばん最後に処理する

表5-2のいちばん下にある**代入**は、**変数に値を入れる**という処理を行う演算子です。これは、計算式の中でいちばん最後に処理されます。つまり、

answer＝1＋1

は、1＋1を処理した後に、その答えをanswerに入れるという意味です。この命令を実行すると、answerの値は「2」になります。

3.3 計算の順番を変更する方法

「りんご味のキャンディが10個、ぶどう味のキャンディが5個ずつ入ったカゴが3個あります。全部でキャンディは何個ありますか？」という問題。——キャンディの味やカゴの個数は関係ありません。ほしいのは、キャンディの数です。算数の式で表すと、

10＋5＝15 ◀ **1つのカゴに入っているキャンディの個数**
15×3＝45 ◀ **キャンディの総数**

というようになります。これを1つの式（算数の式）で表現すると、どうなりますか？

10＋5×3

——これは間違いです。なぜなら、**演算子には優先順位がある**からです。この計算式では足し算よりも掛け算が先に行われ、答えは「25」になってしまいます。

では、正しい答えは求められないのかといえば、決してそんなことはありません。算数の式で「( )」を使った覚えはありませんか？　算数の世界には、

「( )」で囲んだ部分を先に計算する

という決まりがあります。つまり、上の式も、

(10＋5)×3＝45

というようにすれば、掛け算よりも足し算を先に計算して、正しい答えを求めることができます。

プログラムの世界でも、これと同じ決まりが適用されます。上の式は、

answer＝(10＋5)×3＊4

というように記述すれば、

❶ 10＋5 ➡ 15
❷ 15×3 ➡ 45

の順番で処理が行われ、answerには「45」が代入されます。

計算式を読みやすくするための「( )」

Column

「( )」は計算の優先順位を指定するだけではなく、計算式を読みやすくするためにも使います。たとえば、次の2つの計算式を見比べてください。どちらも答えは「25」になりますが、Bのように「( )」で囲んだ計算式のほうが読みやすくありませんか？

A answer＝10×2＋10÷2
B answer＝(10×2)＋(10÷2)

コンピュータが演算子の優先順位を間違えることは絶対にありませんが、私たちがプログラムを読むときに間違えるのは、よくあることです。わかりやすいプログラムを書くことも、プログラマーの大切な仕事です。ただし、プログラムを読みやすくするために挿入したはずの「( )」の位置が間違っていたら元も子もありません。「( )」を使うときには十分に注意しましょう。

＊4 この計算式では割り算、掛け算に算数の記号を使っていますが、実際のプログラムでは「*」や「/」などの算術演算子を使用します。以降に記載した計算式も同様です。

4　原因は入れ物にあり？——データ型

「計算式にはどこにも間違いがない。「( )」の位置だって合っている。それなのに計算結果がおかしい！」—— こういうときは、計算式に使った変数のデータ型を見直しましょう。箱の大きさが不適切だったために、大事なデータの一部を捨ててしまっている可能性があります。

4.1　オーバーフロー

第4章の「**2.2　整数型／実数型**」(98ページ) でも触れましたが、計算の答えを入れる変数のデータ型には特に注意してください。数値を入れるためのデータ型は、その種類によって、扱うことのできる値の範囲が変わります。**この範囲を超えた値は代入できません**。

たとえば、符号なし1バイト整数型*5に代入できる値の範囲は0～255ですが、この変数に256を代入しようとすると、**図5-4**のように桁があふれてしまいます。この状態を**桁あふれ**または**オーバーフロー**と呼びます。オーバーフローが発生したとき、変数の中に残った値は、意味を持たない**ゴミと同じ状態**になります。せっかく計算した結果が失われてしまわないように、計算結果をある程度予想して、答えを代入する変数には適切なデータ型を指定してください。

図5-4

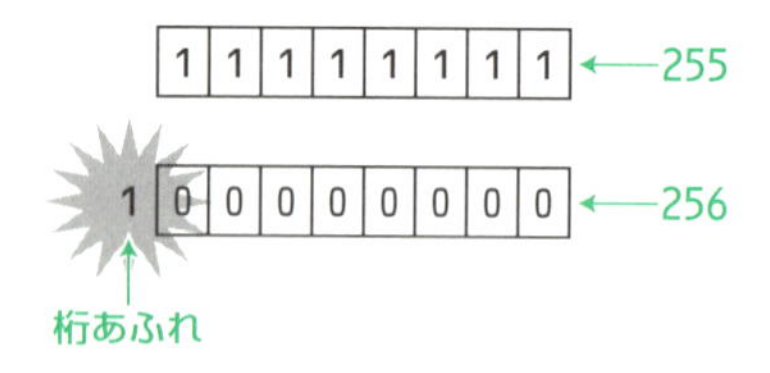

*5　1バイト (8ビット) のすべてを数値データに使用できるデータ型です。詳しくは、第4章の「**2.2　整数型／実数型**」のコラム (100ページ) を参照してください。

4.2 型変換

1辺の長さが20cmの正方形の箱Aと、1辺の長さが10cmの箱B。深さが同じだったら、たくさん物が入るのはAの箱です。当然、Bに入っていた中身はすべてAに移すことができますが、Aの中身を全部Bに移すことはできません(**図5-5**)。

図5-5

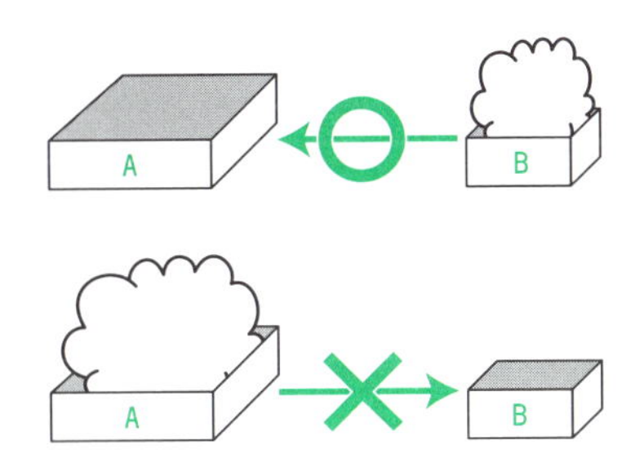

これと同じことがプログラムの世界でも起こります。変数のデータ型が使用するメモリサイズ(箱の大きさ)はプログラミング言語ごとに異なりますが、どのプログラミング言語であっても、

- **大きなサイズのデータ型には、小さなサイズのデータ型の値を入れられる**
- **小さなサイズのデータ型には、大きなサイズのデータ型の値を入れられない**

ということは共通しています。

たとえば、整数型と実数型とでは、実数型のほうが大きなサイズです。そこで、実数型の変数に「10」という整数を入れると、実際は「10.0」のように実数に直した値が代入されます(**図5-6**)。データ型が変わる —— つまり、**型変換**が行われます。

図5-6

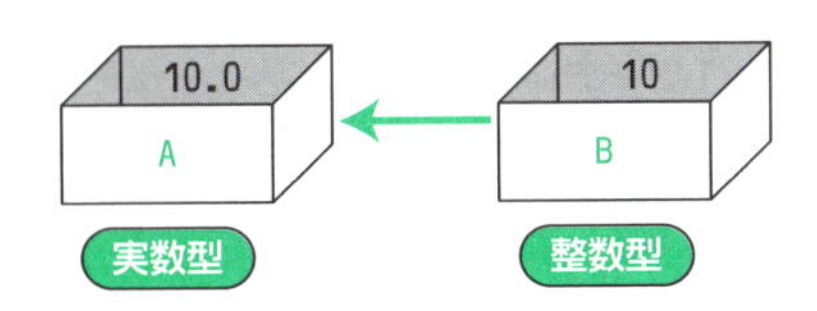

では、小さなサイズの整数型に、大きなサイズの実数型の値を入れたらどうなるでしょう？　このときも実数型から整数型への型変換が行われますが、大きな箱から小さな箱へ中身をすべて移すことはできません。そこで、**小数点以下の値を切り捨てる**ことになります（**図5-7**）。

「計算式に間違いはないのに、コンピュータが出した答えがどうもおかしい」というときは、型変換によって大切なデータの一部が失われている可能性もあります。もう一度、変数のデータ型を確認してください。

図5-7

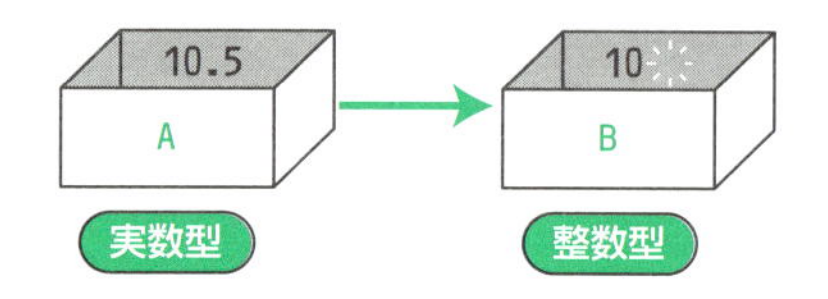

5 答えが見つからない割り算 ―― ゼロ除算

算数の世界でも、コンピュータの世界でも、

answer = 10 ÷ 0[*6]

のような計算式を書くことはできません。0で割り算することは認められていないのです。「そうだったっけ？」という人は、次の計算式を見てください。何か法則が見つかりませんか？

10 ÷ 1 = 10
10 ÷ 0.1 = 100
10 ÷ 0.01 = 1000
10 ÷ 0.001 = 10000
⋮

＊6　この計算式では算数の割り算の記号を使っていますが、実際のプログラムでは「/」のような算術演算子を使用します。以降に記載した計算式も同様です。

割る数を0に近づければ近づけるほど、答えは大きな値になります。この先も、答えはどんどん大きな値になりますが、コンピュータでは無限の値を扱うことができません。そのため、0で割り算する計算式(これを**ゼロ除算**と呼びます)をプログラムに記述すると、コンピュータは必ず暴走します。**絶対にやってはいけない計算式**であることを覚えておきましょう。

しかし、だからといって「ゼロで割り算しなければいいのね」と簡単に考えてはいけません。プログラムに、

answer = 10 ÷ 0

といった命令を書かなくても、**知らない間に0で割り算していた**ということがあるのがゼロ除算の怖いところです。たとえば、上の式の割る数を変数にして、

answer = 10 ÷ A

というような計算式を書いたときは要注意です。この式を実行する前に、Aに入れる値を計算で求めたというときは、さらに注意しなければいけません。この章の「**4.2　型変換**」(121ページ)でも説明したように、データ型の異なる値を変数に入れるときは、必ず型変換が行われます。たとえば、変数に0.5という値を入れたつもりでも、その変数のデータ型が整数型であれば、小数点以下の値は失われることになります。ということは、上の「answer = 10 ÷ A」は「answer = 10 ÷ 0」と同じ意味になってしまいます。

ゼロ除算は、とても見つけにくい間違いです。なぜなら、

answer = 10 ÷ A

という式には、どこにも間違いがないからです。0で割り算したかどうかには、プログラムを実行してコンピュータが暴走した段階で、ようやく気がつくものです。

しかし、ゼロ除算を防ぐことは可能です。プログラムには「もしも～ならば」という命令があり、これを利用すれば、

もしも割る数が0のときは、割り算を行わない

というプログラムを作ることができます。このときに「ゼロで割り算できません」というメッセージを表示すれば、さらにわかりやすくなりますね。コンピュータを暴走させるのも、その暴走を食い止めることができるのも、プログラムを作るあなただということを覚えておきましょう。

6 Q&A

Q1 「( )」は1つしか使えないの?

算数の計算式では「( )」だけでなく「{}」や「[ ]」を使って計算の順番を示すことができますが、プログラムの世界で使えるのは「( )」だけです。その代わりに、最初の「(」と終わりの「)」の組み合わせさえ正しければ、式の中にいくつ「( )」を入れてもかまいません。たとえば、

answer＝(10×2)＋(10÷2)
answer＝10×(2＋(5－3))

というような計算式を書くことができます。しかし、次の計算式は間違いです。

answer＝10×(2＋(5－3) ◀「)」が1つ足りない

Q2 1つの式に複数の「( )」があったらどうなるの?

「( )」が入れ子になっていない場合は、左から順番に処理されます。たとえば、

answer＝(10×2)＋(10÷2)

の計算式の場合は、

❶ 10×2 ➡ 20
❷ 10÷2 ➡ 5
❸ 20＋5 ➡ 25

の順番で処理が行われ、answerには「25」が代入されます。

Q3 「( )」の中に「( )」があったらどうなるの?

「( )」が入れ子になっている場合は、内側の「( )」が優先されます。たとえば、

answer＝10×(2＋(5－3))

の計算式の場合は、

❶ **5－3 ➡ 2**
❷ **2＋2 ➡ 4**
❸ **10×4 ➡ 40**

の順番で処理が行われ、変数answerには「40」が代入されます。

Q4 割り算の答えがおかしいんだけど……?

割り算の答えを入れる変数のデータ型を確認してください。たとえば「11÷2」の答えは「5.5」ですが、この値は整数型の変数に代入できません。小数点を含んだ値になる可能性がある場合は、実数型の変数を用意して、そこに答えを入れてください。

また、一部のプログラミング言語(たとえばC言語)では、

整数型どうしの計算は、答えも整数型になる

という規則があります。この場合には「11÷2」は整数どうしの計算であるため、答えも「5」になります。「5.5」という答えがほしい場合は「11.0÷2.0」のように実数を使った計算式を記述してください。

Q5 データ型が違う2つの値で計算するとどうなるの?

通常は大きなサイズのデータ型に型変換して計算されます。たとえば「5×5×3.14」は計算式の中に整数と実数が含まれますが、この場合は実数型で計算して、答えは「78.5」になります。ただし、答えを代入する変数が整数型の場合、代入時に再び型変換が行われます。小数点以下の値が切り捨てられることになるので、注意してください。

第6章 プログラムの流れを作る

大自然を優雅に流れる川。上流から下流に向かって流れるのが基本ですが、途中で2つに分かれたり渦(うず)を巻いたりすることもありますね。プログラムもこれと同じです。記述した命令は上から順番に1つずつ実行するのが大原則ですが、その場の状況に応じて違う命令を実行したり、同じ命令を何度も繰り返して実行したりすることができます。

1　流れ方は3種類 —— 制御構造

プログラムは上から順番に実行するのが基本です。しかし、それでは効率の悪いこともあります。たとえば「出席番号1番から10番の人の体重を量る」という仕事。この仕事をコンピュータにさせるには、

1番の人の体重を量る
2番の人の体重を量る
3番の人の体重を量る
⋮
10番の人の体重を量る

というように、同じような命令を10回も記述しなければなりません。なんだか面倒くさいと思いませんか？　10人なら我慢して書くことができても、50人分となるとどうでしょう？　同じような命令を50回も書く自信、ありますか？それよりも、

1番から10番まで、順番に体重を量る

—— このように命令できれば便利ですね。

制御構造とは、コンピュータが仕事をする順番を決める仕組みで、

- **上から順番に実行する** —— **順次実行**
- **条件を判断して仕事の順番を変更する** —— **条件判断**
- **同じ仕事を繰り返して実行する** —— **繰り返し**

という3種類があります。「出席番号1番から10番の人の体重を量る」という仕事は、繰り返し構造を利用すると、効率よくプログラミングすることができます。

1.1 わかりにくいプログラム

コンピュータにとってわかりにくいプログラムとは、どういうものだと思いますか？

コンピュータは、プログラムに書かれている命令を上から順番に実行します。仮に順番が間違っていたとしても、コンピュータには関係ありません。そのまま処理をし続けて、どこかで行き詰まるか、または間違った答えを出すか —— どちらにしろ困った結果になりますが、だからといって、これが「わかりにくいプログラム」というわけではありません。間違った箇所を直せば済む話です。本当にわかりにくいプログラムとは、**意図的に命令の順番を変えたプログラム**です。

プログラミング言語の中には「プログラムの○○行目にジャンプしなさい」という命令が使えるものもあり、必ずしも処理の順番のとおりにプログラムを書かなくてもよいことになっています。これを使えば思いついた順番に命令を並べられて便利そうな気がしますが、ジャンプを多用すると、プログラムがとてもわかりにくくなります。たとえば、炊飯器でごはんを炊く手順が、

1. **手順 4 にジャンプする**
2. **研いだ米をザルにあけて、30分間待つ**
3. **手順 8 にジャンプする**

4 米を研ぐ
5 手順 2 にジャンプする
6 炊飯スイッチをオンにする
7 手順 11 にジャンプする
8 水を含ませた米と指定量の水を炊飯器の内釜に入れる
9 内釜を炊飯器にセットする
10 手順 6 にジャンプする
11 ごはんが炊けるのを待つ

というように書かれていたらどうでしょう？　一度読んだだけでは、どのような順番で作業をすればよいのか頭に入らないのではないでしょうか。

図6-1の2つのフローチャートを見てもわかるように、ジャンプ命令を使ったプログラムは、全体の見通しが悪くなりがちです。「どうしてもジャンプ命令を使わなければ……」というとき以外、**ジャンプ命令は使うべきではありません**。

図6-1

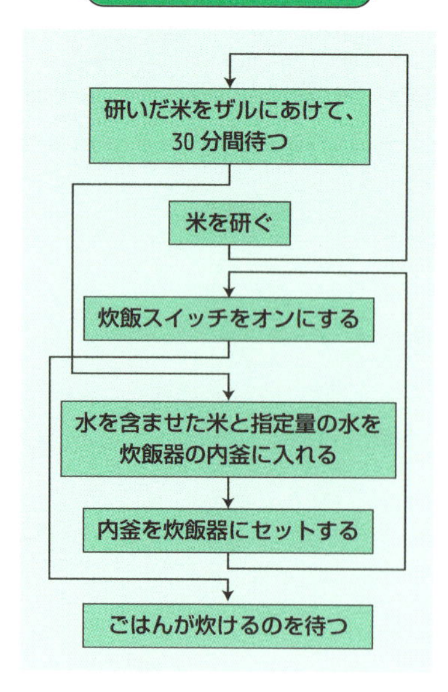

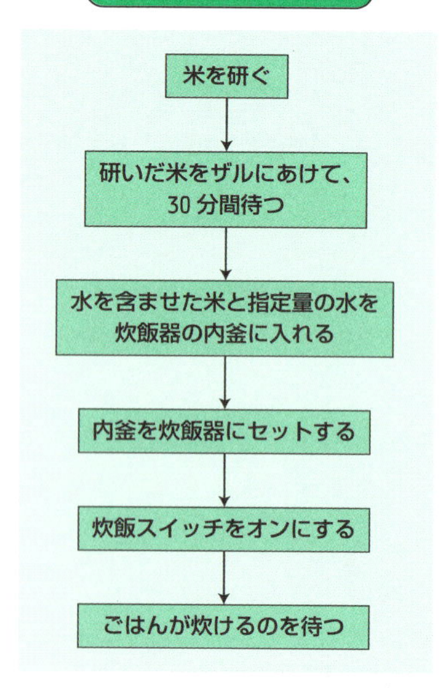

ジャンプ命令を使う場面 Column

プログラミング言語の中には、プログラムの実行中に発生したエラーを検出できるものもあります。この場合は「もしもエラーを検出したら、エラーメッセージを表示する」というような処理を実行させることができます。

しかし、プログラムを作る段階で、いつ、どんなエラーが発生するかは予測できません。そのため、エラーが発生したときに実行する処理をプログラムのいちばん最後に記述しておいて、エラーを検出したときに「エラー用の命令にジャンプしなさい」というようにプログラムを作るのが一般的です。

1.2 構造化プログラミング

わかりやすいプログラムとは、プログラムの流れが見渡せるプログラムです。そのためには、

順次実行、条件判断、繰り返しという3つの構造だけでプログラムを作る

ことを心がけてください。ジャンプ命令は、本当に必要なとき以外は使用禁止です。これが**構造化プログラミング**の考え方です（次ページの**図6-2**）。

◉ 順次実行

順次実行は、プログラムに記述した順番どおりに命令を実行することです（次ページの**図6-3**）。プログラムの基本になります。

◉ 条件判断

条件判断は「もしも入力されたパスワードが正しければ、インターネットへの接続を開始する。正しくなければ、パスワードの再入力を促す」のように、ある条件を判断した結果でその次に実行する処理を分岐する構造です（131ページの**図6-4**）。「正しい」「正しくない」の二者択一だけでなく「血液型がA型であれば赤のリボンを渡す。B型であれば緑のリボンを渡す。O型であれば青のリボンを渡す。AB型であれば黄色のリボンを渡す」のように、複数の処理に分岐させることもできます。

図6-2

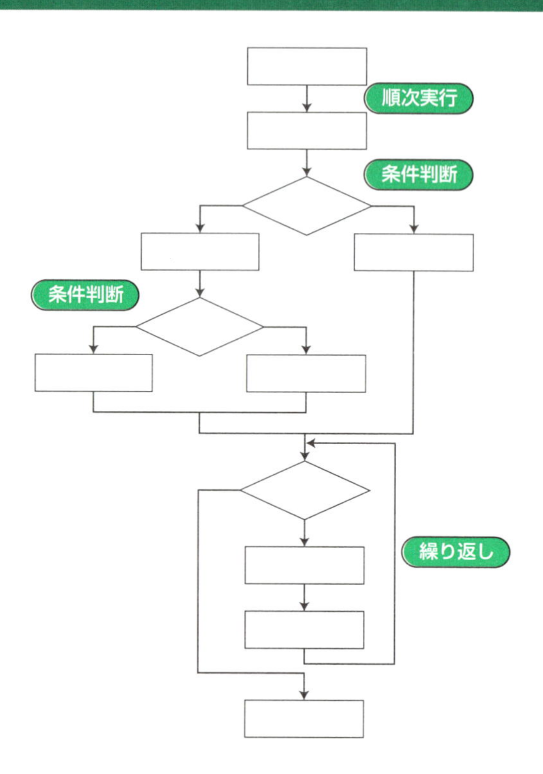

図6-3

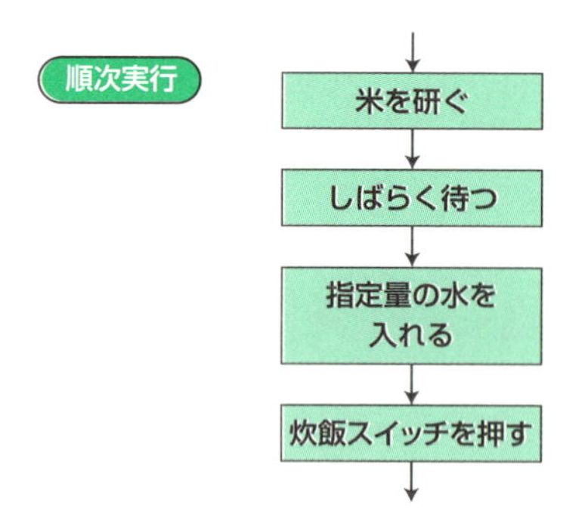

図6-4

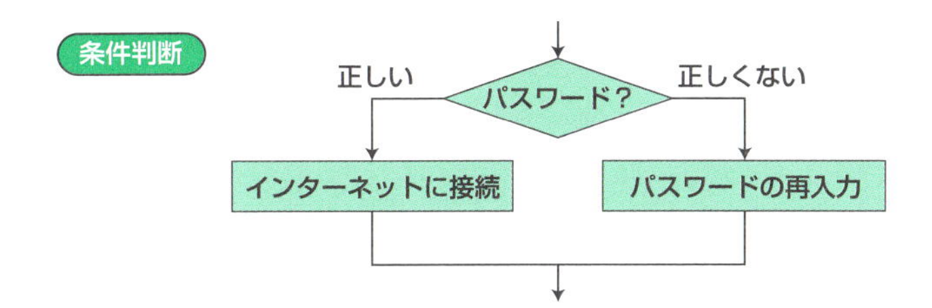

◉ 繰り返し

繰り返しは「出席番号の1番から10番まで、順番に体重を量りなさい」というように、同じ処理を繰り返して実行する構造です(**図6-5**)。この例のように繰り返して実行する回数を指定するほかに「正しいパスワードが入力されるまで」のように、特定の条件が成立するまで繰り返したりすることができます。

図6-5

2 「もしも」のときのプログラム ——条件判断構造

「もしも明日の天気が晴れだったらピクニック、雨だったら家でゆっくり過ごす」のように、日常生活でも「もしも」という言葉はよく利用します。同じように、「もしも入力されたパスワードが正しければ、インターネットに接続する。正しくなければ、パスワードの再入力を促す」など、コンピュータにも、その場の状況に応じて異なる処理をさせたいことがあります。このように処理の流れを分岐する構造を**条件判断構造**と呼びます。

2.1 もしも〜なら

「明日は日曜日。もしも天気がよかったら、お弁当を持ってピクニックに行きましょう。でも、雨が降ったら中止です。家でゆっくり過ごしましょう。家でゴロゴロ過ごすだけなのにお弁当を作るのは面倒です。お弁当は天気がよいときだけ作ることにしましょう」——これも立派な条件判断構造です。プログラムの世界では「もしも天気がよければ」の部分を**条件**と呼びます。**図6-6**は、明日の予定を図で表したものです。

図6-6

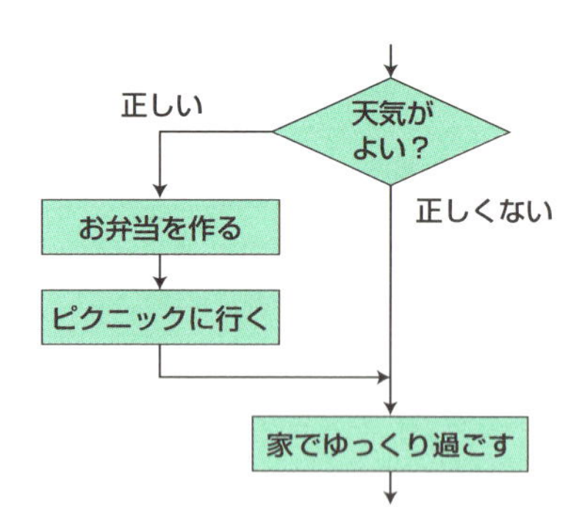

プログラムに書かれた命令は、上から順番に実行するのが基本です。**図6-6**の場合は天気がよいかどうかを判断して、それが正しければ「お弁当を作る」「ピク

ニックに行く」「家でゆっくり過ごす」の順番に処理を行います。もしも天気が悪ければ「家でゆっくり過ごす」という処理だけを実行します。「お弁当を作る」と「ピクニックに行く」という処理は行われません。

この処理をプログラムっぽく書くと、

1 **もしも天気がよければ、**
2 　　**お弁当を作る**
3 　　**ピクニックに行く**
4 **家でゆっくり過ごす**

――このようになります。2～3の部分が**字下げ**されている点に注目してください。これらは「天気がよければ」という条件が正しいときだけ実行する処理です。このように字下げしておくと、その部分が「もしも」の構造の一部であることが**視覚的にわかりやすくなり**、プログラミング言語に翻訳しやすくなります。

条件を判断した結果　Column

「もしも天気がよければ」を、もう少し分析してみましょう。これは、

「いまの天気」と「天気がよい」という状態を比較して「正しい」とき

という意味です。たとえば「晴れ」は一般的に天気がよい状態です。つまり、条件を判断した結果は「正しい」ことになります。一方の「雨」は「正しくない」ということになります。

条件を判断した結果は、必ず「正しい」と「正しくない」のどちらかの値になります。「どちらでもない」という中途半端な答えはありません。

2.2 もしも～なら……、それ以外なら

「明日は少し離れた場所まで買い物に行きましょう。もしも天気がよければ自転車で、そうでなければバスで行くことにします」――これも「もしも」で始まる条件判断構造です。図で表すと、次ページの**図6-7**のようになります。

図6-7

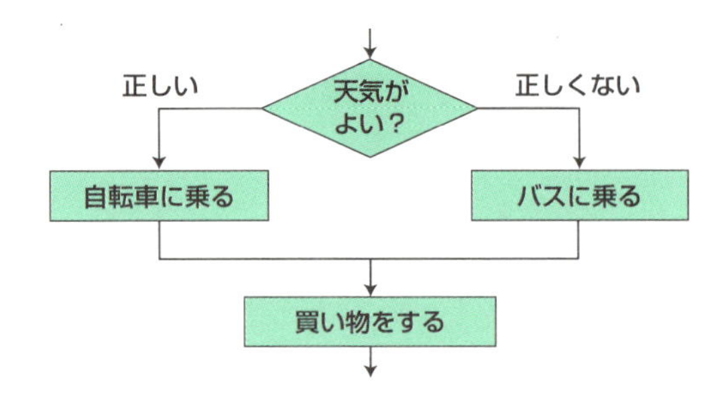

図6-6との違いは、いまの天気を「よい」という状態と比較して「正しい」ときと「正しくない」ときの2つの処理が用意されている点です。条件を判断した結果に応じて、必ずどちらかの処理が行われることになります。天気がよければ「自転車に乗る」「買い物をする」の順番で、天気が悪ければ「バスに乗る」「買い物をする」の順番で処理を行います。プログラムっぽく書くと、次のようになります。

1 **もしも天気がよければ、**
2 　　**自転車に乗る**
3 **そうでなければ、**
4 　　**バスに乗る**
5 **買い物をする**

2.3 「もしも」がたくさんあるとき

「もしも天気予報の降水確率が0～20%ならばピクニックに行く。30～50%ならば動物園に行く。60～80%ならば水族館に行く。90～100%ならば部屋の掃除をする」——これも「もしも」で始まる条件判断構造です。「～ならば」という表現がたくさんあって迷ってしまいそうですが、図を書いてみると「正しい」と「正しくない」の組み合わせであることがわかります（**図6-8**）。

図6-8

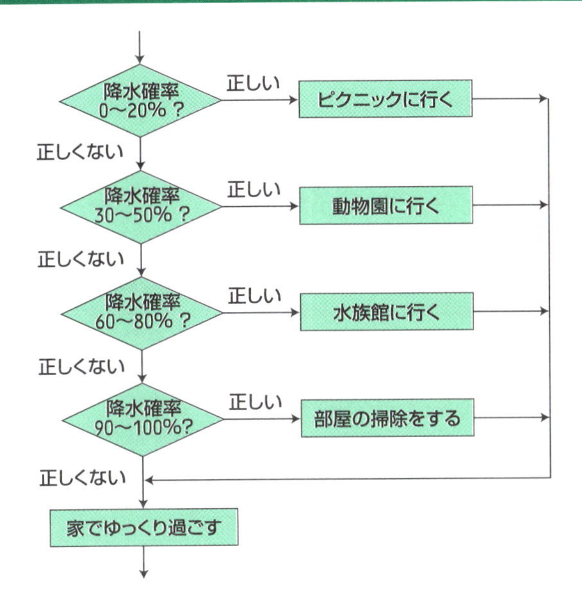

繰り返しになりますが、プログラムに書かれた命令は上から順番に実行するのが基本です。**図6-8**は条件判断の命令が続いている状態です。この場合も、上から順番に条件を判断して「正しい」ときは横に記述した処理を、「正しくない」ときは次の条件の判断を行います。たとえば、降水確率が70%のときは「0〜20%の範囲にあるか」「30〜50%の範囲にあるか」「60〜80%の範囲にあるか」の順番で条件を判断し、この段階で初めて「正しい」という結果になるので、「水族館に行く」「家でゆっくり過ごす」という順番で処理が行われます。これをプログラムっぽく書くと、次のようになります。

1 もしも降水確率が0〜20%ならば、
2 　　ピクニックに行く
3 もしも降水確率が30〜50%ならば、
4 　　動物園に行く
5 もしも降水確率が60〜80%ならば、
6 　　水族館に行く
7 もしも降水確率が90〜100%ならば、
8 　　部屋の掃除をする
9 家でゆっくり過ごす

「もしも」がたくさんあるときのフローチャート

Column

前に挙げた例のように「降水確率」という1つの条件を決まった値と比較して処理を分岐する場合は、**図6-9**のような書き方をすることもできます[*1]。

図6-9

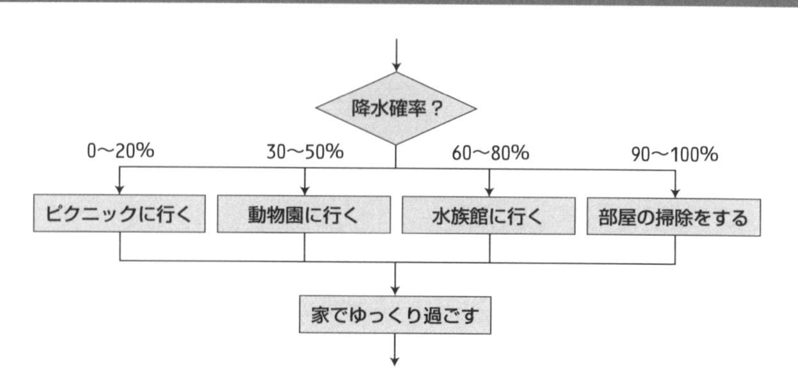

この処理をプログラムっぽく書くと、次のようになります。

```
1  もしも降水確率が、
2      0～20%ならば、
3          ピクニックに行く
4      30～50%ならば、
5          動物園に行く
6      60～80%ならば、
7          水族館に行く
8      90～100%ならば、
9          部屋の掃除をする
10 家でゆっくり過ごす
```

*1　プログラミング言語の中には、**図6-8**と**図6-9**とで異なる命令を用意している場合があります。たとえばC言語では、**図6-8**の条件判断構造の場合はif、**図6-9**の場合はswitchを使います。

2.4 条件判断構造を作るときに注意すること

「明日の天気が晴れだったらピクニックに行く。そうでなければ家でゆっくり過ごす」のように二者択一の条件判断構造であれば、必ずどちらかの処理を選択することになるために問題は起こりません。しかし「天気予報の降水確率が0～20%ならばピクニックに行く。30～50%ならば動物園に行く。60～80%ならば水族館に行く。90～100%ならば部屋の掃除をする」のように複数に分かれている場合は注意しなければいけません。もしも気象庁が「降水確率は55%」と発表したらどうなるでしょう？　動物園に行くのか、水族館に行くのか、それともどこにも行かずに朝から家でゆっくり過ごすのか、迷ってしまいませんか？

複数の処理に分かれるような条件判断を作成するときは、

指定したすべての条件に当てはまらないときに実行する処理を用意すること

が大切です。現在の気象庁が55%という中途半端な値を発表することはありえませんが、だからといって、これを無視するわけにはいきません。予想外のことが起こったとき、それが重大な事故に発展することもあるのです。

この注意点を踏まえると、降水確率によって行き先を変更するプログラムは、

1 もしも降水確率が0～20%ならば、
2 　　ピクニックに行く
3 もしも降水確率が30～50%ならば、
4 　　動物園に行く
5 もしも降水確率が60～80%ならば、
6 　　水族館に行く
7 もしも降水確率が90～100%ならば、
8 　　部屋の掃除をする
9 もしも降水確率が上記以外であれば、
10 　　「降水確率がおかしな値ですよ」と気象庁に電話をする
11 家でゆっくり過ごす

――このようになります。気象庁が降水確率を55%と間違えて発表したときは「気象庁に電話をする」という重大な仕事をしてから「家でゆっくり過ごす」こと

になります。

本当のプログラムを書くときは、コンピュータが計算した値やユーザーがキー入力した値を使って条件を判断するのが一般的です。この場合にも「値がおかしい」というメッセージを表示するのは有効です。条件判断構造にありえない値が入ってきた――つまり、**そこまでのプログラムのどこかに間違いがあることをプログラマーに通知する**ことになるからです。すべての条件に当てはまらなかったときの処理を作成することは、バグの発見にも役立つということを覚えておきましょう。

2.5 条件判断のネスト

図6-10は「もしも」の中に別の「もしも」が入った、ちょっと複雑な条件判断構造です。このような構造を**条件判断のネスト**（**入れ子**）と呼びます。

図6-10

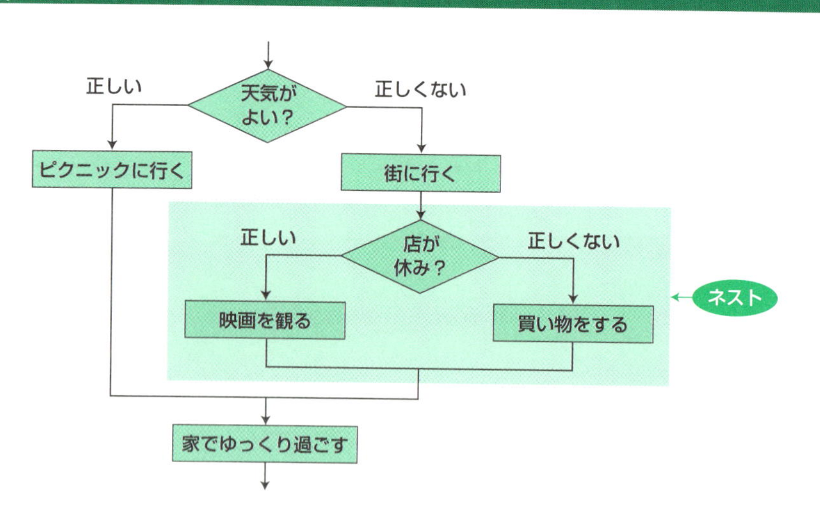

何度も繰り返しますが、コンピュータはプログラムに書かれた命令を上から順番に実行するのが基本です。天気が悪くて店も休みのときは、**図6-11**の太線の順番で処理が行われます。どんなにプログラムの構造が複雑になっても、必ず処理の流れは一筆書きできることになっています。

図6-11

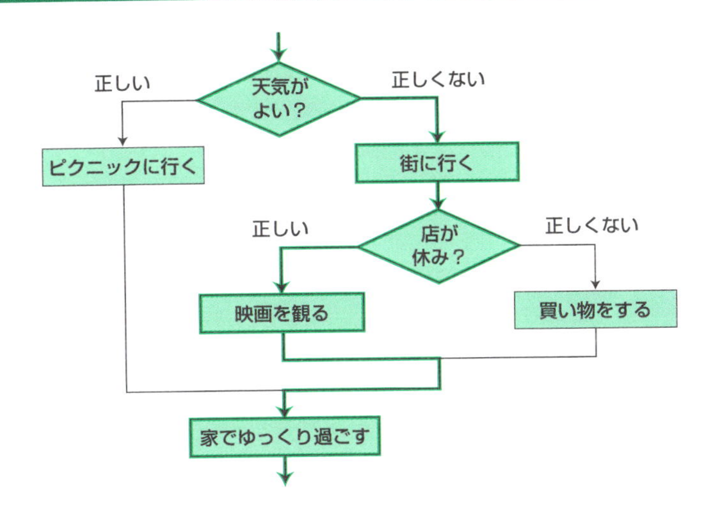

図6-10をプログラムっぽく書くと、次のようになります。6と8の開始位置が、もう一段階字下げされている点に注意してください。こうすることで条件判断構造がネストしている（入れ子になっている）ことが視覚的にわかりやすくなります。

```
1 もしも天気がよければ、
2     ピクニックに行く
3 そうでなければ、
4     街に行く
5     もしも店が休みだったら、
6         映画を観る
7     そうでなければ、
8         買い物をする
9 家でゆっくり過ごす
```

条件判断（1〜8）

条件判断（5〜8）

3　同じことの繰り返し——繰り返し構造

　コンピュータは、同じようなことを何回命令されても、文句ひとついわずに仕事をします。たとえば「1を10回足し算する」という仕事も、

1　0＋1の答えをAに入れなさい
2　A＋1の答えをBに入れなさい
3　B＋1の答えをCに入れなさい
4　C＋1の答えをDに入れなさい
5　D＋1の答えをEに入れなさい
6　E＋1の答えをFに入れなさい
7　F＋1の答えをGに入れなさい
8　G＋1の答えをHに入れなさい
9　H＋1の答えをIに入れなさい
10　I＋1の答えをJに入れなさい

というように命令すれば、面倒がらずに処理してくれます。しかし、これでは、プログラムを書く人が間違った命令を書いてしまう可能性があります。それよりも、

1つ前の答えに1を足す仕事を、10回繰り返しなさい

と命令するほうが簡単です。このように、同じ処理を繰り返して実行する構造を**繰り返し構造**または**ループ構造**と呼びます。

3.1　回数を決めて繰り返す

　夏の風物詩のスイカ割り。目隠しをして同じ場所で10回ぐるぐる回った後にスタートしますね。この

ぐるぐる回る

という動作をするときには、みんなで「1、2、3……」のように数えるでしょう？これと同じように、コンピュータが**同じ処理を決まった回数だけ実行する**

ときは、繰り返した数を数える変数が必要です。この変数は処理を1回行うたびに1、2、3……と1つずつ値が増えていくため、**カウンタ変数**または**カウンタ**と呼ばれており、これには「**i**」という名前を付けるのが一般的です*2。

さて、スイカ割りをプログラムっぽく書くと、

1 **目隠しをする**
2 **カウンタを1にする**
3 **カウンタが10になるまで、**
4 　　**カウンタを声に出していう**
5 　　**その場で1回転する**
6 　　**カウンタを1つ増やす**
7 　　**3に戻る**
8 **スイカに向かって歩く**

というようになります。処理の流れを追ってみましょう。もちろん、基本は「**上から順番に**」です。

目隠しをして、数を数える準備をして、3が繰り返しの処理を行うかどうかの判断です。この段階ではカウンタの値が1なので、次に続く4～7を実行します。この間にカウンタの値が1つ増える点に注意してください。3に戻ったときのカウンタの値は2です。再び4～7の処理を行います。

この処理を何度か繰り返し、3に戻ったときのカウンタの値が10を超えたときに初めて8の処理が行われます。このとき、4～7の処理は行われません。

スイカ割りを図で表すと、次ページの**図6-12**のようになります。繰り返している箇所が輪（*loop*；ループ）のように見えるでしょう？　繰り返し構造を「ループ構造」と呼ぶのは、ここからきています。

*2　詳しくは、第4章の「**1.2　変数名の付け方**」（92ページ）を参照してください。

図6-12

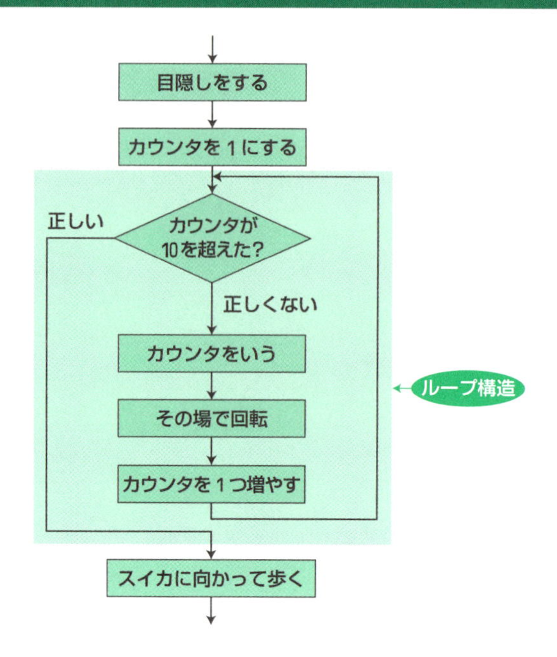

繰り返す回数が決まっているときは、カウンタを使って処理を実行した回数を数えます。上の例では処理の中に「カウンタを1つ増やす」という命令がありますが、プログラミング言語の中には、この処理を自動的に行ってくれるものもあります。

しかし、ただ回数を数えているだけでは、いつまでたっても繰り返しから抜けることができません。そうならないように、決まった回数の繰り返しは、

カウンタの値が○○から××の間

というように命令する決まりになっています。たとえば、同じ処理を10回実行したいときは、

カウンタの値が1から10の間

というように命令します。

カウンタの初期値と終了値　Column

私たちは、普段、1、2、3……のように数を1から数えますが、コンピュータは0、1、2、3……のように0から数えるのが基本です。そのため、同じ処理を10回実行する場合も、

カウンタの値が0から9の間

というように命令したほうが都合のよい場面がたくさんあります。これは、

カウンタの値が0から10未満の間

でも同じ意味です[*3]。どちらの表現でも好きなほうを使用してください。「0から10未満」のほうが「10」という値が含まれている分、繰り返す回数がわかりやすいかもしれませんね。

プログラムを作るときは、**数は0から数える**ことを基本に考えるようにしましょう。ただし、繰り返し構造では、繰り返しを終了するときの値に注意してください。数を0から数えるとき、カウンタの値は**表6-1**のように変化します。つまり、繰り返しの終了値は、

実際に繰り返したい回数－1

でなければなりません。

表6-1

繰り返した回数	1	2	3	4	5	6	7	8	9	10
カウンタ	0	1	2	3	4	5	6	7	8	9

＊3　「**未満**」は「その数字を含まずに、それよりも小さい」という意味です。「10未満」の場合は「10」は含まれません。

3.2 回数がわからないけれど繰り返す

「60秒間、腕立て伏せをする」というトレーニング。実際にやってみなければ、腕立て伏せが何回できるかわかりません。これと同じように、**プログラムを実行しなければ繰り返す回数がわからない**という場合は、

60秒経過したかどうか

を判断した結果が「正しい」か「正しくない」かのどちらかで、繰り返すかどうかを判断します。

この種の繰り返し構造は、処理を実行する前に判断する方式と、処理を実行した後に判断する方式の2種類に分けられます。前者を**前判断**、後者を**後判断**と呼びます（**図6-13**）。

図6-13

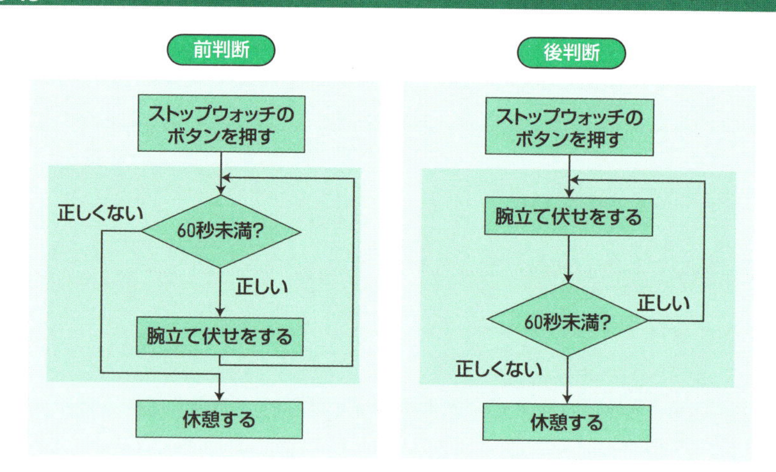

◉ 前判断

繰り返しの処理を行う前に、その処理を行うかどうかを判断する方法です。**図6-13**左の処理の流れを追ってみましょう。

最初にストップウォッチを見て、経過時間が60秒未満（正しい）のときは「腕立て伏せ」をします。その後に再びストップウォッチを見て、60秒未満であれば「腕立て伏せ」、60秒を超えていたら（正しくない）腕立て伏せをせずに「休憩」という順番です。

前判断では処理を行う前に繰り返すかどうかを判断するため、場合によっては一度もその処理を行わないことがあります。たとえば、開始の合図があった後に靴の紐を結び直して、ようやく準備ができたとき、すでに60秒を超えていた場合です。この場合は、腕立て伏せを一度も行わずに休憩に入ります。

◉ 後判断

繰り返しの処理を行った後に、処理を継続するかどうかを判断する方法です。**図6-13**右を見ながら、後判断の流れを追ってみましょう。

開始の合図があったら、まずは「腕立て伏せ」をします。その後でストップウォッチを見て、経過時間が60秒未満(正しい)であれば再び「腕立て伏せ」、60秒を超えていたら(正しくない)腕立て伏せをせずに「休憩」という順番になります。

処理の内容は前判断と同じですが、後判断では繰り返しの処理を終えた後に、その処理を再び実行するかどうかを判断します。そのため、開始の合図の後、どんなに準備に時間がかかったとしても、必ず一度は腕立て伏せをすることになります。

3.3 前判断と後判断の違い

前判断と後判断の大きな違いは、

繰り返しの処理を必ず一度は実行するかどうか

です。「60秒間、腕立て伏せをする」というトレーニングを前判断でプログラムっぽく書くと、

1 **開始からの経過時間が60秒未満であれば、** ◀ 前判断
2 　　**腕立て伏せをする**
3 　　**1に戻る**
4 **休憩する**

になります。腕立て伏せをするかどうかを先に判断するため、場合によっては2〜3の処理が一度も行われないことがあります。

後判断の場合は、次のようになります。こちらは、どんな場合でも、必ず一度は処理を行うことになります。

1 腕立て伏せをする
2 開始からの経過時間が60秒未満であれば、 ◀後判断
3 　　1に戻る
4 休憩する

3.4 繰り返し構造を作るときに注意すること

繰り返す回数が決まっているときは、繰り返した回数を数えるカウンタを用意して、

カウンタの値が○○から××の間

という条件で繰り返し構造を作成します。カウンタは処理を1回行うごとに1つずつ増えるのが一般的ですが、プログラミング言語の中には、カウンタの増やし方(または減らし方)を自由に指定できるものもあります。この場合は、カウンタの増分と終了値の関係に注意してください。たとえば、

カウンタの値が0から5の間(ただし、カウンタは1つずつ減らす)

というように命令したらどうなるでしょう？　処理を1回行うごとに、カウンタの値は**表6-2**のように変化し、何度繰り返してもカウンタの値が「5」になることはありません。ということは……。そうです、**繰り返し処理から抜けられなくなる**のです。この状態を**無限ループ**と呼びます。

表6-2

繰り返した回数	1	2	3	4	5	6	7	……
カウンタ	0	-1	-2	-3	-4	-5	-6	……

無限ループは「60秒間経過するまで、腕立て伏せをする」のように、特定の条件を使って繰り返すかどうかを判断する場合にも起こります。

1 開始からの経過時間が60秒未満であれば、
2 　　腕立て伏せをする
3 　　1に戻る
4 休憩する

実は、このトレーニングをプログラムっぽく書いたものも、無限ループになる可能性があります。その理由がわかるでしょうか？

このプログラムはストップウォッチが正しく作動することを前提に書かれたものです。ストップウォッチがきちんと動いていれば 1 で経過時間を判定した後、2 ～ 3 の処理を行っている間に確実に針は進みます。つまり、

繰り返すかどうかの判定に使う値が、繰り返し処理の中で更新されている

から、上記のプログラムが成り立つのです。もしもストップウォッチが壊れていたら、いつまでたっても60秒間経過しない……、つまり、ずっと腕立て伏せをし続ける無限ループの状態になってしまいます。

3.5 無限ループ

無限ループとは、繰り返し構造を終了するための条件が満たされずに、いつまでも繰り返しの処理をし続けている状態です。これは**絶対にあってはならない事態**です。

無限ループのとき、コンピュータは同じ命令を何度も何度も繰り返しているにもかかわらず、私たちの目には何も仕事をしていないように見えます。画面が変化するわけでもなく、キーボードやマウスの入力を受け付けるわけでもありません。この状態になったが最後、プログラムを強制終了する以外に道はありません。せっかく作ったデータも、強制終了とともに失われてしまいます。

繰り返し構造を作るときは、繰り返しを終了するための条件が成立するかどうかに気をつけてください。次のような場合は、必ず無限ループになります。

- **繰り返した回数を数えるカウンタが更新されていない**
- **カウンタの増分と終了値の関係が間違っている**
- **特定の条件が成立するまで繰り返しを実行するときに、判断に使う値を更新していない**

3.6 繰り返しのネスト

図6-14は「1つの串に3個ずつ団子を刺して、それを5本ずつパックに入れる」という仕事を図で表したものです。よく見ると、繰り返し構造の中に別の繰り返し構造が入っています。このような構造を**繰り返し構造のネスト**（**入れ子**）と呼びます。この処理をプログラムっぽく書くと、次のようになります。

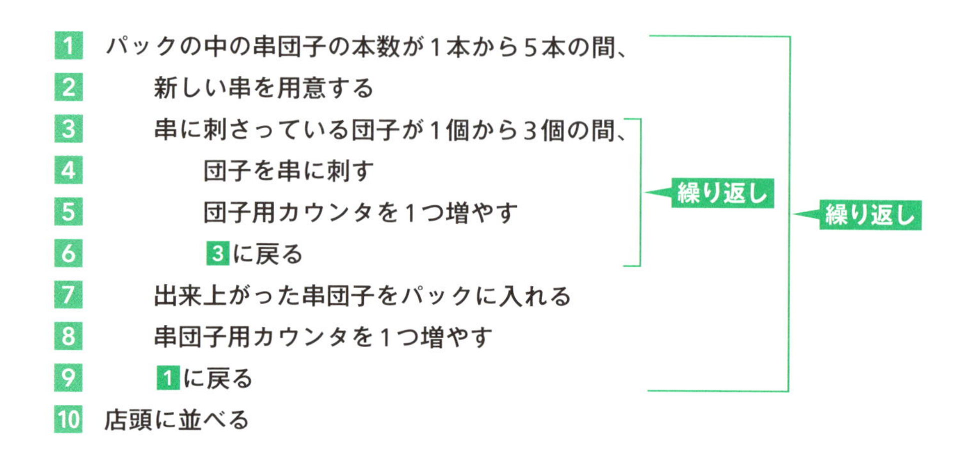
1 パックの中の串団子の本数が1本から5本の間、
2 　　新しい串を用意する
3 　　串に刺さっている団子が1個から3個の間、
4 　　　　団子を串に刺す
5 　　　　団子用カウンタを1つ増やす
6 　　　　3に戻る
7 　　出来上がった串団子をパックに入れる
8 　　串団子用カウンタを1つ増やす
9 　　1に戻る
10 店頭に並べる

図6-14

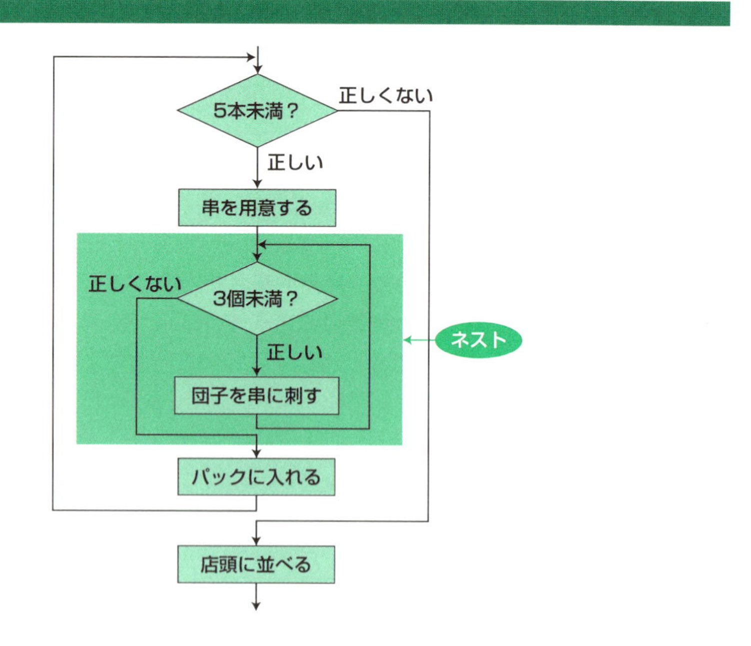

処理の流れを追ってみましょう。

最初にパックの中にある串団子の本数を数えて、5本でなければ新しい串を用意します。次に、串に刺さっている団子の数を数えて、3個でなければ同じ串に団子を1つ刺します。まだパックには入れません。串に刺さっている団子が3個になるまで、この仕事を繰り返します。

串に刺さっている団子の数が3個になったら串団子の出来上がりです。パックに入れた後、そのパックの中の串団子の本数を再び数えて、5本でなければ串を用意して……、この作業を繰り返します。

1本の串団子が完成する間に「団子を串に刺す」という仕事は3回行われることに気がついたでしょうか？　繰り返し構造をネストすると、外側の繰り返しを1回実行する間に、内側の処理は指定した回数だけ実行されます。つまり、繰り返し構造全体で見ると、内側の処理は、

外側の繰り返しの回数×内側の繰り返しの回数

行われることになります。上の例であれば、1つのパックができる間に「団子を串に刺す」という仕事は、5×3＝15回行われます。処理に時間がかかるということを覚えておきましょう。

繰り返し構造をネストするときは、外側の処理を繰り返した回数と、内側の処理を繰り返した回数を数えるカウンタを別に用意しなければいけません。上の例では外側のカウンタが「串団子の本数」、内側のカウンタが「串に刺した団子の個数」です。実際にプログラムを書くときは、外側のカウンタに「i」、内側のカウンタに「j」という名前を付けるのが一般的です。

4 流れを変えるきっかけ ――比較演算／比較演算子

処理を分岐したり、同じ処理を繰り返して実行したりするには、何らかの条件を判断しなければなりません。この条件は「キーボードから入力した値が登録されているパスワードと等しければ」や「繰り返した回数が10よりも大きければ」のように、2つの値を比較するのが基本です。プログラミングの世界では、値を比較することを**比較演算**、比較に使う記号を**比較演算子**と呼びます。プログラミング言語によっては、**関係演算**、**関係演算子**という言葉を使うこともあります。

値の比較に使う記号はプログラミング言語によって異なりますが、

=、<、>、<=、>=

など算数で習った記号、または、それによく似た記号を使うのが一般的です。

4.1 2つの値を比較する

2つの値を比較するときに使う言葉には、

等しい
等しくない
より大きい
より小さい（未満）
以上
以下

があります。これらの言葉を使って比較した結果は「正しい」か「正しくない」かのどちらかになります。

たとえば「より大きい」を表す記号が「＞」のとき、

10 ＞ 5

これは「正しい」式です。10は5よりも大きな値だからです。では、

5 ＞ 10

はどうなるでしょう？　5のほうが10よりも小さな値のため、この式は成立しません。よって、答えは「正しくない」になります。

本当のプログラムでは、上記のように数値どうしを比較するということはありません。普通は、

繰り返した回数 < 10

というように、変数と値を比較します。もちろん、変数どうしの比較も可能です。たとえば「等しい」を表す記号が「＝」のときは、

キー入力された文字列 ＝ 登録されているパスワード

のような比較を行うことができます。また、コンピュータが扱う文字には**文字コード**（*character code*）*4 が割り当てられているので、

キー入力された文字 > 'A'

のような比較もできます。この場合には、入力された1文字に割り当てられている文字コードと「A」の文字コードの大小を比較することになります。いずれの場合も、

比較対象の変数は左辺に、比較する値は右辺に記述する

ようにすると、わかりやすいプログラムになります。

4.2 「以上」と「より大きい」の違い

値を比較するときに注意しなければならないのは、

「より大きい」と「以上」
「より小さい」、「未満」と「以下」

の違いです。

*4　詳しくは、第4章の「**2.3　文字型／文字列型**」（100ページ）を参照してください。

「より大きい」というのは「その値よりも大きい」という意味です。たとえば「10より大きい」という場合は「10」は含まれません。そのため、

10 > 10

の式は「正しくない」ということになります。一方、「以上」は「その値を含んで、その値よりも大きい」という意味です。そこで、「以上」を表す記号が「>=」*5 とすると、

10 >= 10

の結果は「正しい」になります。

同じように「より小さい」は「その値よりも小さい」という意味です。たとえば「10より小さい」という場合は「10」は含まれません。つまり、

10 < 10

の式の結果は「正しくない」になります。「未満」も「より小さい」と同じ意味です。一方、「以下」は「その値を含んで、それよりも小さい」という意味です。そこで、「以下」を表す記号が「<=」とすると、

10 <= 10

の結果は「正しい」になります。

4.3 条件式を判断した結果

値を比較した結果は、必ず「正しい」か「正しくない」のどちらかになります。たとえば、

繰り返した回数 < 10

という式の場合、繰り返した回数が10よりも小さければ「正しい」、10以上であれば「正しくない」という答えになります。「どちらでもない」という答えは絶対にありません。

*5 プログラムでは、算数で使う「≧」記号の代わりに「>=」といった演算子を用いることがあります。

比較演算の結果を、

答え＝繰り返した回数 < 10

というように、変数に代入することもできます。この場合、答えを代入する変数のデータ型は論理型*6にします。

プログラムの世界では「正しい」と「正しくない」を表す言葉として、次の言葉が割り当てられているので覚えておきましょう。本書でも、以降は「**True**」または「**False**」という表現を使います。

正しい ―― **True** または **真**
正しくない ―― **False** または **偽**

4.4 きっかけを用意する

プログラムの流れを変える方法は「キーボードから入力した値が登録されているパスワードと等しければ」や「繰り返した回数が10になるまで」のように処理の中で自然に出てきたものを利用するだけではありません。流れを変えるかどうかの合図をプログラムの中に仕込んでおいて、それを利用する方法もあります。この方法をプログラムの世界では**フラグを立てる**といいます。**フラグ**（*flag*）は「旗」という意味です。つまり、「フラグを立てる」とは、遠くの人に旗を振って合図を送るようなイメージです。

トグルボタンって知っていますか？　トグルボタンとは、ボタンを押すたびに「オン」と「オフ」の状態が切り替わるボタンです。このボタンをコンピュータ上で実現するとき、現在のボタンの状態がオンなのかオフなのかを判断するためにフラグを利用します。

フラグを使うときは、先に自分なりの決まりを作る必要があります。たとえば、トグルボタンであれば、

オンの状態はフラグを1、オフの状態はフラグを0にする

というように、フラグの値を決めてください。ボタンがクリックされたときは真っ

*6　詳しくは、第4章の「**2.4　論理型**」（104ページ）を参照してください。

先にフラグの値を判定し、オンまたはオフのどちらかの処理を行うようにプログラムを作成します。それぞれの処理の終わりにフラグの値を反転しておくと、次にボタンをクリックしたときには先ほどと反対の処理を行うようになります。

図6-15は、トグルボタンに「電気を点けたり消したりする」という仕事をさせる手順です。これをプログラムっぽく書くと、次のようになります。

【決まり】 フラグが0のときはオンの処理、1のときはオフの処理を実行する
【準　備】 フラグの初期値を0にする

1 もしもフラグの値が0ならば、
2 　　電気を点ける（オンの処理を実行する）
3 　　フラグの値を1にする
4 それ以外（フラグの値が1）ならば、
5 　　電気を消す（オフの処理を実行する）
6 　　フラグの値を0にする

図6-15

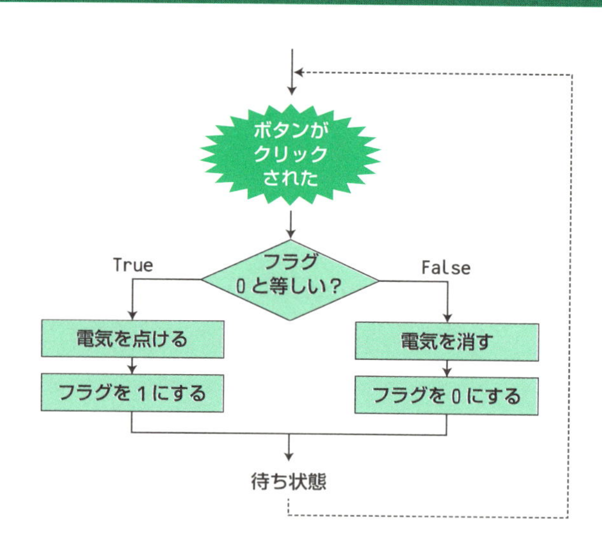

5 あれもこれもいっしょに比較 ——論理演算／論理演算子

「犬が好きかどうか」は「犬＝好き」という式で調べることができますが、では「犬と猫の両方とも好きかどうか」はどうでしょう？　これは「犬が好き」で、かつ「猫が好き」という2つの条件を総合して判断しなければなりません。このように2つの条件式を組み合わせて判断することを**論理演算**、論理演算に使う記号を**論理演算子**と呼びます。

論理的に演算する……？　なんだか難しそうですが、論理演算は**ベン図**という絵を描いてみると簡単に理解できます（**図6-16**）。

図6-16

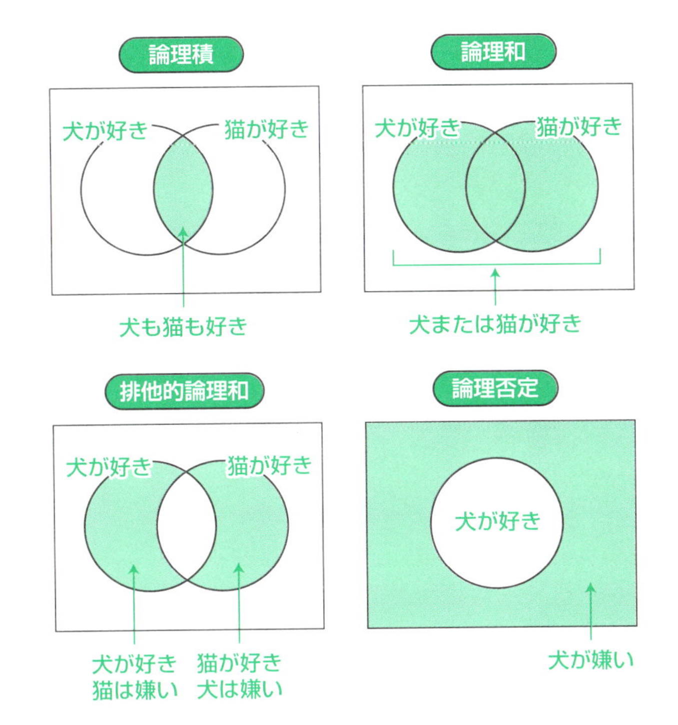

5.1 論理積

いきなり**論理積**という聞き慣れない言葉が出てきましたが、これは、

2つの条件の交わる部分

を表します(**図6-17**)。条件という言葉がピンとこない人は、グループで考えてみましょう。たとえば1つ目のグループが「犬が好きな人」、2つ目のグループが「猫が好きな人」だったとき、2つの交わる部分は「犬と猫の両方とも好きな人」のグループです。つまり、「犬が好き」と「猫が好き」の2つの条件を同時に満たしている人になります。「犬は好きだけれど、猫は嫌い」または「猫は好きだけれど、犬は嫌い」という人は、これには含まれません。

このように**2つの条件を同時に満たしている**かどうかを判断するのが**論理積**です。日本語では、

犬が好き、かつ、猫が好き

というように「**かつ**」という言葉で表します。英語では「**AND**」です。論理積の結果は、2つの条件を同時に満たしているときにTrue、それ以外の場合はFalseになります。

図6-17

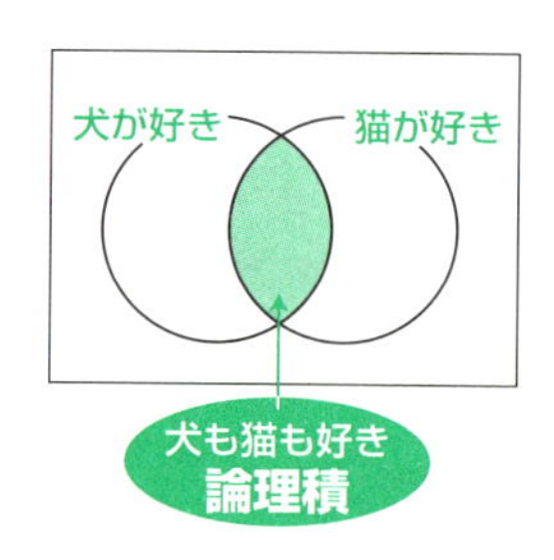

論理積は「キー入力した値が100～200の範囲にあるかどうか」を判断するときにも使用します。これは、表現を変えると

キー入力した値が100以上、かつ、キー入力した値が200以下

になります。この例のように数値データが指定した範囲に含まれるかどうかを調

べるときは、**図6-18**のような数直線を描くと、2つの条件が交わる部分を探しやすくなります。たとえば、キー入力した値が「150」であれば両方の条件を満たしているので答えはTrueですが、「250」は2つ目の条件を満たしていないので答えはFalseになります。

図6-18

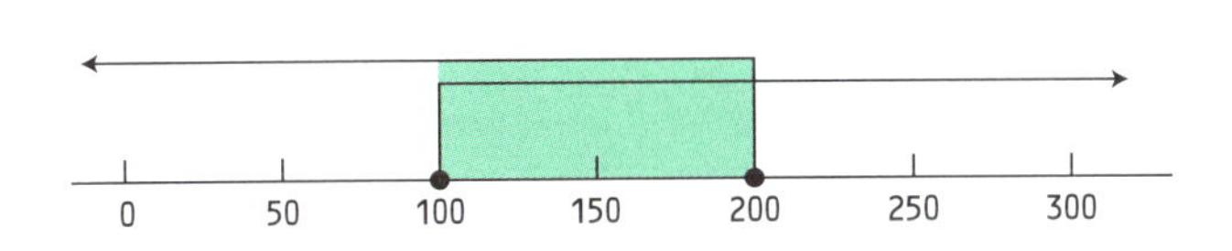

ANDの意味

Column

英語の文章に「and」という単語が出てきたとき、私たちはこれを「～と～」と訳します。たとえば「apple and orange」であれば「リンゴとオレンジ」のように解釈するでしょう？　しかし、プログラムの世界で「AND」は「かつ」という意味を表す単語であり、少し違った意味になるので注意してください。

プログラムの世界で、

A AND B

と表現したときは、AとBの2つのグループの交わる部分を表します（**図6-19**左）。AとBを足した部分ではありません。**図6-19**右は、プログラムの世界では「**OR**」を使って表します。

図6-19

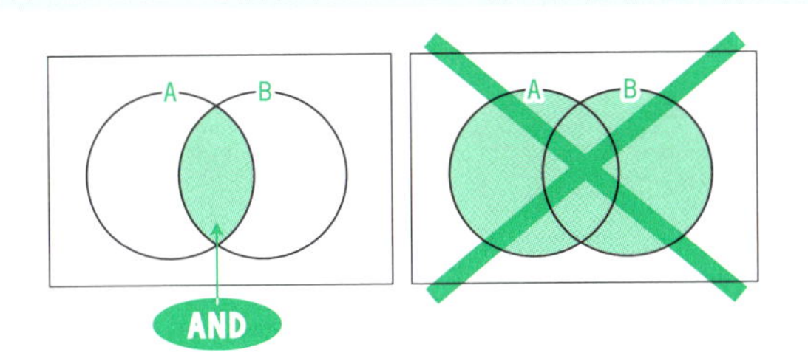

5.2 論理和

論理和は「**または**」と同じ意味で、

2つの条件を足した部分

を表します(**図6-20**)。これもグループに置き換えて考えてみましょう。たとえば、1つ目のグループが「犬が好きな人」、2つ目のグループが「猫が好きな人」だったとき、2つを足した部分は「犬が好きな人と、猫が好きな人」のグループです。つまり、「犬が好き」と「猫が好き」の2つの条件のうち、どちらか片方でも満たしている人が、このグループに所属することになります。

このように、2つの条件のうち**どちらか一方を満たしている**かどうかを判断するのが**論理和**です。これは、

犬が好き、または、猫が好き

というように表現します。英語では「**OR**」です。論理和の結果は、どちらか一方の条件を同時に満たしているときにTrue、それ以外の場合はFalseになります。

図6-20

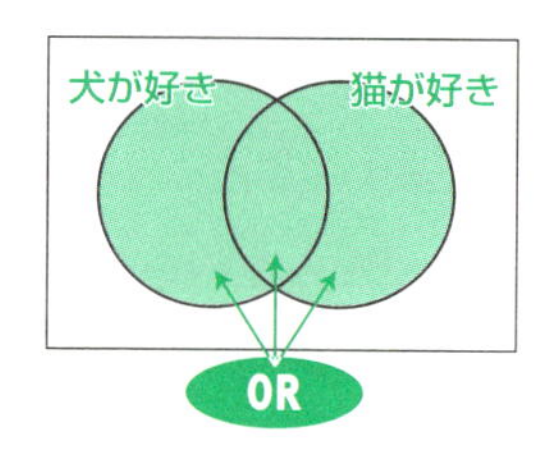

5.3 排他的論理和

もう一度、**図6-20**を見てください。色を塗ったグループに入るのは「犬が好きな人」と「猫が好きな人」、そして「犬と猫の両方とも好きな人」ですね。では、**図6-21**はどうでしょう？　色を塗ったグループは、どんな人たちかわかりますか？――答えは「犬は好きだけれど、猫は嫌い」または「猫は好きだけれど、犬は嫌い」という人です。「犬も猫も、両方とも好き」という人は含まれません。

図6-21

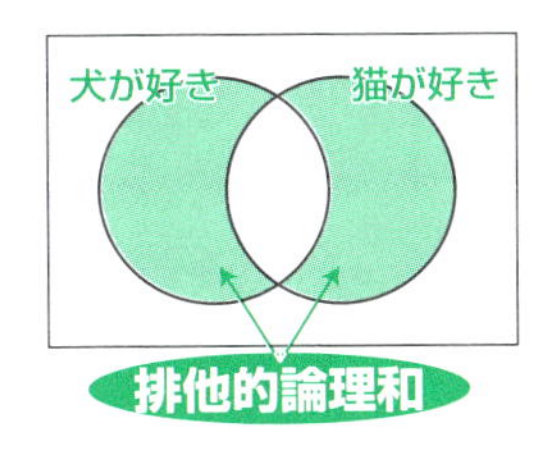

排他的とは「自分や仲間以外を排除する」という意味です。たとえば「犬が好き」というグループから「猫も好き」という人を除くと、残りは「犬は好きだけれど、猫は嫌い」という人です。同じように「猫が好き」というグループから「犬も好き」な人を除くと「猫は好きだけれど、犬は嫌い」という人が残ります。2つのグループを足す（論理和）と、**図6-21**になります。

排他的論理和*7という言葉から想像すると、とても難しい判断をしているような気がしますが、簡単にいえば、

2つの条件のうち、どちらか一方だけが正しい

という場合に答えがTrueになる演算です。両方とも正しい、または両方とも正しくない場合、答えはFalseになります。

5.4 論理否定

否定は、英語で「**NOT**」、日本語では「それ以外」とか「反対」という意味になるでしょうか。これは、

その条件を満たしていない

というときに答えがTrueになる演算です（次ページの**図6-22**）。たとえば「犬が好き」という条件があったときには「犬が嫌い」というグループがこれに当たります。

*7 英語の「eXclusive OR」を略して「XOR」と表記することもあります。

図6-22

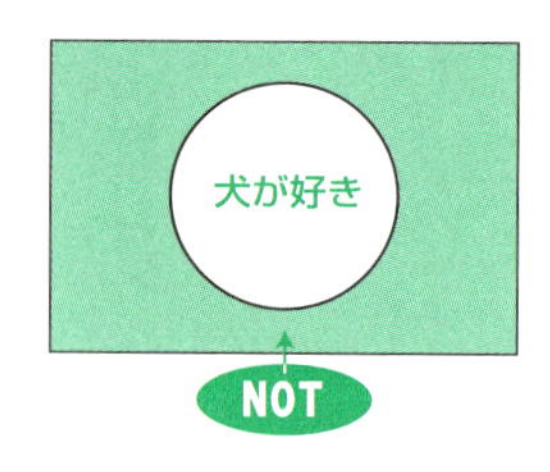

5.5 真理値表

論理演算とは、**条件式を判断した結果（TrueまたはFalse）をもとに行う**演算で、**答えは必ずTrueまたはFalse**になります。**表6-3**～**表6-6**は、論理積、論理和、排他的論理和、論理否定の演算結果を一覧表にまとめたものです。この表を**真理値表**と呼びます。

表6-3　論理積（2つの条件を同時に満たしているときTrue）

条件1 犬が好き	条件2 猫が好き	結果	備考
True	True	True	犬と猫の両方とも好き
True	False	False	犬が好き、猫は嫌い
False	True	False	犬が嫌い、猫は好き
False	False	False	犬と猫の両方とも嫌い

表6-4　論理和（どちらか一方の条件を満たしているときTrue）

条件1 犬が好き	条件2 猫が好き	結果	備考
True	True	True	犬と猫の両方とも好き
True	False	True	犬が好き、猫は嫌い
False	True	True	犬が嫌い、猫は好き
False	False	False	犬と猫の両方とも嫌い

表6-5　排他的論理和（片方の条件だけを満たしているときTrue）

条件1 犬が好き	条件2 猫が好き	結果	備考
True	True	False	犬と猫の両方とも好き
True	False	True	犬が好き、猫は嫌い
False	True	True	犬が嫌い、猫は好き
False	False	False	犬と猫の両方とも嫌い

表6-6　論理否定（条件を満たしていないときTrue）

条件 犬が好き	結果	備考
True	False	犬が好き
False	True	犬が嫌い

6 Q&A

Q1 TrueとFalseってどんな値？

コンピュータの中では、どんな情報も0と1で表されます。もちろん、TrueとFalseも例外ではありません。しかし、具体的にどんな値を割り当てるかはプログラミング言語ごとに異なるため、値そのものを意識する必要はありません。大切なのは、

比較演算（または関係演算）や論理演算の結果は、必ずTrueまたはFalseになる

ということです。どんなときにTrueになって、どんなときにFalseになるのか、確実に判断できるようになってください。

Q2 条件判断構造を利用するときは、どこに注意すればいいの？

指定した条件に当てはまらないときに実行する処理を用意しておくことです。たとえば、キー入力された値に応じて「10○3」という計算を行うプログラムで、計算の種類が次のように定義されているときに「5」が入力されたらどうなるでしょう？

1：足し算
2：引き算
3：掛け算
4：割り算

コンピュータは、どんな処理をすればよいのか、考え込んでしまいます。そうならないために、この例であれば「1～4以外の値が入力されたとき」の処理も、忘れずに書いておきましょう。想定外のことが起こった場合でも、コンピュータが暴走したり仕事を放棄したりしないのが、良いプログラムです。

Q3 繰り返し処理をするときは、どこに注意すればいいの?

繰り返し構造とは、同じ処理を繰り返して実行することです。繰り返しを終了するための条件が不適切なときは、同じ処理を永遠に繰り返す**無限ループ**という状態になってしまいます。繰り返し構造は、次の点に注意して作成してください。

- **決まった回数の繰り返しを作成するときは、カウンタの初期値と終了値、カウンタの更新方法を十分に検討すること**
- **特定の条件が成立するまで繰り返すときは、繰り返すかどうかの判断に使う変数の値を、繰り返し処理の中で更新すること**

Q4 繰り返しを途中で止めることはできるの?

できます。**図6-23**は「60秒間、腕立て伏せをする」というトレーニングを図で表したものです。繰り返し構造の中に条件判断構造が含まれていることに気がついたでしょうか？　これは「もしも腕立て伏せをした回数が30回に到達したら休憩する。そうでなければ繰り返し処理の先頭に戻る」という意味です。つまり、開始から60秒間経過していなくても、腕立て伏せを30回したら休憩することができます。

図6-23

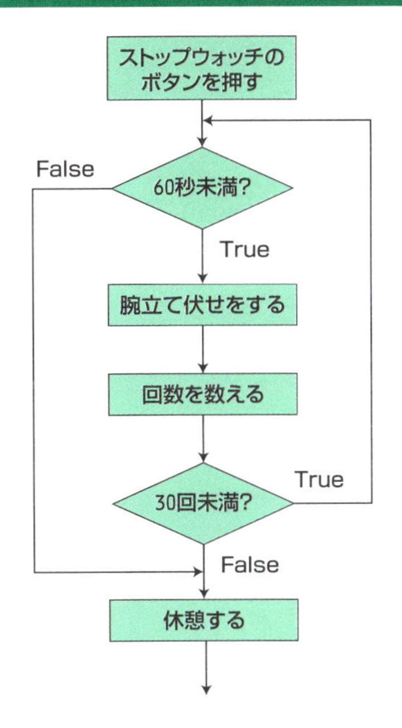

Q5 カウンタの初期値は「0」? それとも「1」?

カウンタの初期値は、プログラムを作成する人が自由に決められます。ただし、コンピュータは0、1、2、3…… のように数を0から数えるのが基本です。そのため、決まった回数の繰り返しを作成するときも、

カウンタの値が0から10未満の間

のように、初期値を0にしたほうが都合のよい場面がたくさんあります。この場合、カウンタの終了値は、

実際に繰り返したい回数－1

になります。

第7章
データの入れ物

ペットボトルや缶ジュースは冷蔵庫、茶碗やコーヒーカップは食器棚、Tシャツや靴下はタンス、本や雑誌は本棚……。部屋の中が片づいているかどうかは別問題として、物によって片づける場所はだいたい決まっているのではないでしょうか。プログラムの世界でも同じです。

プログラムの実行中はいろいろな情報を使いますが、その情報を入れておくための箱は、第4章で説明した「**変数**」だけではありません。入れておきたい情報の種類や性質によって入れ物を使い分けると、効率よく処理ができるようになります。

1　同じ種類の箱を並べて使う——配列

それぞれ購入時のケースに入ったCD合計10枚と、10枚のCDをまとめて入れられるクリアポケット付きのケース。CDという同じ物を入れるときに1枚ずつのプラスチックケースを使うか、それともクリアポケット付きのケースを使うかの違いですが、10枚を一度に持ち歩くのなら後者のほうが便利そうですね。プログラムの世界で使う**変数**と**配列**の関係も似たようなものです。同じデータでも、**配列で扱ったほうが便利**なことがたくさんあります。

1.1 配列とは？

プログラムの実行中に使う情報は変数[*1]に入れるのが基本ですが、変数には値を1つしか入れられません。たとえば、国語のテストを行った後、5人分の平均点を求めるには、

1. 太郎くんの点数をtaroに入れる
2. 次郎くんの点数をjiroに入れる
3. 三郎くんの点数をsaburoに入れる
4. 史郎くんの点数をshiroに入れる
5. 吾郎くんの点数をgoroに入れる
6. taro＋jiro＋saburo＋shiro＋goroを計算して、答えをtotalに入れる
7. totalを5で割って、答えをanswerに入れる

というようにプログラムを作成します。変数は5人分の点数とそれらの合計、平均値を入れるために、全部で7つ必要です（**図7-1**）。

図7-1

75	100	60	82	87	404	80.8
taro	jiro	saburo	shiro	goro	total	answer

もしも、これが20人分の平均点を求めるプログラムだったらどうでしょう？　50人分だったら？　100人分だったら？ —— おそらく、変数名を考えるだけでも大変です。それだけでなく「○○くんの点数を××に入れる」という命令を何度も書かなければなりません。奇跡的に間違わずに書けたとしても、とてもわかりにくいプログラムになると思いませんか？

国語の平均点を求めるときに使うのは「5人分の国語の点数」です。算数の点数や社会の点数、その人の名前や出席番号など、違う種類の情報は使いません。このように**同じ種類のデータをたくさん使うとき**は、**配列**を使ったほうが便

*1　詳しくは、第4章の「**1　値を入れる箱 —— 変数**」（91ページ）を参照してください。

利です。**図7-2**は、**図7-1**と同じ情報を入れたものです。どこが違うかわかりますか？

図7-2

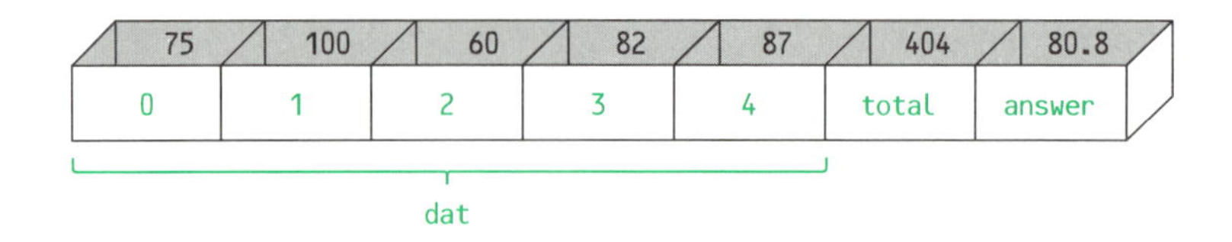

図7-2は、変数名がdatとtotal、answerの3つしかありません。その代わりに、点数を入れた箱には0、1、2、3、4という番号が付いています。

同じ種類の情報を入れる箱を並べて0から順番に番号を付け、
箱全体には1つの名前を付けたもの

―― これが配列です。

図7-1と**図7-2**を見比べただけでは、配列の便利さを実感できないかもしれませんね。大事なことは、

入れ物の数は同じでも、配列を使ったときは変数名が3つだけで済む

という点です。これは、国語のテストを受けた人が20人でも50人でも、100人でも変わりません。データの個数にかかわらずdat、total、answerの3つだけで平均点を求められるのが、配列のすごいところです。

1.2 配列に入れられるデータ

配列は、1つの名前で複数のデータを入れられる入れ物です。この入れ物は、1つの区画が同じ大きさで仕切られており、それぞれの区画には同じ種類のデータを入れることができます。ここで大事なのは**同じ種類のデータ**の部分です。ここには2つの意味が含まれています。

1つは、**データ型が同じ**という意味です。整数型の配列に入れられるのは整数だけ、文字型の配列に入れられるのは文字だけです。もしも整数型の配列に実数を入れると、小数点以下の値は失われるので注意してください（**図7-3**）。

図7-3

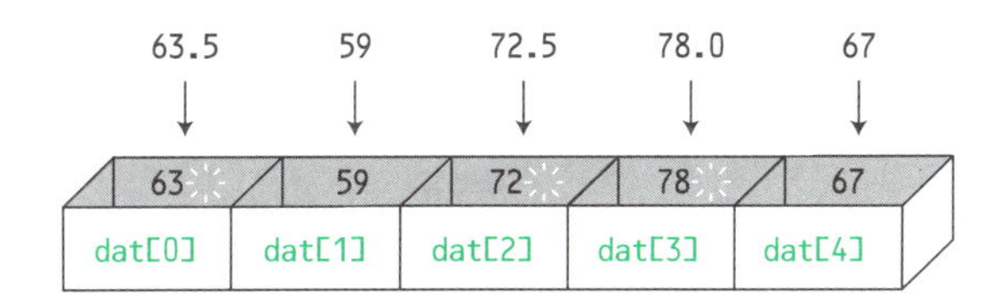

もう1つは、**同じ意味を持つデータ**という意味です。データ型が同じであれば、どんなデータでも入れられるというわけではありません。たとえば5人分の点数とその合計はどちらも整数型のデータですが、点数と合計とでは値の持つ意味が違います。5人分の点数は配列に入れられますが、同じ配列に合計を入れることはできません。

この後の「**1.5　配列を使うと便利になること**」で説明しますが、配列に入れたデータは、繰り返し構造を利用すると効率よく処理することができます。このときに意味の異なるデータが混ざっていると、プログラムを作成しにくくなります。

また、配列の中にいろいろな意味のデータを入れてしまうと、配列の何番目に何を入れたかを自分で覚えておかなければならなくなります。これでは、値を入れたメモリの番地を自分で覚えておくのと同じです。変数や配列を使う意味がありません。

配列に入れられるのは、同じ意味を持ったデータだけ

それ以外のデータは、変数を別に用意してください。

1.3 配列を利用する方法

変数を使う場合は、

平均点を入れるために、answerという名前の整数型の変数を使います

というように、名前とデータ型を宣言しなければなりません*2。配列も同じです。

*2 詳しくは、第4章の「**1.3　変数を利用する方法**」(94ページ) を参照してください。「平均点を入れるために」の部分は、日本語でプログラムを書くときの覚書です。プログラミング言語に翻訳するとき、この部分はプログラムの**コメント**として書くことになります。コメントについては、第3章の「**1.5　プログラミング言語に翻訳する**」のコラム「**プログラムにメモを残す**」(69ページ) を参照してください。

ただ、配列の場合は、

5人分の点数を入れるために、datという名前の整数型の配列を使います

というように、配列の名前とデータ型に加えて、**箱の個数も宣言する**必要があります。

上記のように宣言すると、整数型のデータを入れるための領域がメモリ上に連続して5つ確保され、先頭から順番に番号が付けられます（**図7-4**）。配列の途中に他の変数が挿入されることは、絶対にありません。

配列の名前は、プログラムを作成する人が自由に付けることができます。このときの注意点は、変数と同じです[*3]。**配列に入れる値の意味がわかるような名前**を工夫して付けてください。

図7-4

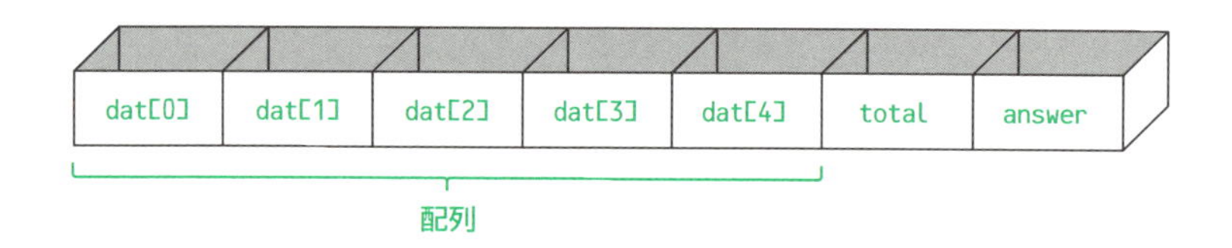

1.4 それぞれの箱を識別する方法

配列は、同じ大きさの箱を複数個並べて、そこに1つの名前を付けたものです。それぞれの箱を**要素**、箱の個数を**要素数**と呼びます。**図7-5**であれば「要素数が5個の配列」となります。

図7-5

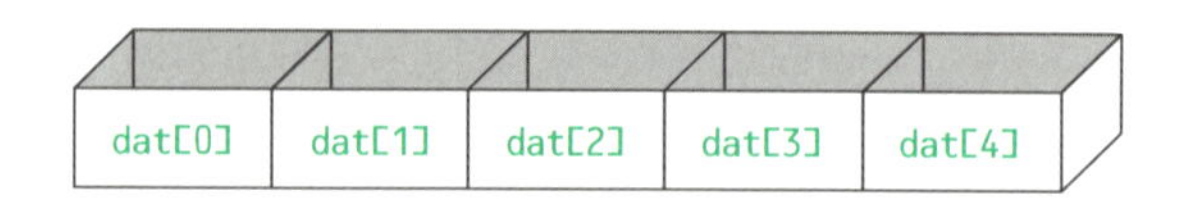

*3　詳しくは、第4章の「**1.2　変数名の付け方**」（92ページ）を参照してください。

要素数がいくつであっても、配列の名前は1つだけです。しかし、この名前だけではそれぞれの要素を識別できないので、配列の場合は**先頭の要素から順番に連続する番号が付く**ことになっています。この番号を**インデックス**または**添え字**と呼びます。たとえば、C言語というプログラミング言語では、**図7-5**の配列の各要素を次のように表します*4。

先頭の要素　：dat[0]
2番目の要素：dat[1]
3番目の要素：dat[2]
4番目の要素：dat[3]
5番目の要素：dat[4]

0から4がインデックス

配列のインデックスは必ず連続した値になりますが、0から始まるか1から始まるかはプログラミング言語によって異なります。中には0か1かを選択できるプログラミング言語もあります。しかし「コンピュータは数を0から数える」のが基本であり、これにならって、

配列のインデックスも0から始まる

のが一般的です。数を0から数えたとき、最後の要素のインデックス番号は、

要素数－1

になります。

1.5 配列を使うと便利になること

「配列は1つの名前で複数のデータを入れられるっていうけれど、それぞれの要素にインデックスが付いているのなら、変数とそんなに変わらないんじゃないの？」—— というのは大間違い。配列のインデックスは0、1、2、3…… のように、必ず連続した値になります。0、1、2、3…… と1つずつ増えていく値。どこかで見覚えがありませんか？　そう、決まった回数、同じ処理を繰り返すときに使

*4　「dat[0]」や「dat(0)」など、インデックスの書き方はプログラミング言語ごとに異なります。プログラムを書く前に、マニュアルで確認してください。

うカウンタです*5。実は、**配列と繰り返し構造はとても相性が良い**のです。

5人分の平均点を求めるプログラム。変数を使った場合は、

1 太郎くんの点数をtaroに入れる
2 次郎くんの点数をjiroに入れる
3 三郎くんの点数をsaburoに入れる
4 史郎くんの点数をshiroに入れる
5 吾郎くんの点数をgoroに入れる
6 taro＋jiro＋saburo＋shiro＋goroを計算して、答えをtotalに入れる
7 totalを5で割って、答えをanswerに入れる

というようになります。では、配列を使った場合はどうなるでしょう？

1 要素数が5個の整数型の配列を用意する
2 カウンタの値が0～4の間、
3 　　配列の○番目に点数を代入する
4 　　カウンタを1つ増やす
5 　　2に戻る
6 合計を入れる変数totalを0で初期化する
7 カウンタの値が0～4の間、
8 　　totalに配列の○番目の値を足して、その答えでtotalを上書きする
9 　　カウンタを1つ増やす
10 　　7に戻る
11 totalを配列の要素数で割って、答えをanswerに入れる

――このようになります。2～5と7～10が繰り返し構造です。この中で、

配列の○番目

の部分には、繰り返した回数を数えるカウンタの値が入ります。つまり、1回目の繰り返しならば「配列の0番目」、2回目の繰り返しならば「配列の1番目」です。

*5 詳しくは、第6章の「**3.1 回数を決めて繰り返す**」（140ページ）を参照してください。

このような繰り返し構造を利用すると、配列のすべての要素に簡単にアクセスすることができます。

「あれ？　でも、配列を使ったほうがプログラムが長くなっているよ？」と思われるかもしれませんね。それは、平均点を求めるために使ったデータが5人分だからです。これが20人分だったらどうなるでしょう？　変数を使う場合は「○○くんの点数を××に入れる」という処理を20回書かなければならないため、プログラムは確実に長くなります。ところが、配列を使った場合は、平均点を求めるためのデータが50人分でも100人分でも、プログラムの長さは変わりません。変わるのは、

カウンタの値が0～4の間、

にするのか、

カウンタの値が0～99の間、

にするのか、この違いだけです。**配列のほうが、はるかに効率的**でしょう？次ページの**図7-6**は、配列を使って平均点を求めるプログラムを表したものです。

図7-6

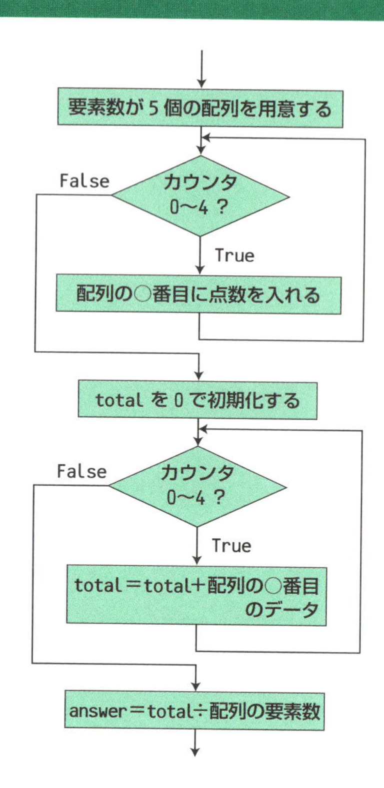

1.6 配列を使うときに注意すること

配列を利用するときは、

整数型の値を入れるために、要素数が5個の配列を使います

というように宣言します。配列のインデックスが0から始まる場合、最後の要素のインデックスは「**要素数－1**」です(**図7-7**)。上記のように宣言したとき、最後の要素のインデックスは「4」になります。それにもかかわらず、

1 カウンタの値が0から5の間、
2 　配列の○番目に値を代入する
3 　カウンタを1つ増やす
4 　1に戻る

といったプログラムを作るとどうなるでしょう？　カウンタの値が「5」のとき、**2**は「配列の5番目に値を代入する」という命令になりますが、そんな入れ物はどこにもありません。

図7-7

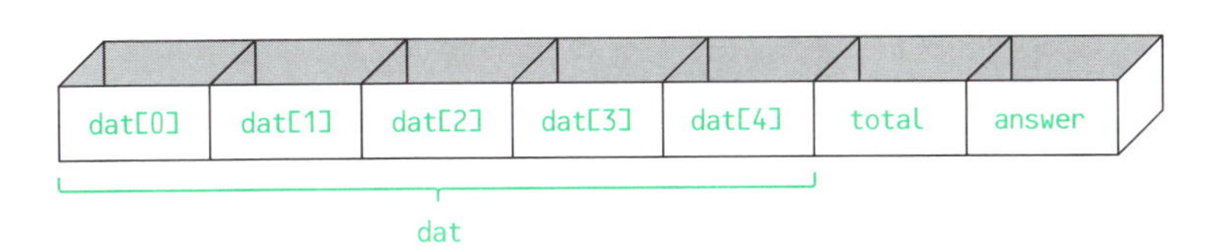

配列の要素数を超えて何らかの処理をしようとしたときに「要素数を超えていますよ」と教えてくれるプログラミング言語もありますが、中には何もいわずに配列の後ろの領域（**図7-7**であればtotalやanswerの部分）を使うものもあります。その場合、他の領域に入れた大事なデータを壊すことになってしまいます。

では、用意した要素数よりも、そこに入れるデータの個数が少ない場合はどうなるでしょう？　たとえば、要素数が5個の配列を宣言したにもかかわらず、データを3つしか入れなかった場合です（**図7-8**）。結論からいえば、これはOKです。

図7-8

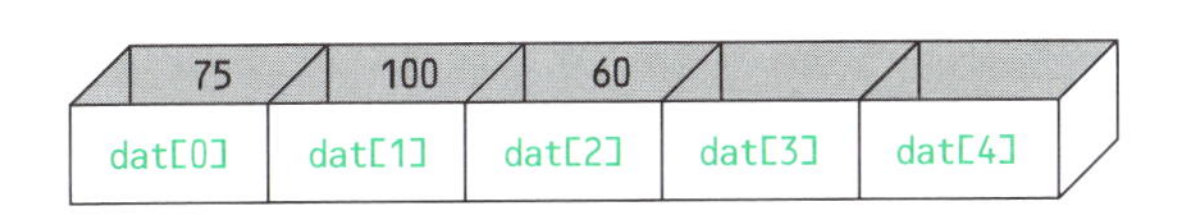

ファイルに記録したデータを扱うときなど、プログラムを実行するまで配列に入れるデータの個数がわからないというのは、よくあることです。その場合は、余裕を持って要素数を多めに用意しておくのが一般的です。万一、要素数が少ないと、上記のようにあふれたデータで他の領域を壊してしまう可能性があるからです。

ただし、この場合は配列の何番目まで値を入れたかをきちんと覚えておいて、それよりも後ろの要素は使わないように注意しなければなりません。なぜなら、変数と同じように、**宣言した直後の配列にはゴミが入っている**からです。たとえば、**図7-8**のように配列の3番目まで値を入れた場合は、

1 カウンタの値が0から2の間、
2 　　totalに配列の○番目の値を足して、その答えでtotalを上書きする
3 　　カウンタを1つ増やす
4 　　1に戻る

というようにプログラムを作成しなければいけません。これを、

1 カウンタの値が0から4の間、
2 　　totalに配列の○番目の値を足して、その答えでtotalを上書きする
3 　　カウンタを1つ増やす
4 　　1に戻る

にしてしまうと意味のない値がtotalに加算されることになり、「プログラムは正しく動いているけれど、なんだか結果がおかしい……」ということになってしまいます。

配列は、同じ意味を持つ複数のデータを扱うときにはとても有効です。しかし、配列の要素数とインデックス、および繰り返した回数を数えるカウンタとの関係をきちんと把握しておかないと、大切なデータを壊してしまったり、意味のない計算をしてしまったりすることになるので注意してください。

配列とよく似た入れ物　Column

プログラミング言語の中には、同じ種類のデータをまとめて入れるために、配列以外の入れ物を用意しているものもあります。これらの入れ物は、プログラミング言語によって呼び方や使い方が異なることを頭に入れておきましょう。

◉ リスト

リストは**要素数が決まっていない**という点が配列と異なります。最初に空っぽの入れ物を用意しておいて、必要なときに値を入れた箱（要素）を追加していくイメージです（**図7-9**）。また、不要になった要素は削除することもでき

ます。ファイルに記録したデータなど、プログラムを実行するまで個数がわからないようなデータを扱うときには、とても便利な入れ物です。

図7-9

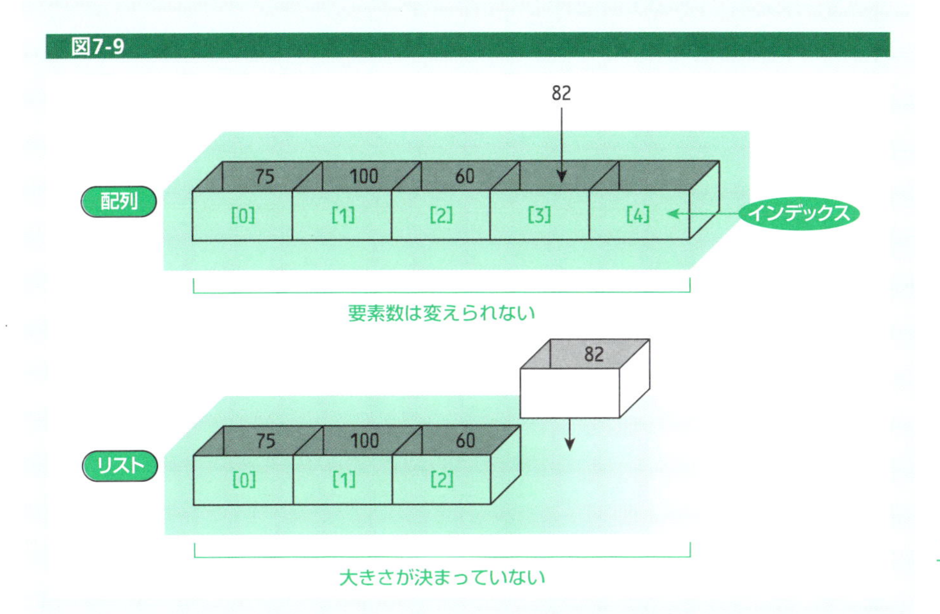

◉ 連想配列*6

配列は各要素を識別するときに0、1、2…… というような番号を使いますが、連想配列は**キーと値の組み合わせ**でデータを管理します(**図7-10**)。そのため「太郎くんの点数」や「次郎くんの点数」のように必要なデータを取り出しやすいのが特徴です。

図7-10

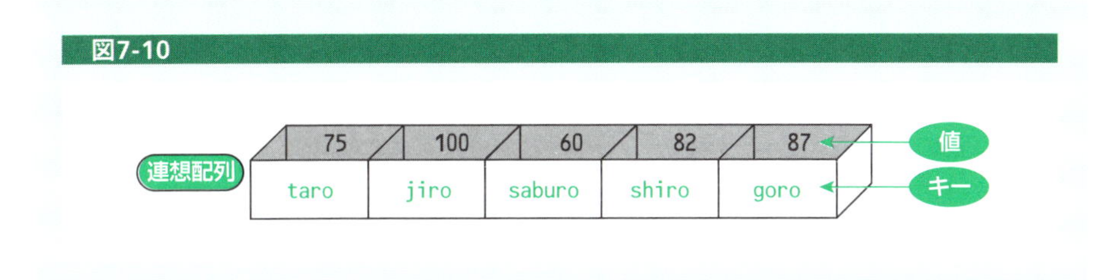

*6 プログラミング言語によって「**連想記憶**」や「**ハッシュ**」「**マップ**」「**辞書**」「**ディレクトリ**」のように呼び方が変わります。

02 箱を縦横に並べて使う――2次元配列

2次元配列は、配列を配列にしたものです。なんだかピンとこない？　では、表計算のアプリケーションをイメージしてみましょう。2次元配列は国語の平均点だけでなく、算数の平均点や英語の平均点も計算したい、というときに利用します。

2.1 配列の限界

表7-1は、5人分のテストの成績です。各教科の平均点を求めるには、どんな入れ物にデータを入れたらよいと思いますか？

表7-1

名前	国語	算数	英語
太郎	75	95	100
次郎	100	90	70
三郎	60	75	60
史郎	82	72	85
吾郎	87	63	90

表7-1は「テストの点数」という同じ意味を持ったデータです。各教科の平均点を求めるには「国語用」「算数用」「英語用」の配列を用意して、

1. 国語の点数を入れるために、要素数が5個の整数型の配列を用意する
2. 算数の点数を入れるために、要素数が5個の整数型の配列を用意する
3. 英語の点数を入れるために、要素数が5個の整数型の配列を用意する
4. カウンタの値が0から4の間、
5. 　　国語の配列の○番目に、国語の点数を入れる
6. 　　カウンタを1つ増やす

7 　　4に戻る
8 合計を入れる変数totalを0で初期化する
9 カウンタの値が0から4の間、
10 　　totalに配列の○番目の値を足して、その答えでtotalを上書きする
11 　　カウンタを1つ増やす
12 　　9に戻る
13 totalを配列の要素数で割って、答えをanswerに入れる
14 answerの値を出力する
15 カウンタの値が0から4の間、
16 　　算数の配列の○番目に、算数の点数を入れる
17 　　カウンタを1つ増やす
18 　　15に戻る
19 合計を入れる変数totalを0で初期化する
20 カウンタの値が0から4の間、
21 　　totalに配列の○番目の値を足して、その答えでtotalを上書きする
22 　　カウンタを1つ増やす
23 　　20に戻る
24 totalを配列の要素数で割って、答えをanswerに入れる
25 answerの値を出力する
26 カウンタの値が0から4の間、
27 　　英語の配列の○番目に、英語の点数を入れる
28 　　カウンタを1つ増やす
29 　　26に戻る
30 合計を入れる変数totalを0で初期化する
31 カウンタの値が0から4の間、
32 　　totalに配列の○番目の値を足して、その答えでtotalを上書きする
33 　　カウンタを1つ増やす
34 　　31に戻る
35 totalを配列の要素数で割って、答えをanswerに入れる
36 answerの値を出力する

—— このようにプログラムを作ればよさそうです*7。しかし、よく見ると、同じような命令を何度も繰り返していて、何か無駄が多いような気がしませんか？ 4～14が国語の平均点、15～25が算数の平均点、26～36が英語の平均点を求めている部分です。このほかに社会や理科の平均点も……となると、用意する配列の数も増えて、とても大変なプログラムになりそうです。

この問題、何かと似ていませんか？　そうです、この章の「**1.1　配列とは？**」（165ページ）で「変数名が増えると、プログラムを作るのが大変だ」という話をしましたが、これとまったく同じです。このときは、

同じ意味を持つデータは配列に入れる

という方法で問題を解決しました。では、配列名が増えるのはどうやって解決するのかというと、今回もやはり**配列**を利用します。

2.2 2次元配列とは？

もう一度、**表7-1**を参照してください。これは「点数」という同じ意味を持ったデータです。しかし、**図7-11**のように、1つの配列にすべてのデータを入れることはできません。なぜなら、国語と算数、英語とでは、同じ点数でも意味が異なるからです。**図7-11**のように入れてしまった場合は、配列のどこに何を入れたかを自分で覚えておかなければならなくなります。

図7-11

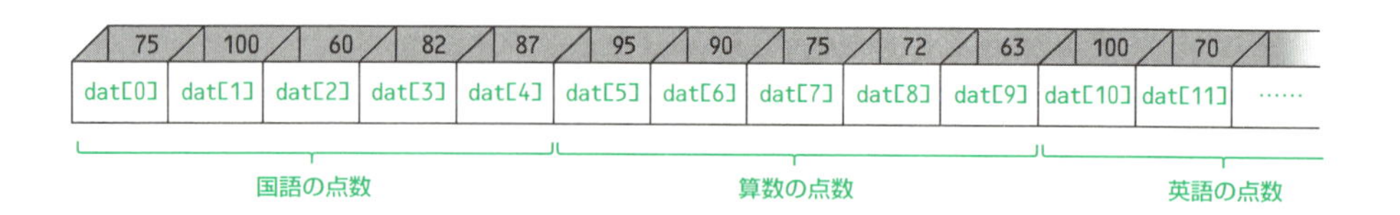

*7　平均点を求めて、その答えをどこか（たとえば画面）に出力した後は、計算に使った変数（totalとanswer）は基本的に用済みになります。国語の合計、国語の平均点、算数の合計、算数の平均点……のように教科別に新しい変数を用意するのではなく、使い終わった変数を再利用しても問題ありません。

図7-12上は、各教科の点数を入れた配列です。左から順番に、太郎くん、次郎くん、三郎くん、史郎くん、吾郎くんの点数が入っています。この順番は各教科共通です。だとしたら、箱を隙間なく並べることはできないでしょうか。——これが**2次元配列**です（**図7-12**下）。

図7-12

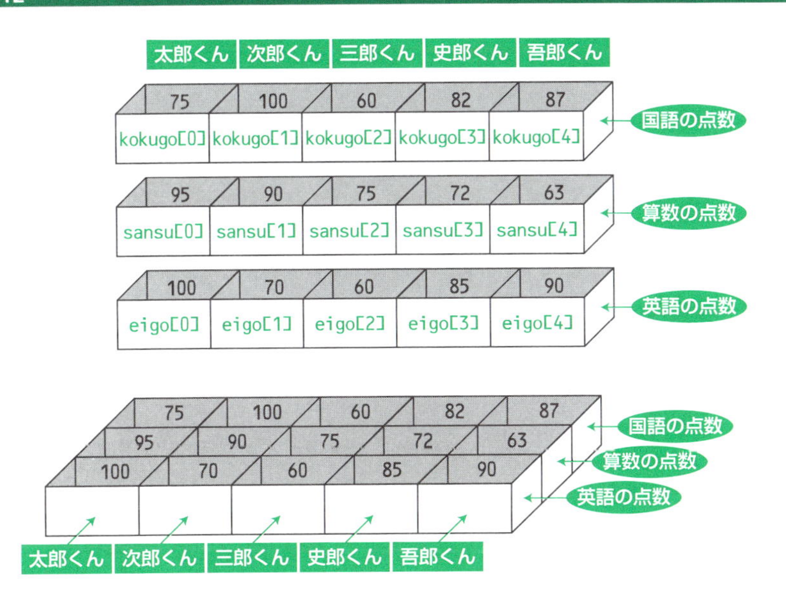

2次元配列は、表形式のデータをそのまま扱うことのできる入れ物です。これは、

配列を縦方向に並べたもの

と考えることもできます。もちろん、配列の次元が変わっても、そこに入れられるのは、

同じ種類のデータで、同じ意味を持ったデータ

です。**図7-12**下の配列に、名前や出席番号を入れることはできません。**図7-12**下は「テストの点数」を入れた配列であり、名前や出席番号は意味が異なるからです。

2.3 それぞれの箱を識別する方法

2次元配列を利用するときは、配列名とデータ型のほかに、縦方向に並べる個数と横方向に並べる個数を宣言しなければなりません。コンピュータの世界では縦方向を**行**、横方向を**列**と呼ぶので、

整数型の値を入れるために、datという名前の3行×5列の配列を使います

と宣言したときは、**図7-13**のような入れ物が用意されます[*8]。

図7-13

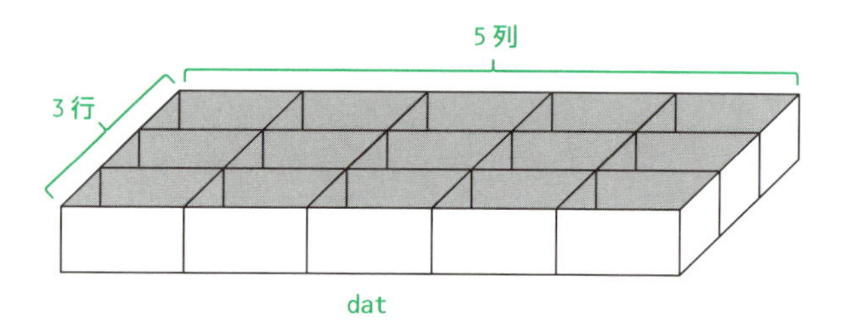

2次元配列の各要素を識別するには、行方向のインデックスと列方向のインデックスの2つの値を使って、

dat[0][0][*9]

というように表します(**図7-14**)。インデックスが0から始まるか1から始まるかはプログラミング言語によって異なりますが、必ず0、1、2…… のように連続する値になります。インデックスが0から始まるとき、右下隅の要素は、

dat[行数－1][列数－1]

になります。

---

*8 **図7-13**はイメージであり、実際にメモリ上にこのような形で領域が確保されるわけではありません。

*9 これはC言語での表現方法です。インデックスの書き方はプログラミング言語ごとに異なるので、プログラムを書く前に、マニュアルで確認してください。

図7-14

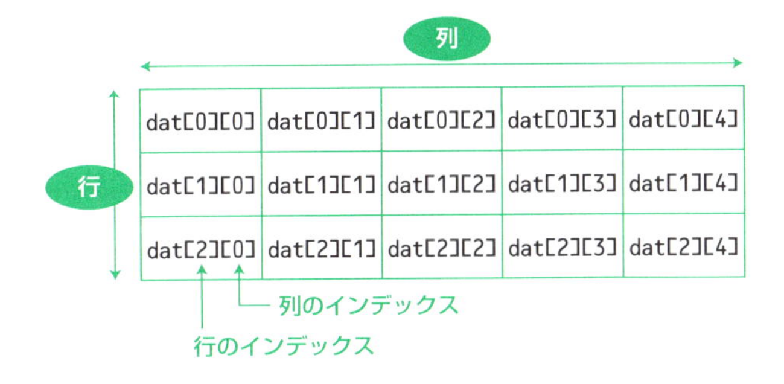

2.4 2次元配列の扱い方

この章の「**1.5　配列を使うと便利になること**」(169ページ) で「配列は繰り返し構造と相性が良い」という話をしました。2次元配列も同じです。たとえば、**図7-15**のように並べた箱にボールを入れるとき、思いついたままの順番で入れていくよりも、左から右、上から下の順番に入れていったほうが効率よく処理できますね。

図7-15

4	6	11	2	8
15	9	1	5	14
12	3	13	7	10

適当な順番

1	2	3	4	5
6	7	8	9	10
11	12	13	14	15

左から右、上から下の順番

図7-15右のように順番にボールを入れるには、**繰り返し構造のネスト**を利用します。二重の繰り返し構造では、外側の繰り返しを1回実行する間に内側の処理は指定した回数だけ繰り返して行われます。つまり、

1　行方向のカウンタが0から2の間、
2　　　列方向のカウンタが0から4の間、
3　　　　　配列の○行□列目の箱にボールを入れる
4　　　　　列方向のカウンタを1つ増やす

5 　　　2に戻る
6 　　行方向のカウンタを1つ増やす
7 　　1に戻る

というプログラムを作成すると、外側の繰り返しが配列の1行目に注目している間に、内側の繰り返しによってその行のすべての箱にボールを入れることができます。これを繰り返すことで、2次元配列のすべての箱に順番にアクセスすることができます。

2次元配列の効果を確かめる　Column

図7-16は、2次元配列に国語と算数、英語の点数を入れて、各教科の平均点を求める処理を表したものです。これをプログラムっぽく書くと、次のようになります。「**2.1　配列の限界**」(176ページ)で作ったプログラムよりも、はるかに効率的になったと思いませんか？　2次元配列の行数を増やすと、このプログラムで社会や理科の平均点を求めることもできます。

1 テストの点数入れるために、3行×5列の整数型の配列を用意する
2 行方向のカウンタが0から2の間、
3 　　列方向のカウンタが0から4の間、
4 　　　　配列の○行□列目に点数を入れる
5 　　　　列方向のカウンタを1つ増やす
6 　　　　3に戻る
7 　　行方向のカウンタを1つ増やす
8 　　2に戻る
9 行方向のカウンタが0から2の間、
10 　　合計を入れる変数totalを0で初期化する
11 　　列方向のカウンタが0から4の間、
12 　　　　totalに配列の○行□列目の値を足して、その答えでtotalを上書きする
13 　　　　列方向のカウンタを1つ増やす

14 　　　11 に戻る
15 　　total を列数で割って、答えを answer に代入する
16 　　answer の値を出力する
17 　　行方向のカウンタを1つ増やす
18 　　9 に戻る

図7-16

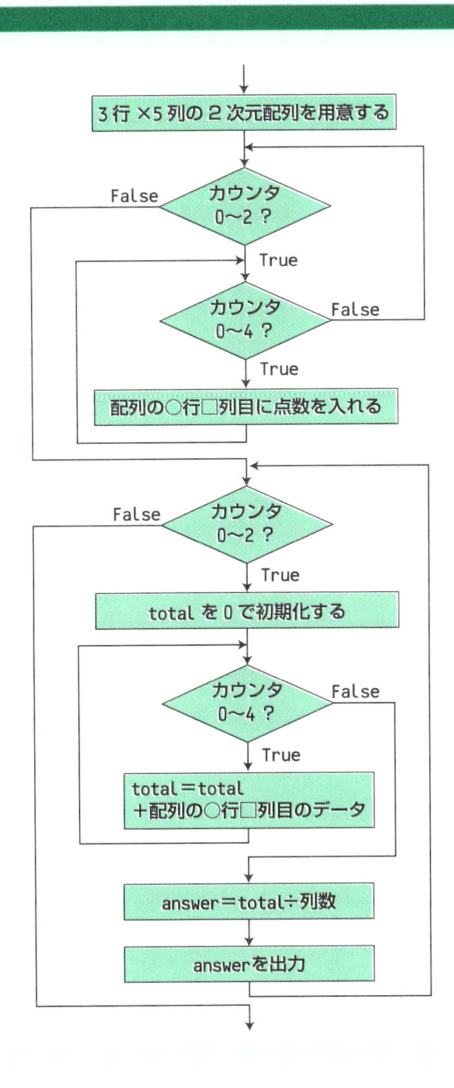

3 関連する情報をまとめて扱う ―― 構造体/レコード

コンピュータが扱うデータは、同じ種類の情報ばかりではありません。たとえば「アドレス帳」では名前やメールアドレス、電話番号、郵便番号、住所……など、いろいろな種類のデータを扱います。このように**種類の異なるデータをまとめて扱う**ときは**構造体**を利用します。

3.1 構造体とは?

おそらく多くの人がスマートフォンの連絡先機能を利用していると思いますが、その画面を思い出してください。名前や電話番号のほかにメールアドレスや誕生日、血液型など、いろいろな情報を登録することができますね。**表7-2**は、それを一覧表に書き出したものです。コンピュータの世界[*10]では、これを**テーブル**と呼んでいます。

表7-2

番号	名前	電話番号	メールアドレス	誕生日	血液型
1	太郎	090-1234-5678	taro@xxx.aa.jp	1970/03/03	A
2	花子	070-5432-1098	hanako@yyy.bb.jp	1975/05/05	A
3	次郎	080-9876-1234	jiro@zzz.cc.jp	1971/12/25	O

テーブルを横方向に見ると、1行で1人分のデータになっています。これを**レコード**と呼びます。この情報をコンピュータが記憶するには「番号」「名前」「電話番号」「メールアドレス」「誕生日」「血液型」の6つの変数が必要ですが、**変数の数が増えるとプログラムを作りにくい**というのは、これまでの話からも推測できるでしょう?

しかし、「番号」や「名前」「電話番号」などは、**種類の異なるデータ**です。これを配列で扱うことはできません。そこで登場するのが**構造体**[*11]です(**図7-17**)。

*10 「データベースの世界」と表現したほうが、わかりやすいかもしれませんね。

*11 プログラミング言語の中には、**ユーザー定義型**と呼ぶものもあります。

構造体は、

関連する情報を1つにまとめて、それに名前を付けたもの

です。**図7-17**では「person」が構造体に付けた名前です。「番号」や「名前」「電話番号」など、構造体の中に入れる個別の情報は**構造体のメンバー**と呼びます*12。

図7-17

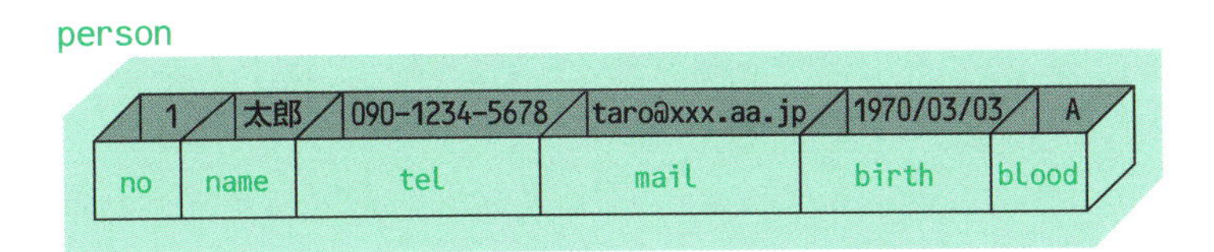

3.2 構造体のメンバーを参照する方法

図7-17を見て「構造体に名前があって、その中のメンバーにも名前が付いているなら、余計にややこしいじゃないか」と思う方もいるでしょう。確かに各メンバーの値を参照するには、構造体とメンバーの名前を使って、

person.no

というように記述しなければなりません*13。構造体を人間に置き換えてpersonを「名字」、noを「名前」と考えるとフルネームを記述するようなもので、余計に煩わしく感じるかもしれませんね。しかし、名字と名前に分けることには、ちゃんと理由があるのです。たとえば、プログラム間で値をやりとりする場合は、このほうが断然便利です。

---

*12 データベースの世界では**フィールド**と呼びます。

*13 厳密にいえば、これは正しい参照方法ではありません。正しい参照方法は、この後の「**3.5 構造体を利用する方法**」（188ページ）を参照してください。

3.3 構造体を使うと便利になること

この後の「**第8章　プログラムを部品化する**」(207ページ〜)で説明しますが、プログラムは仕事の内容ごとに小さな単位に分けることができます。たとえば**図7-18**のように、値を代入する処理とその値を出力する処理を2つのプログラムに分けたときは、プログラムAからプログラムBに情報を渡さなければなりません。このときに「番号」「名前」「電話番号」……など、たくさんの情報を渡すのは大変だと思いませんか？(**図7-19**左)

構造体を使えば、同じ情報を渡すのに「person」という名字ひとつを渡すだけで済みます(**図7-19**右)。

図7-18

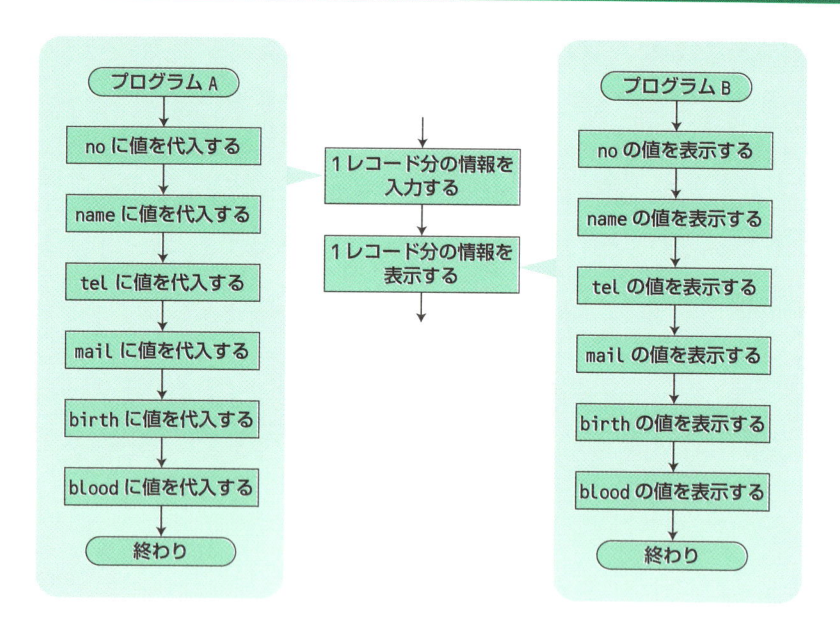

図7-19

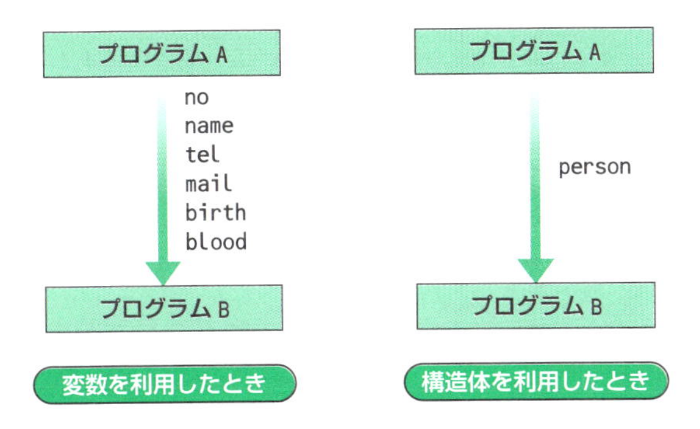

3.4 構造体と配列の違い

構造体と配列（**図7-20**）。——見た目はよく似ていますが、箱に入れる中身が異なります。配列には同じ意味を持ったデータしか入れられません。もちろん、データ型も同じでなければなりません。一方の構造体は、テーブルの1レコードをそのまま入れる入れ物です。整数型や実数型、文字列型など、いろいろな種類のデータを入れることができます。

図7-20

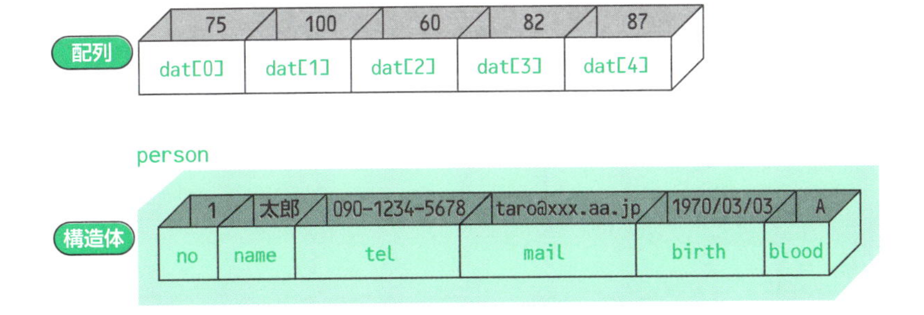

繰り返しになりますが、構造体は**関連するデータを1つにまとめるための入れ物**です。しかし、変数の数が増えたからといって、なんでもかんでも構造体に入れるのは間違いです。たとえば、身体測定の結果を扱うために「名前」と「身長」「体重」「腹囲」をまとめて構造体に入れるのは正しい使い方です。しかし、

この構造体に、まったく関係のない「降水確率」を入れることはできません。

配列に違う意味のデータを入れるとややこしくなるように、構造体に関連性のないデータを入れるとプログラムを作っている本人が戸惑うことになってしまいます。いくら変数の数が多くなったとしても、関連性のない情報には別の変数を使うべきです。

3.5 構造体を利用する方法

変数に入れられるデータは1つだけです。配列も1種類のデータしか入れることができません。ところが、構造体には、いろいろな種類のデータを入れることができます。構造体をどういうメンバーで構成するか、そのメンバーにはどんな種類のデータを入れるかは、プログラムを作る人が自由に決めることができます。そのため、構造体を**ユーザー定義型**と呼ぶプログラミング言語もあります。

構造体を利用するには、最初に構造体の設計図を作成しなければなりません。これを**構造体の定義**と呼びます。プログラミング言語によって方法は異なりますが、設計のポイントは次の3つです。

- **構造体の名前を決める**
- **構造体を構成するメンバーの名前を決める**
- **各メンバーに入れるデータの種類（データ型）を決める**

構造体やメンバーの名前は、プログラムを作る人が自由に決めることができます。このときの注意点は、変数と同じです*14。**扱う値の意味がわかるような名前**を工夫して付けてください。

たとえば、身体測定の結果を扱うために、

構造体の名前	：person		
メンバー	：name	文字列型	―― 名前を入れる
メンバー	：height	実数型	―― 身長を入れる
メンバー	：weight	実数型	―― 体重を入れる

*14 詳しくは、第4章の「**1.2 変数名の付け方**」（92ページ）を参照してください。

メンバー　　：waist　実数型　――腹囲を入れる

というように「name」と「height」「weight」「waist」の4つのメンバーで構成される構造体を「person」という名前で定義すると、プログラムには新規に「person型」というデータ型の設計図が登録されます（**図7-21**上）。しかし、この段階では構造体に値を入れることはできません。「person型」は「整数型」や「実数型」と同じように「身体測定というデータの種類」を表しているだけです。この後で、

person型のデータを扱うために、datという名前の変数を使います

と宣言することで、ようやく構造体に値を代入できるようになります（**図7-21**下）。たとえば、身長に値を代入するときは、person型で宣言した変数の名前とメンバー名を使って、

dat.height＝168.0

というように記述してください*15。

図7-21

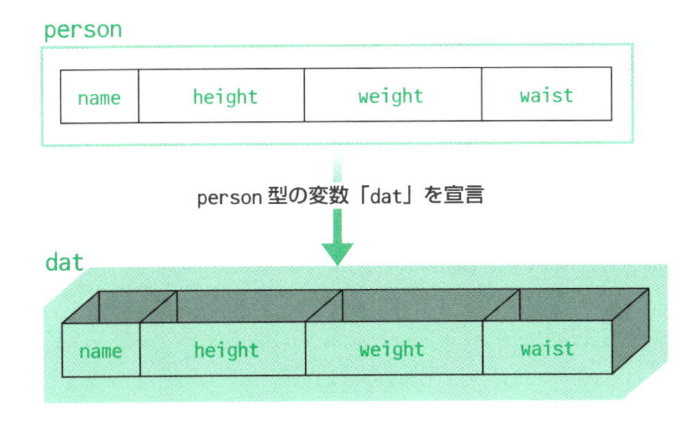

*15 構造体のメンバーを参照する方法は、プログラミング言語ごとに異なります。プログラムを書く前に、マニュアルで確認してください。

4 メモリの番地を利用する ——ポインタ／アドレス

プログラミング業界に伝わる都市伝説——「ポインタは難しい。プログラマーはみんな、ポインタでつまずくんだ……」という伝説—— があるかどうかは知りませんが、**ポインタ**とは**メモリ上の番地を使って値を参照する仕組み**のことです。「番地は覚えられないから変数を使うっていったくせに……」という不満が、伝説を生み出したのかもしれませんね。

ここではポインタの仕組みについて勉強します。プログラミング言語の中にはポインタを扱うことができないもの*16もありますが、知っていて損はない話です。

4.1 アドレスとは？

コンピュータは何か処理を行うときに**メモリ**を作業場所として使います。メモリは実行中のプログラムや、そのプログラムで扱うデータなど、いろいろな情報を入れる場所です。値を入れるための小さな箱が集まったもの、という認識でかまいません。その箱にはメモリ上の場所を表すための「番地」が付けられています(**図7-22**)。この番地を**アドレス**と呼びます。

図7-22

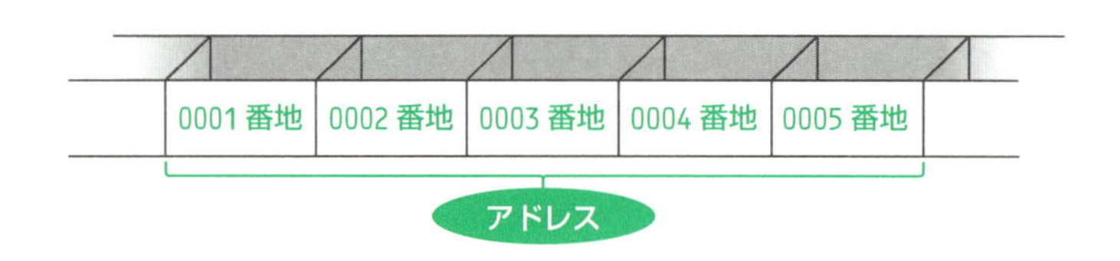

第4章で「プログラムで扱うデータは変数に入れる」という話をしました。そのためには**変数の宣言**という作業が必要ですが、これは値を入れるための領域をメモリ上に確保するための命令です。たとえば、

*16 JavaやC#などでは、ポインタを扱うことができません。

整数型の値を入れるために、answerという名前の変数を使います

と宣言すると、コンピュータの内部では、

1. 整数型のデータを入れるために0003番地を使う
2. 0003番地にanswerという名前を付ける

という仕事が行われます（**図7-23**）。ただし、メモリの何番地を使うかは、コンピュータが自動的に決めることです。私たちがアドレスを指定することはできませんし、指定する必要もありません。アドレスを意識することなく利用できるようにするための仕組みが、変数なのです。

図7-23

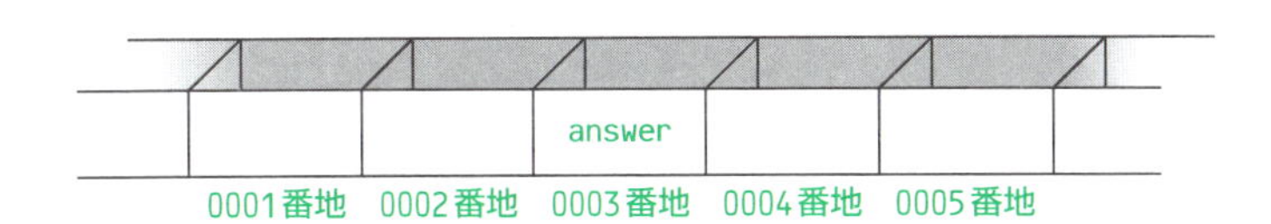

4.2 ポインタの仕組み

ポインタは、

アドレスを利用して、メモリ上の値を「間接的に」参照する仕組み

です。――こういわれても、さっぱりイメージが湧かないのが、ポインタの厄介（やっかい）なところです。しかし、私たちの身近なところに、ポインタを使っている場面がちゃんとあるのです。あなたは宅配便をどのように受け取っていますか？

宅配便の受け取り方法には2種類あります。1つは、配達員さんから直接手渡しで受け取る方法です。もう1つは、駅やマンションに設置されている宅配ロッカーを利用する方法です。留守中に宅配便が届いたとき、配達員さんは「宅配ロッカーの3番に荷物を入れました」というメモを残してくれます。帰宅後にこのメモを見て3番のロッカーを開けると、ちゃんと荷物を受け取ることができるという仕組みです。

実際に宅配ロッカーを使ったことがないという人でも、この場面はイメージできるのではないでしょうか。ポインタとは、宅配ロッカーを使った荷物の受け取りと同じようなことを、コンピュータ上で実現する仕組みです。

宅配ロッカーの話を、プログラムの世界に戻してみましょう。宅配ロッカーは、コンピュータのメモリです。メモリ上のどこかに入っているデータを参照するには「配達員さんが残してくれたメモ」が必要です。これが**ポインタ**です。メモには「荷物を入れたロッカーの番号」――つまり、データを入れたメモリ上のアドレスが書かれており、この**アドレスを使ってデータを参照**することができます（**図7-24**）。

図7-24

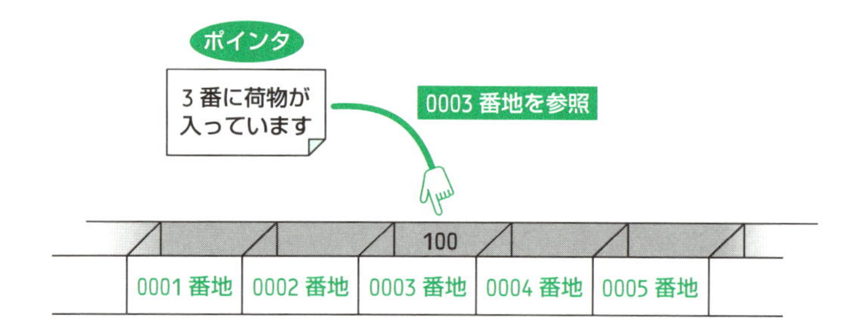

宅配便の手渡しと宅配ロッカー。――2つの違いは、荷物を直接受け取るか、間接的に受け取るかです。プログラムの世界に置き換えると、手渡しは変数を使ってデータを入れる方法です。たとえば、

変数answerに10を代入しなさい

というように命令すると、answerという名前が付けられた領域に直接、値を代入します。一方、宅配ロッカーはポインタを使って間接的に値を入れる方法です。たとえば、

ポインタが指している領域に100を代入しなさい

という命令を実行すると、先にポインタに書かれているアドレスを確認してから、その場所に値を代入します（**図7-25**）。

図7-25

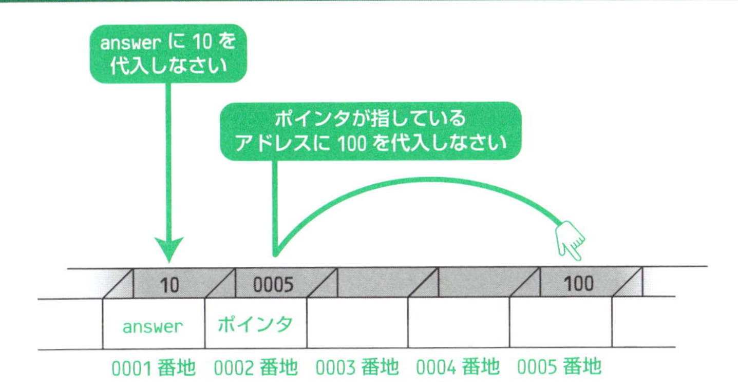

4.3 ポインタを利用する方法

図7-25を見て、再び「ポインタっていったい何？」と思った方がいるかもしれません。ポインタは**ポインタ変数**と呼ぶのが正しい呼び方で、

アドレスを入れる特別な変数

です。変数ですから、それを使う前には必ず宣言しなければなりません。普通の変数と同じように、**ポインタ変数の名前とデータの種類**を、

ptrという名前で、整数型のポインタ変数を使います

というように宣言してください。このとき、コンピュータの内部では、

1. アドレスを入れるために0002番地を使う
2. 0002番地にptrという名前を付ける

という仕事が行われますが、もちろんptrをメモリ上のどこに確保するかは、コンピュータが自動的に決めることです。私たちが意識する必要はありません。この後で、

ptrに0005番地を代入しなさい[*17]

＊17 実際のプログラムでは、ポインタ変数にアドレスを直接入れるということはありません。普通は「ptrに変数aのアドレスを代入しなさい」のように命令します。この場合は「ptrは変数aを間接的に参照するためのポインタ」ということになります。

という命令を実行した状態が**図7-26**です。これでようやく間接的に値を参照できるようになります。

図7-26

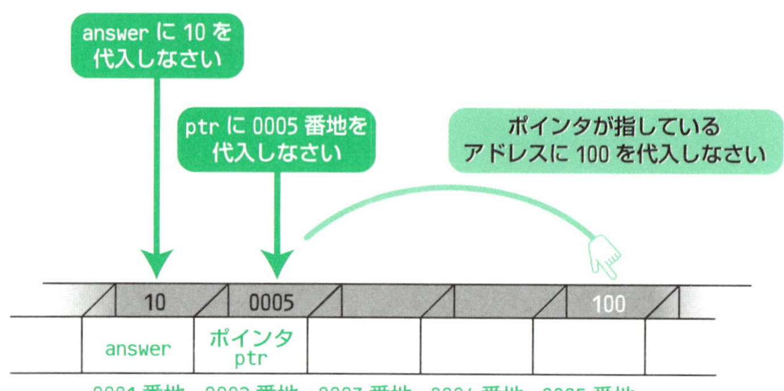

ポインタ変数のデータ型　Column

「ポインタ変数にはアドレスを入れるんでしょ？　だったら、データ型なんて必要ないじゃない？」——良い質問ですね。しかし、答えは「ノー」です。ポインタを利用するときは、ポインタ変数の名前とデータ型を宣言しなければいけません。

普通の変数を使うときも、データ型を正しく指定する必要がありました。なぜなら「整数型なら1バイト」「実数型なら4バイト」のように、データ型によって使用するメモリサイズが変わるからです[*18]。実は**メモリサイズが変わる**という点がとても重要です。これを頭に入れて、次の順番で命令を実行するとどうなるか、考えてみてください。

1. ptr1という名前で、整数型のポインタ変数を使います
2. ptr2という名前で、実数型のポインタ変数を使います

＊18 詳しくは、第4章の「**2　箱の大きさ——データ型**」（95ページ）を参照してください。

3 ptr1に0005番地を代入しなさい

4 ptr2に0005番地を代入しなさい

整数型のポインタ変数（ptr1）と実数型のポインタ変数（ptr2）が持っているアドレスがどちらも0005番地だったとき、ptr1を使って参照できるのは1バイト（0005番地）だけです。一方、ptr2を使った場合は4バイト（0005番地～0008番地）を一度に参照します（**図7-27**）。つまり、ポインタ変数のデータ型とは、

そのアドレスを起点にして、一度に読み書きするメモリサイズ

を表しているのです。

図7-27

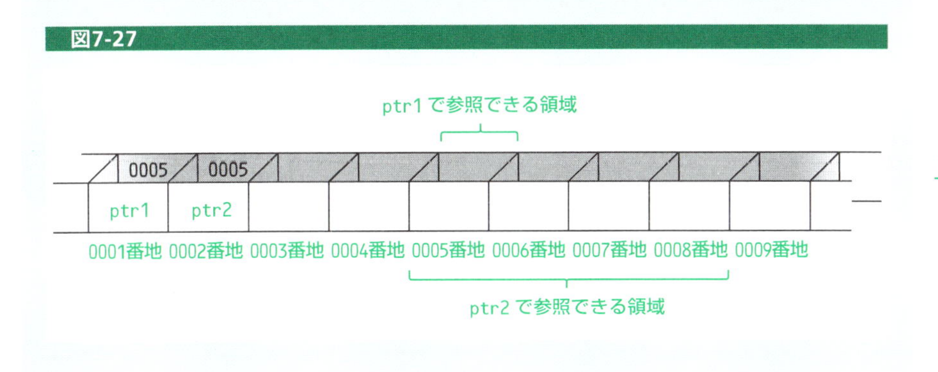

4.4 ポインタを使うと便利になること

データを入れるためだけならば、わざわざポインタを使って間接的に参照する必要はありません。しかし、大きな情報をやりとりするときは、**ポインタを使ったほうが効率よく処理することができます**。

太郎くんは銀行で貸金庫を5つ借りて、そこで全財産を管理しています。用心深い太郎くんは、貸金庫の鍵もいっしょに預けており、普段はその鍵を入れた貸金庫の鍵を1つだけ持ち歩いています。ある日、太郎くんは花子さんに出会い、財産のすべてを花子さんに譲ることにしました。―― こんなおいしい話が世の

中にあるとは思えませんが、それはさておき、問題はここからです。
　太郎くんの全財産を花子さんに渡すには、

A 金庫の中身を1つずつ手渡しする
B 貸金庫の鍵を渡す

──この2通りの方法があります。効率がよいのは、どちらの方法でしょう？

　プログラムの世界に置き換えると、財産を手渡しするAの方法は、変数を利用する方法です。この方法では、太郎くんの全財産を入れるために5つ、花子さんがそれを受け取るために5つ、全部で10個の変数が必要になります。また、

1 太郎くんの1つ目の金庫から中身を取り出して、花子さんの1つ目の金庫に入れなさい
2 太郎くんの2つ目の金庫から中身を取り出して、花子さんの2つ目の金庫に入れなさい
3 太郎くんの3つ目の金庫から中身を取り出して、花子さんの3つ目の金庫に入れなさい
4 太郎くんの4つ目の金庫から中身を取り出して、花子さんの4つ目の金庫に入れなさい
5 太郎くんの5つ目の金庫から中身を取り出して、花子さんの5つ目の金庫に入れなさい

というように、同じような作業を何度も繰り返さなければならないため、手間もかかります（**図7-28**）。

図7-28

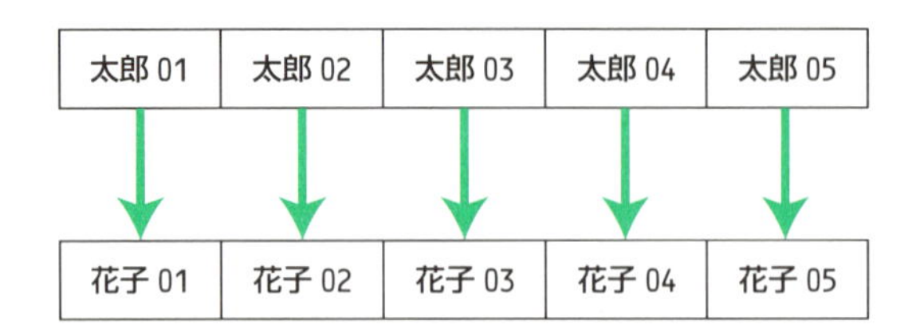

一方、貸金庫の鍵を渡すBの方法は、ポインタを利用する方法です。この方法であれば、

太郎くんが持っている鍵を花子さんに渡しなさい

という命令ひとつで済みます。花子さんも、受け取った鍵を使って、太郎くんが借りている金庫を利用することができます。花子さんが新たに金庫を借りる必要もありません（**図7-29**）。大きな情報をやりとりするときは、ポインタが有効であることを覚えておきましょう。

図7-29

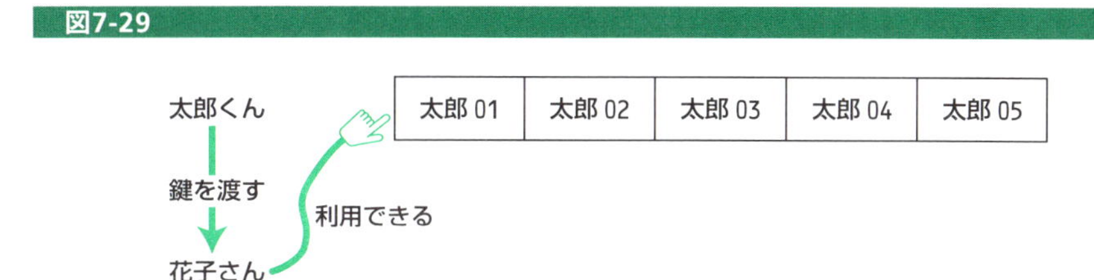

4.5 ポインタを使うときに注意すること

変数を使うときの注意点、覚えていますか？　変数は、メモリ上の、値を入れる領域に付けた名前です。宣言した直後、その領域にはゴミ（意味のない値）が入っているため、何らかの値で初期化してからでないと計算結果がおかしくなってしまいます*19。これはポインタも同じです。

ポインタはアドレスを専門に扱う変数で、その中には「参照先のアドレス」が入っているはずです。もしもポインタ変数を宣言した後、参照先のアドレスを入れずにそのポインタを利用してしまったら、どうなるでしょう？

宣言した直後、ポインタ変数には意味のない値が入っています。自分では「太郎くんの金庫」を参照して、そこに自分の宝物を入れたつもりでも、実際にはまったく関係のないアドレスに入れてしまうことになります。参照先のアドレスに入っていたものがデータであれば被害は少ないのですが、もしかしたらコンピュータへの命令が入っている領域を書き替えてしまうかもしれません。これは大問題です。

*19 詳しくは、第4章の「**3　箱の使い方 —— 初期化**」（104ページ）を参照してください。

ポインタを利用するときは、必ず、

❶ **ポインタ変数を宣言する**
❷ **ポインタに参照先のアドレスを代入する**

の2つの処理を行ってください。扱い方を間違えると**コンピュータが正常に動作しなくなる**こともありうるのです。このような重大な不具合が起こらないように、プログラミング言語の中には、ポインタを利用できないものもあります。

5 値に名前を付けて使う——定数

「データの入れ物」という点から見ると正しくないかもしれませんが、変数とよく似たものに**定数**があります。これは入れ物ではなく、**値そのものに付けた名前**です。

5.1 定数の使い方

まずは「値に名前を付けて、何かいいことがあるの？」という疑問にお答えしましょう。次の計算式、何をするものかわかりますか？

tax_in＝price×(1＋0.1)

カンの良い方なら、変数の名前や計算式の内容から「消費税込みの価格を求めている」ということがわかるかもしれませんね。もちろん、わからなかったとしても落ち込む必要はありません。なぜなら、これは良くないプログラムの書き方だからです。

上の式は「0.1」という見当のつく数値だから理解してもらえるだけです。もしも0.19や2.28のような数値だったらどうでしょう？　おそらく、プログラムを作った本人にしか理解できないプログラムになるでしょう。

決まった値を計算式に使うときは、それに名前を付けて定数にすべきです。たとえば、上の計算式も「0.1」という値に「TAX」という名前を付けて、

tax_in＝price×(1＋TAX)

というように記述すると、誰が見ても税込価格を求める計算式だということがわかります。さらに「TAXは0.1という値で、消費税率を表す」というようなメモが残されていれば完璧です。

5.2 定数を使うと便利になること

定数を使うとプログラムがわかりやすくなるだけでなく、もうひとつ良いことがあります。それは**プログラムのメインテナンスがしやすくなる**という点です。

消費税率はいつまでも10%である保証はなく、この値はいつ変更になるかわかりません。税率が変更されたときは、当然、プログラムの修正が必要になります。このとき、プログラムのあちこちに「0.1」という値が書かれていたら大変です。「エディタの一括置換機能を利用すればいいじゃない？」と思うかもしれませんが、この方法はお勧めできません。なぜなら、消費税率以外の意味で「0.1」を使っている箇所があるかもしれないからです。そこを変更してしまったことで、プログラム全体が動かなくなる可能性だってあるのです。だからといって、手作業で1つずつ直していって、どこかに修正漏れがあれば、やはりプログラムはおかしな動きをすることになってしまいます。

定数を利用するときは、プログラムの最初に一度だけ、

0.1という値に、TAXという名前を付けます

と宣言するだけです。以降は、0.1という値の代わりに「TAX」を使えばよいのです。もしも消費税率が変わったときも、この宣言部分だけを修正すれば、それで終わりです。プログラム全体を、いちいち調べる必要はありません。

5.3 変数と定数の違い

変数は、値を入れる領域に付けた名前です（次ページの**図7-30**左）。たとえば、

整数型の値を入れるために、answerという名前の変数を使います

と宣言すれば、

answer＝1
answer＝answer＋1

というように、入れる値が整数であれば何度でも値を入れ替えることができます。
一方の定数は、値そのものに付けた名前です(**図7-30**右)。たとえば、

3.141593という値に、PIという名前を付けます

と宣言した後は、半径が2cmの円の面積を求める式を、

menseki＝2×2×PI

のように書くことができます。注意してほしいのは、PIは3.141593という数値の代わりに使う名前だという点です。PIに値を代入することはできません。

図7-30

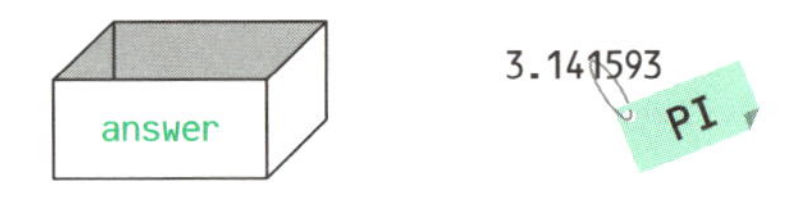

6　大事なデータを入れる場所――ファイル

コンピュータは、何か作業を行うときに、メモリを作業場所として使います。この場所は永久に使えるわけではなく、作業後は次の作業に備えてきれいに片づけることになっています[*20]。しかし、プログラムを終えるたびにデータがなくなるのでは、いっこうに作業が進みません。そこで、ハードディスクのような**電源を切っても消えない場所**にデータを記録しましょう。そうすれば、必要なときにメモリ上に取り出して、再び作業を続けることができます。**ファイル**は、ハードディスクに情報を記録するときの一単位です。

---

*20 詳しくは、第2章の「**1　コンピュータ徹底解剖**」(37ページ)を参照してください。

6.1 ファイルの構造

ワープロで作ったファイル、お絵描きエディタで作ったファイル、インターネットからダウンロードした音楽データのファイル、デジタルカメラで撮影した写真データのファイル……。ハードディスクやUSBメモリにデータを保存するときは、**ファイル**という単位で記録します。

ファイルにはいろいろな種類がありますが、どんなファイルでも構造は同じです（**図7-31**）。先頭からデータが一直線に並んでおり、ファイルの終わりは「**EOF**」（*End Of File*）になります。

図7-31

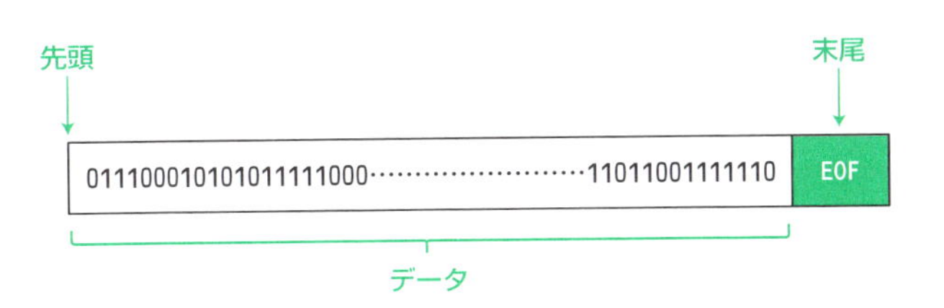

ファイルの中のデータも、もちろん0と1の羅列で構成されています。この0と1の羅列をファイルから取り出す、またはファイルに出力するには、**シーケンシャルアクセス**と**ランダムアクセス**の2通りの方法があります。

テキストファイルとバイナリーファイル

Column

ファイルには、テキストファイルとバイナリーファイルの2種類があります。**テキストファイル**は、その名前が示すとおり文字コードをそのまま記録したファイルで、Windowsの「メモ帳」を使って中身を確認することができます（次ページの**図7-32**左）。

ところが、「メモ帳」でファイルを開いたときに、意味不明の記号が表示されることもあります（次ページの**図7-32**右）。これは**バイナリーファイル**と呼ばれるもので、コンピュータが扱う形式のまま、データを記録したものです。文字だけでなく、画像や音楽、ワープロで文字を飾ったときの情報など、あらゆるデータを記録することができます。

どちらのファイルも、扱い方は同じです。ファイルを利用するときに、

このファイルをテキストモード（またはバイナリーモード）で開きます

と命令するだけです。あとはコンピュータが指定のモードに従って、ファイルからデータを読み込んだり、値を出力したりします。

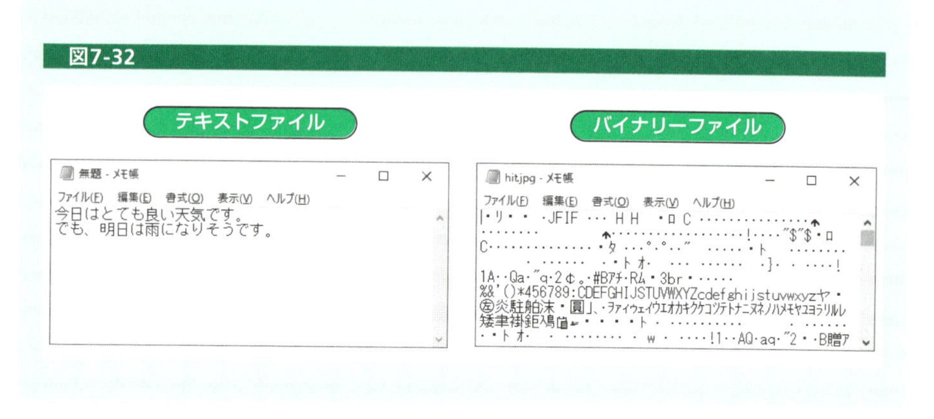

図7-32

6.2 シーケンシャルアクセス

ファイルの先頭から順番にデータが並んでいるファイルを**シーケンシャルファイル**、このファイルにアクセスする方式を**シーケンシャルアクセス**と呼びます。シーケンシャル（*sequential*）とは「連続的な」という意味です。

たとえば、**表7-3**のデータをシーケンシャルファイルに保存すると、**図7-33**のようなイメージになります*21。データはファイルの先頭から順番に記録され、最後はEOFです。**データのサイズは一定ではありません。**

*21 もちろん、ファイルに記録するときは、0と1の並びに置き換えられています。

表7-3

番号	名前	メールアドレス
1	太郎	taro@xxx.aa.jp
2	田中花子	hanako@yyy.bb.jp
3	じろう	jiro@zzz.cc.jp

図7-33

1	太郎	taro@xxx.aa.jp	2	田中花子	hanako@yyy.bb.jp	3	じろう	jiro@zzz.cc.jp	EOF

シーケンシャルファイルは、ファイルの先頭から読み書きするのが決まりです。扱いは簡単ですが、途中のデータだけが必要な場合でも、必ず先頭データから順番に読み込まなければならないので、処理に時間がかかるということを覚えておきましょう。

6.3 ランダムアクセス

もう一度、**表7-3**を参照してください。横方向の1行で1人分のデータになっていますね。この1行分のデータを**レコード**と呼び、**レコード単位でデータが並んでいる**ファイルを**ランダムファイル**、このファイルにアクセスする方式を**ランダムアクセス**と呼びます。ランダム（*random*）を英和辞典で調べると「手当たり次第」という意味が載っていますが、ファイルアクセスの場面に限っていうと「**お好きなところから**」という意味になります。

ランダムファイルの場合、**1レコードのサイズは固定**です。たとえば、1レコードの大きさを30バイトと決めたときは、必ず30バイト単位でファイルに記録します。たとえ記録するデータが10バイト分しかなかったとしても、次のデータは30バイト目[*22]からしか記録できません（次ページの**図7-34**）。残りの20バイトは、未使用の領域として、ファイルに存在することになります。

*22 コンピュータは数を0から数えるのが基本です。それにならって、**図7-34**でも、ファイルの先頭を0バイト目、次のバイトを1バイト目 …… のように表現しています。

図7-34

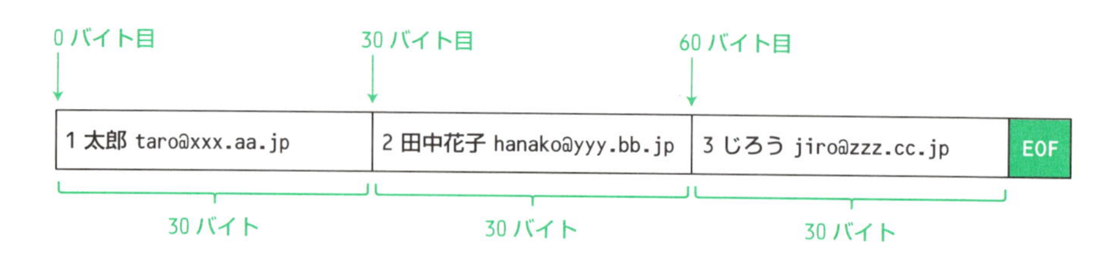

1レコードの大きさが決まっているため、ランダムファイルは必要な箇所だけを読み書きすることができます。たとえば、3レコード目が必要なときは、ファイルの先頭から2レコード分(30バイト×2)を読み飛ばして、60バイト目から30バイトを読み込めばよいのです。必要なデータをすぐに取り出すことができるので、先頭データから順番に処理するシーケンシャルファイルよりも、処理速度は速くなります。

6.4 ファイルを利用する方法

プログラミング言語ごとに、ファイルにデータを出力したり、ファイルからデータを読み込んだりするときに使う命令は異なります。しかし、「**ファイルを開く ➡ 入出力操作 ➡ ファイルを閉じる**」という基本的な流れは、どのプログラミング言語でも共通です。

ファイルを利用するときは、最初に、

ファイルを開く

という処理が必要です。このときに、ファイルを読み込み専用モードで開くか読み書き可能なモードで開くか、また、テキスト形式で開くかバイナリー形式[*23]で開くかを決めることができます。

ファイルを開いた後は、データの入出力です。この処理は繰り返し構造を利用すると便利です。たとえば、ファイルからすべてのデータを読み込む処理は、

＊23 ファイル形式については、この章の「**6.1 ファイルの構造**」のコラム「**テキストファイルとバイナリーファイル**」(201ページ)を参照してください。

1 データの読み込み開始位置がファイルの終端（EOF）に到達するまで、
2 　　データを読み込む
3 　　データの読み込み開始位置を1データ分進める
4 　　1に戻る

というようになります。ファイルのサイズによって繰り返す回数は変化するため、この場合は「データの読み込み開始位置がファイルの終端（EOF）に到達したかどうか」を使って、まだ繰り返すかどうかを判定してください。

ファイル入出力の後は、必ず、

ファイルを閉じる

という処理を行ってください。ファイルを開いたままにしておくと、知らない間にファイルを壊してしまったり、別のプログラムでそのファイルを利用できないなどの問題が発生します。ファイルを利用するときは、後片づけまでがプログラマーの仕事です。

7 Q&A

Q1 変数と配列は、どのように使い分けるの？

どちらも、プログラムで使う値を入れる領域に付ける名前ですが、変数には**1つのデータ**しか入れられません。もう一方の配列は、同じ大きさの箱を並べた入れ物で、**同じデータ型で、同じ意味を持つ複数のデータ**を入れるときに使います（**図7-35**）。

図7-35

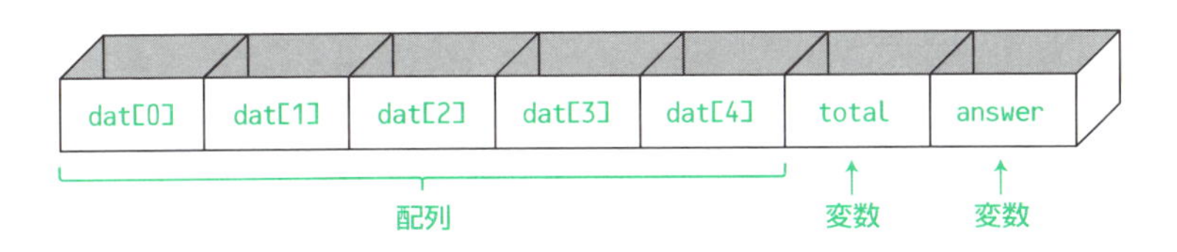

Q2 用意した配列の要素数よりもデータ数が少ないとどうなるの？

問題ありません。ただし、用意した直後の配列にはゴミ（意味のないデータ）が入っています。プログラムを作るときは、値を入れた箱だけを使ってください。値を入れていない箱まで使ってしまうと、大事なデータにゴミが混ざることになってしまい、正しい結果が得られません。

Q3 用意した配列の要素数よりもデータ数が多いとどうなるの？

これは大問題です。プログラミング言語によっては「データ数が多すぎるよ」と教えてくれるものもありますが、中には、あふれたデータを他の領域（前ページの**図7-35**であれば、totalやanswerの領域）に書き込んでしまうものもあります。大事なデータを壊すという、大変な事態です。そうならないように、要素数とそこに入れるデータの数は十分に検討したうえでプログラムを作成してください。

Q4 配列と構造体は、どのように使い分けるの？

配列は、**同じデータ型で、同じ意味を持つ複数のデータ**を入れる入れ物です。10人分の国語の成績や10人分の体重を入れるときに使います。

一方の構造体は、**関連性のあるデータ**を入れる入れ物で、整数型や実数型、文字列型など、いろいろな種類のデータを入れることができます。身体測定の結果（名前、身長、体重など）や住所録（名前、電話番号、住所など）を入れるときに使います。

Q5 ポインタを初期化せずに使うとどうなるの？

ポインタは**ポインタ変数**と呼ぶのが正しい呼び方で、**アドレスを扱う特別な変数**です。変数ですから使う前には必ず宣言しなければいけませんが、この段階でポインタ変数に入っているのは意味のないデータです。それにもかかわらず、

ポインタが指しているアドレスに100を代入しなさい

という命令を実行してしまうと、コンピュータは迷うことなく、ポインタが指している領域を書き換えます。万一、そこにコンピュータを動かすための大切な命令が書かれていたら……。コンピュータは正常に動作しなくなってしまいます。**ポインタは初期化してから使う**ということだけは、絶対に忘れないでください。

第8章 プログラムを部品化する

プログラムが長くなってきたら、それを分割することを考えましょう。ただし、融通の利かないコンピュータが読むプログラムです。適当に分割することはできません。処理のまとまりごとに分割し、分割したプログラムどうしで情報をうまくやりとりする仕組みが必要です。それが**関数**です。

1 部品になったプログラム —— 関数

「今日は大掃除。太郎くんは窓拭き、次郎くんは床のワックスがけ、花子さんは台所の換気扇、三郎くんはトイレとお風呂。じゃあ、始め！」—— 私たちは、普段から「仕事を分担する」ということをします。それぞれが決まった仕事を担当したほうが、何かと便利だからです。プログラムの世界でも、同じように**仕事の内容別に、小さな単位に分けてプログラムを作る**ことができます。これを**関数**と呼びます。関数を利用すると、プログラム全体の見通しがよくなるだけでなく、プログラムのメインテナンスも簡単になります。

1.1 関数とは？

関数は**決まった処理を行うための命令の集まり**です。といわれても、ピンときませんね。あなたはMicrosoft Excelを使ったことがありますか？ Excelは表計算用のアプリケーションで、表にデータを入力すれば合計や平均などを簡単に求めることができます。

図8-1は、テストの平均点を求めた様子です。Excelでは平均点を求めるときに「AVERAGE」という命令を使います。正しくは「AVERAGE関数」です。ほら、「関数」という言葉が出てきましたよ。

図8-1

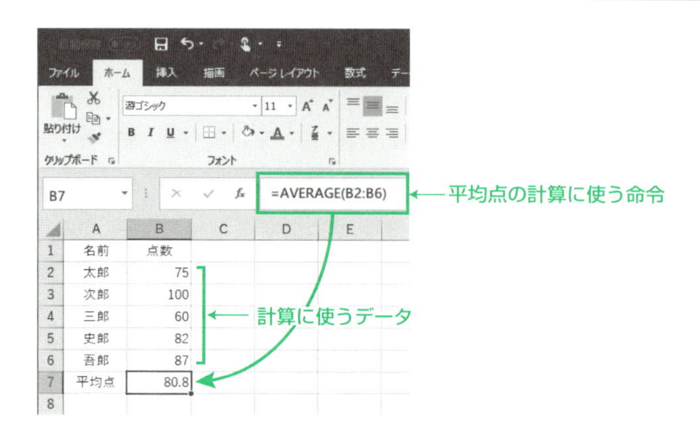

	A	B
1	名前	点数
2	太郎	75
3	次郎	100
4	三郎	60
5	史郎	82
6	吾郎	87
7	平均点	80.8

AVERAGE関数の仕事は、「( )」の中に記されたセル範囲の値を使って平均点を計算することです。実際にExcelを利用してみるとわかりますが、平均点を求めるときに私たちがすることは、

=AVERAGE(B2:B6)

という命令を書くことだけです*1。あとはコンピュータが自動的に平均点を計算して、セルに入力した式の代わりに答えを表示してくれます。便利でしょう？

平均点を計算するために、コンピュータの内部では、

1. **5人分の点数を入れるために、整数型の配列datを用意する**
2. **セルB2の点数をdat[0]に入れる**
3. **セルB3の点数をdat[1]に入れる**
4. **セルB4の点数をdat[2]に入れる**
5. **セルB5の点数をdat[3]に入れる**

*1 リボン上のボタンをクリックしても、同じように平均点を求めることができます。

6 セルB6の点数をdat[4]に入れる
7 合計を入れる変数totalを0で初期化する
8 カウンタの値が0から4の間、
9 　　totalに配列の○番目の値を足して、その答えでtotalを上書きする
10 　　カウンタを1つ増やす
11 　　8に戻る
12 totalを5で割って、答えをanswerに代入する
13 answerの値をセルに出力する

——これだけの処理が行われています。この命令に「AVERAGE」という名前を付けて、以降はたくさんの命令を書く代わりにAVERAGEという**名前を書くだけで同じ処理を実行できる**ようにしたものが関数です。

1.2 関数徹底解剖

自動販売機の商品ボタンを押してからお金を入れるか電子マネーカードをかざすと、指定したジュースが取り出し口に出てきますね。自動販売機の中で何が行われているかがわからなくても、私たちは自動販売機を使うことができます。実は関数も、これとまったく同じです。AVERAGE関数に計算に使うデータを渡すと、平均点が返ってきます。AVERAGE関数の中にどんな命令が書かれているかを知らなくても、私たちはAVERAGE関数の**使い方さえ知っていれば**正しい答えが得られます。

図8-2は、関数の仕組みを表したものです。

情報を入れると、それを加工した結果を返す

——これが関数です。

図8-2

この仕組みが正常に働くためには、情報の入れ方と結果の返し方が決まっていなければいけません。自動販売機でも、使える硬貨やお札、または電子マネーの種類が決まっています。また、商品は取り出し口に出てくる決まりになっています。この決まりさえ守れば、私たちは、いつでもどこでも自動販売機を利用できます。

話をプログラムの世界に戻しましょう。AVERAGE関数を使うには、平均点のもとになるデータを入力したセル範囲を渡すのが決まりです。また、AVERAGE関数は、決まった処理をした結果として平均点を返す決まりになっています(**図8-3**)。

図8-3

関数に渡す情報を**引数**(ひきすう)、また関数が返す情報を**戻り値**(もどりち)または**リターン値**と呼びます。

決まりに従って引数を関数に渡し、決まりに従って戻り値を受け取る

――これさえ守れば、関数は、いつでも好きなときに利用できます。これを**関数の呼び出し**といいます。

1.3 関数を使うと便利になること

関数を使うと、便利になることが3つあります。

● 同じプログラムを何度も書く必要がなくなる

関数は、決まった処理を行う命令の集まりです。たとえば「おにぎりを作る」という仕事。これをロボットにさせるには、

1 茶碗にごはんをよそう
2 ごはんの中央にくぼみを作る
3 くぼみに梅干しを入れる
4 手水を付ける
5 茶碗のごはんを手に取る
6 ごはんを三角に握る
7 ごはんに塩をまぶす
8 おにぎりの形を整える
9 のりを巻く
10 皿に載せる

というような順番で命令しなければなりません。おにぎりを1個だけ作るのであれば、この命令で終わりですが、家族全員分のおにぎりを作るとなると、

1 茶碗にごはんをよそう
2 ごはんの中央にくぼみを作る
3 くぼみに梅干しを入れる
4 手水を付ける
5 茶碗のごはんを手に取る
6 ごはんを三角に握る
7 ごはんに塩をまぶす
8 おにぎりの形を整える
9 のりを巻く
10 皿に載せる
11 茶碗にごはんをよそう
12 ごはんの中央にくぼみを作る
13 くぼみに鮭を入れる
14 手水を付ける
15 茶碗のごはんを手に取る
16 ごはんを三角に握る
17 ごはんに塩をまぶす
18 おにぎりの形を整える
19 のりを巻く

20 皿に載せる
21 茶碗にごはんをよそう
22 ごはんの中央にくぼみを作る
⋮

というように、おにぎりの数だけ同じ命令を繰り返さなければなりません。これでは息切れしてしまいそうですね。最初に示した10個の命令を1つにまとめて「おにぎりを作る」という関数を作っておけば、

1 梅干しの「おにぎりを作る」
2 鮭の「おにぎりを作る」
3 ツナの「おにぎりを作る」
4 昆布の「おにぎりを作る」
5 たらこの「おにぎりを作る」
⋮

――このように命令するだけで済みます。

◉ 全体の見通しが良くなる

決まった処理を関数にしておくと、プログラム全体の見通しが良くなります。上の例でもわかるように、関数を使っていない場合は、どんなおにぎりを何個作るのか、最後まで命令を読んでも一度では把握できないかもしれません。しかし、関数にしておけば一目瞭然です。

1 カウンタの値が0から2の間、
2 　　梅干しの「おにぎりを作る」
3 　　カウンタを1つ増やす
4 　　**1**に戻る

この場合は、梅干しのおにぎりを3つ作ることになります。

もちろん、プログラムの中で使える関数は1つだけではありません。「おにぎりを作る」「卵焼きを焼く」「たこウィンナーを作る」「唐揚げを作る」…… など、さまざまな関数を使うことができます。

1 茶碗にごはんをよそう
2 ごはんの中央にくぼみを作る
3 くぼみに梅干しを入れる
4 手水を付ける
5 茶碗のごはんを手に取る
6 ごはんを三角に握る
7 ごはんに塩をまぶす
8 おにぎりの形を整える
9 のりを巻く
10 お弁当箱に入れる
11 ボウルに卵を割り入れる
12 ボウルに小さじ1/2の塩を入れる
13 卵をほぐす
14 フライパンをガステーブルに置く
15 フライパンに大さじ1のサラダ油を入れる
16 点火する
17 フライパンが熱くなるまで、
18 　　しばらく待つ
19 フライパンに卵を流し入れる
　　⋮

というようにダラダラ書いたプログラムと、

1 おにぎりを作る
2 卵焼きを焼く
3 たこウィンナーを作る
4 唐揚げを作る
　　⋮

というように関数を呼び出しているプログラム。—— わかりやすいのは後者の方です。

◉ プログラムを修正しやすい

プログラムを小さな単位に分けて作っておくと、プログラムを修正するのも簡単です。ダラダラと命令を書き連ねたプログラムでは、どこかに間違いがあったときに、その箇所を見つけるのが大変です。また、おにぎりの形が「三角」から「俵型（たわら）」に変更になった場合に、すべての箇所を漏れなく変更できるかどうかも不安です。

しかし、関数にしておけば、修正するのはその関数だけです。おにぎりの形が変更になったときは「三角に握る」という部分を「俵型に握る」に変更すれば、それで完了です。

1.4 プログラムの流れ

図8-4は、関数を利用したときのプログラムの流れを表したものです＊2。関数を呼び出すための命令を実行すると、プログラムはその関数の入り口にジャンプして、上から順番に命令を実行します。関数の最後まで命令を実行し終えたら、再びもとのプログラムに戻り、次の命令から順番に実行します。

図8-4の例では「おにぎりを作る」関数から戻ってきた後、次に実行するのが「鮭のおにぎりを作る」という命令です。この場合は、再び「おにぎりを作る」関数の入り口にジャンプします。

＊2　**図8-4**の「おにぎりを作る」関数では「皿に載せる」ではなく「おにぎりを置く」になっています。出来上がったおにぎりの扱い方は、この後の「**1.6　関数の呼び出し**」（217ページ）と「**3　結果の受け取り —— 戻り値／リターン値**」（225ページ）を参照してください。

図8-4

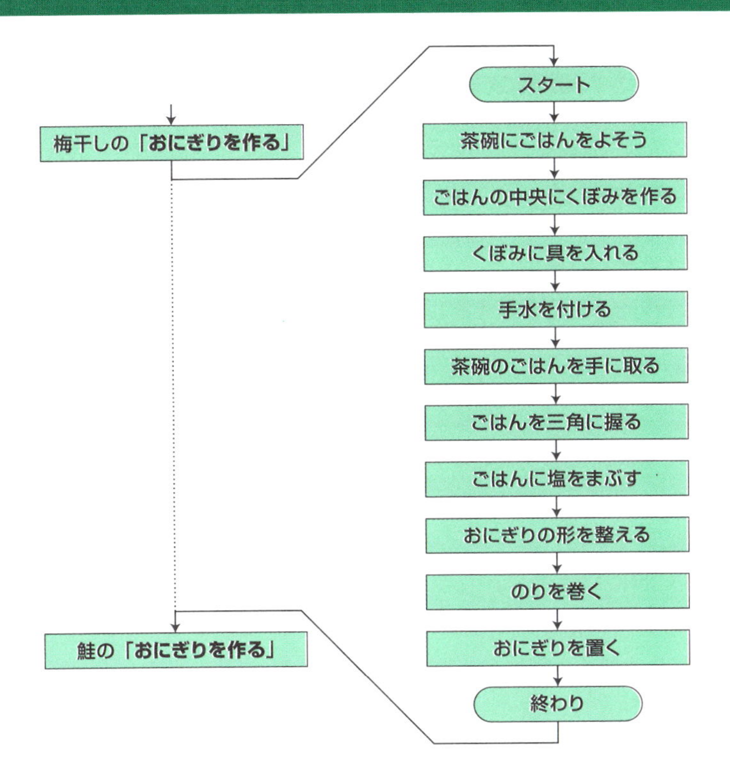

ルーチン　Column

「ルーチンワーク」という言葉を聞いたことがありませんか？　これは日常の決まりきった仕事や日課を表す言葉です。ルーチン（*routine*）には「手順」や「お決まりの仕事」といった意味があります。まさに関数のことを表した言葉ですね。最近はあまり聞かなくなりましたが、関数の代わりに「サブルーチン」という言葉を使うこともあります。**図8-4**の場合は「おにぎりを作る」部分がサブルーチンになります。

1.5 関数の定義

関数を作ることを**関数を定義する**といいます。プログラミング言語ごとに方法は異なりますが、関数の定義では次の4つの作業を行います。

- **関数の名前を決める**
- **関数が受け取る情報を決める**
- **関数が返す値を決める**
- **関数が行う仕事を日本語で詳しく書き出す**

変数名や配列名と同じように、関数の名前も、プログラムを作る人が自由に決めることができます。その**関数の仕事の内容がわかるような名前**を工夫して付けてください。たとえば「おにぎりを作る」関数であれば「MakeOnigiri」のような名前を付けることができます。もちろん、名前の付け方にはプログラミング言語ごとに決まりがあります。その決まりの範囲内で、できるだけわかりやすい名前を付けましょう。

関数が受け取る情報を**引数**(ひきすう)、関数が返す値を**戻り値**または**リターン値**と呼びます。「おにぎりを作る」関数であれば「梅干し」や「鮭」が引数、出来上がった「おにぎり」が戻り値です。引数と戻り値については、この後の「**2　情報の受け渡し ―― 引数**」(219ページ)と「**3　結果の受け取り ―― 戻り値／リターン値**」(225ページ)で説明します。

関数が行う仕事は、普通のプログラムと同じように作成します。その関数の中で行う処理を、できるだけ詳しく、正しい順序で書き出してください。

関数の定義で大事なことは、

- **どんな処理を行う関数か**
- **その処理にはどんなデータが必要で、**
- **結果として何を返すか**

―― この3点を明確にすることです。この3つさえきちんと決めておけば、誰が作った関数でも同じように使うことができます。

1.6 関数の呼び出し

定義した関数は、好きなときに呼び出して利用できます。関数の呼び出し方はプログラミング言語ごとに異なりますが、

- **関数の名前**
- **関数に渡すデータ**
- **関数から受け取るデータの種類**

—— この3つは、あらかじめ把握しておかなければなりません。通常は、関数が返す値を変数に代入する形で、

お皿＝おにぎりを作る（梅干し）

というように命令します。「おにぎりを作る」は関数の名前、「梅干し」は関数に渡すデータです。関数名の後ろに「( )」で囲んで記述します。「お皿」は、関数が処理した結果(この場合は出来上がった「おにぎり」)を受け取る入れ物(変数)になります。

1.7 標準関数

どのプログラミング言語にも、必ずいろいろな命令(関数)が用意されています。自分で定義した関数と区別するために、**プログラミング言語に用意されている関数**を**標準関数**と呼ぶこともあります。たとえばMicrosoft Excelで平均点を求めるときに使うAVERAGE関数も標準関数です。

プログラミング言語にどのような関数が用意されているかは、マニュアルを見なければわかりません。自分がこれから作ろうとしている関数も、もしかしたら標準関数として用意されているかもしれません。標準関数があるのなら、それを利用したほうが簡単です。自分で関数を作る前に、マニュアルで標準関数を調べてみましょう。もしも見つからなかったら、そのときに初めて自分で関数を作ればよいのです。

「そんなこといったって、あるかどうかわからないものをどうやって調べるの？」—— ごもっともな質問ですね。標準関数の名前はプログラミング言語ごとに異なりますが、どれも**簡単な英単語で構成されている**のが基本です。ま

ずは自分が作りたい関数、または調べたい関数がどういう処理を行うものかを考えてください。たとえば、平均点を求めるのであれば「平均」を英語に置き換えましょう。「average」*3 ですね。次にプログラミング言語のマニュアルで「a」で始まる言葉を索引から調べると「AVERAGE」や「Ave」などが見つかるはずです。

標準関数を調べるのは少し手間がかかるかもしれませんが、すでに標準関数として存在するものを自分で作ることはお勧めできません。他の人がそのプログラムを見たときに「この関数は何だろう？」「なぜ、わざわざ標準関数とは別に関数を作っているんだろう？」と考え込んでしまいます。標準関数をうまく利用して、誰が見ても同じように理解できるプログラムを作ることを心がけましょう。

モジュール　Column

プログラムの世界では**モジュール**（*module*）という言葉をよく耳にします。「基本単位」という意味ですが、プログラムのどの単位をモジュールと呼ぶかは、あまり明確に決められていません。

作成するプログラムの規模が大きい場合は、処理のまとまりごとに関数を作って、その関数の種類ごとにファイルを分けたほうが便利です。たとえば「統計用」のファイルに合計や平均、標準偏差などを求める関数を集めておくと、目的の関数が見つけやすくなるだけでなく、そのファイルを渡すだけで他の人も統計用の関数を利用できるようになります。このファイルを指して、モジュールと呼ぶこともあります。

また、Windows上で動作するアプリケーションは、ユーザーがプログラムの実行に使う画面単位にプログラムを作成します。この場合は、1つの画面に含まれるすべてのプログラムを指して、モジュールと呼びます。

*3　「*mean*」（「平均の」とか「中間の」という意味です）かもしれません。

2 情報の受け渡し —— 引数

関数は、**情報（引数(ひきすう)）を入れると、自動的に結果（戻(もど)り値(ち)）を返す**という仕組みで動いています。しかし、すべての関数で引数が必要なわけではありません。もとのプログラムで使っていた値を関数の中でも使いたいというときに、引数を渡してください。

2.1 引数とは？

今日は家族でピクニック。朝からたくさんのおにぎりを握るのは大変です。おにぎりはロボットに握ってもらいましょう。——「おにぎりを作る」という関数があれば、ロボットに命令するのも簡単です。しかし、

1. 茶碗にごはんをよそう
2. ごはんの中央にくぼみを作る
3. くぼみに梅干しを入れる
4. 手水を付ける
5. 茶碗のごはんを手に取る
6. ごはんを三角に握る
7. ごはんに塩をまぶす
8. おにぎりの形を整える
9. のりを巻く
10. おにぎりを置く

というようにプログラムを作ってしまうと、この関数の仕事は「梅干し」のおにぎりを作ることになってしまいます。鮭や昆布の入ったおにぎりは、この関数では作ることができません。なぜだかわかりますか？

これは、関数に何も情報を渡していないことが原因です。では、「おにぎりを作る」関数で必要な情報はなんでしょう？ —— そう、おにぎりの中に入れる「具」ですね。梅干しだけでなく、鮭や昆布のおにぎりを作るには、関数が「具」を受け取らなければなりません。また、関数の中で実行する命令も、

1 茶碗にごはんをよそう
2 ごはんの中央にくぼみを作る
3 くぼみに「**具**」を入れる
4 手水を付ける
5 茶碗のごはんを手に取る
6 ごはんを三角に握る
7 ごはんに塩をまぶす
8 おにぎりの形を整える
9 のりを巻く
10 おにぎりを置く

というように、受け取った情報を使う命令でなければなりません（3の処理）。これで、いろいろなおにぎりが作れるようになります。

プログラムから関数に情報を渡すことを、**引数（ひきすう）を渡す**といいます。上の例では「梅干し」や「鮭」が引数です。引数を渡すと、同じ処理をしても、違う結果が得られるようになります（**図8-5**）。

図8-5

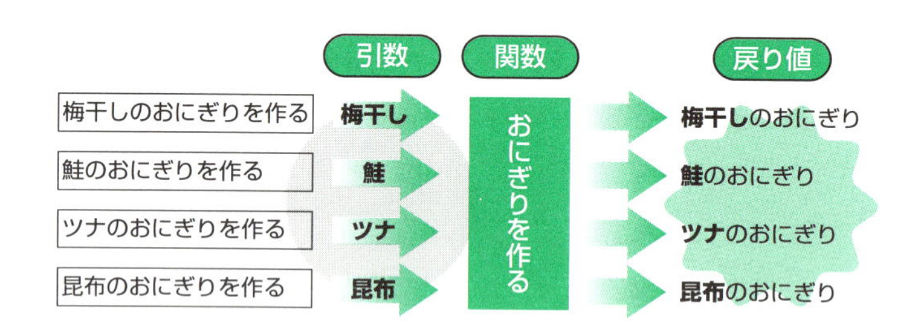

2.2 仮引数と実引数

関数を作る段階でわかっているのは、**情報が渡される**ということだけです。具体的な値まではわかりません。「おにぎりを作る」関数を作るときも、梅干しが渡されるのか鮭が渡されるのかは、プログラムを実行するまでわかりません。しかし、何らかの情報が渡されてくることは確かですから、それを受け取るため

の入れ物だけは用意しておく必要があります。「仮の入れ物を用意しておく」という意味で、関数側の引数を**仮引数**（かりひきすう）と呼びます。たとえば、

1. 茶碗にごはんをよそう
2. ごはんの中央にくぼみを作る
3. くぼみに「具」を入れる ◀「具」が仮引数
4. 手水を付ける
5. 茶碗のごはんを手に取る
6. ごはんを三角に握る
7. ごはんに塩をまぶす
8. おにぎりの形を整える
9. のりを巻く
10. おにぎりを置く

という場合は「具」が仮引数です。

プログラムから関数を呼び出すときは、実際に処理に使う値を渡します。そこで、関数を実行するときに渡す引数を**実引数**（じつひきすう）と呼びます。たとえば、

お皿＝おにぎりを作る（梅干し） ◀「梅干し」が実引数

というように関数を呼び出した場合は「梅干し」が実引数です。この例からもわかるように、仮引数と実引数が同じ名前である必要はありません。

2.3 引数の受け渡しで注意すること

プログラムから関数に情報を渡すときは、次の2点に注意してください。

◉ 仮引数と実引数の個数を同じにする

関数を定義するときに決めた引数（仮引数）の個数と、関数を実行するときに渡す引数（実引数）の個数は等しくなければなりません。たとえば、ソフトクリームを2つ受け取ろうとして両手を出したのに5つ渡されたら、どうなるでしょう？残りの3つは受け取れませんね。

プログラムの世界でも同じです。引数を受け取るために入れ物を2つ用意して

おいたのに5つも渡されたら、コンピュータはあふれた情報を処理することができません。逆に、入れ物を2つ用意していたのに1つしか渡されなかったときも、空のままの入れ物の扱いに困って、コンピュータは動くことができません*4。

◉ 引数を渡す順番と受け取る順番を同じにする

関数を定義するときに決めた引数の順番と、関数を実行するときに渡す引数の順番は、同じでなければなりません。たとえば「おにぎり、麦茶」の順番で受け取るために紙ナプキンとコップを用意していたにもかかわらず「麦茶、おにぎり」の順番で渡されたら、どうなるでしょう？　紙ナプキンでは麦茶を受け取ることができません。

プログラムの世界でも同じです。たとえ引数の数が同じでも、データ型が間違っていたら、正しくデータを受け取ることができません。たとえば実数型のデータを渡したのに受け取る側が整数型であれば、小数点以下のデータは失われてしまいます。大切なデータの一部が欠けていたのでは、いくら関数の中の処理が正しくても、間違った結果しか得られません*5。必ず関数を定義したときに決めたデータ型で、順番を間違えずに情報を渡してください。

引数のない関数　Column

すべての関数に引数が必要なわけではありません。たとえば、コンピュータの「音源を慣らす」関数は、

音を鳴らしてください

と命令するだけで、コンピュータに登録されている警告音を鳴らしてくれます。

引数を使わない*6関数をどう定義するかは、プログラミング言語ごとに異なります。たとえばC言語では、引数がないことを明確にするために「void」を書

*4　仮引数と実引数の数が一致しているかどうかは、プログラムを機械語に翻訳する段階でチェックされます。プログラミング言語の中には「引数の数が一致していないよ」と教えてくれるものもあります。

*5　「整数型の入れ物を用意していたにもかかわらず、文字列型のデータを渡した」というように、明らかにデータ型が間違っている場合は、プログラムを機械語に翻訳する段階で「引数のデータ型が違うよ」と教えてくれるプログラミング言語もあります。

*6　「**引数をとらない**」のように表記することもあります。

く決まりになっています。voidには「空の」や「無効の」という意味があり、C言語では、データが何もないデータ型を表します。

2.4 引数の渡し方

関数に引数を渡す方法には、**値渡し**と**参照渡し**の2種類があります。参照渡しで引数を渡した場合は、もとのプログラムで使っていた変数の値が更新されるので、注意しなければいけません。どちらの渡し方を標準にしているかは、プログラミング言語によって異なります。プログラムを作成する前に、マニュアルで確認してください。

ちなみに、変数と引数は、どちらもメモリ上の値を入れた領域に付けた名前であり、基本的には同じものです。関数の中だけで使うのか、それとも他の関数に渡す情報なのかがわかりやすいように、呼び方を区別しているにすぎません。

◉ 値渡し

関数へ情報を渡すときに、その**コピーを渡す**方法です。この場合は、**図8-6**に示すように、呼び出し元のプログラムで値を入れるために使っていた場所と、関数側で受け取った値を入れる場所は、別の領域になります。そのため、関数側で受け取った値を変更しても、もとのプログラムで使っていた変数の値が変わることはありません。

図8-6

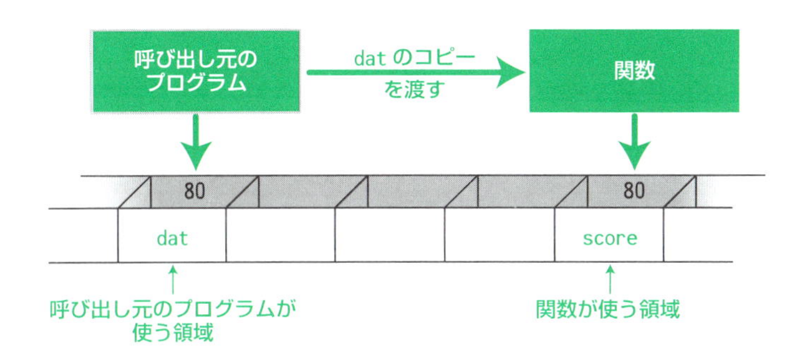

◉ 参照渡し

関数へ情報を渡すときに、その**情報が入っているメモリ上のアドレスを渡す**方法です。この場合は、呼び出し元が使っている領域を、関数側からも参照します(**図8-7**)。つまり、

関数側で値を変更する＝そのアドレスの値を変更する

という動作になります(上記の「＝」は「等しい」という意味です)。関数を実行した後は**呼び出し元のプログラムで使っていた変数の値も更新される**ので、注意してください。

図8-7

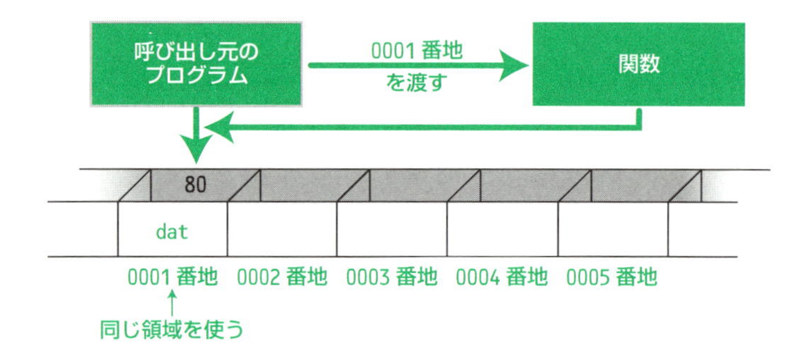

2.5 引数と変数の違い

変数と引数は基本的に同じものです。変数の中で関数に渡す情報、または関数が受け取った情報を**引数**のように区別して呼んでいるだけです。受け取った引数以外に関数の中で何らかの情報を記憶しておく必要がある場合は、新たに変数を用意してください。

たとえばMicrosoft ExcelのAVERAGE関数であれば、セル範囲を受け取った後、平均点を計算してそれを画面に表示するまでの間に、各セルの値やそれを合計したもの、平均値などを記憶しておかなければなりません。これらの値を記憶するための変数は、関数の中で新たに用意してください。

3 結果の受け取り―― 戻り値／リターン値

関数は、処理をした結果を呼び出し元のプログラムに返します。これを**戻り値**または**リターン値**と呼びます。もちろん、関数から戻ってきた値は、もとのプログラムでも利用することができます。

3.1 戻り値とは?

「おにぎりを作る」関数に「梅干し」という引数を渡すと「梅干しのおにぎり」が返ってきます。これが**戻り値**です。「梅干しのおにぎり」は、その後、お弁当箱に入れたり食べたりして、自由に使うことができます。

基本的に、**関数が返す値は1つだけ**[*7]です。たとえばAVERAGE関数が返すのは平均値だけです。計算途中に求めた合計をいっしょに返すということはありません。しかし、場合によっては、合計と平均値の両方を返してほしいということもあります。その場合は、**引数の参照渡し**[*8]を利用してください。参照渡しは、値を入れる領域のアドレスを渡す方法――つまり、入れ物を渡す方法です。

たとえば、ここが日本食料理店の厨房だとしましょう。「出汁(だし)をとる」係の板前さんに、親方が「コップ」と「お皿」を渡すのが参照渡しです。これらを受け取った板前さんは「コップ」に「出汁」を、「お皿」に出汁をとった後の「昆布」を入れて、それを親方に渡します。親方は受け取った「出汁」と「昆布」を自分の料理に使うことができますね。

入れ物を板前さん(関数)に渡しておけば、その中身を板前さんが更新してくれます。親方(呼び出し元のプログラム)は、板前さんが処理した結果(「出汁」と出汁をとった後の「昆布」)を2つとも利用できるというわけです。関数から複数の値を返してほしいときは、参照渡しをうまく利用してください[*9]。

第8章

---

*7 プログラミング言語の中には、複数の戻り値を返せるものもあります。

*8 詳しくは、この章の「**2.4 引数の渡し方**」(223ページ)を参照してください。

*9 もちろん「出汁」を戻り値にすることもできます。この場合は「出汁をとった後の昆布」を受け取るための「お皿」だけを板前さんに渡すことになります。参照渡しする引数は1つです。

戻り値のない関数 Column

すべての関数が処理の結果を返すわけではありません。たとえば、コンピュータの「音源を慣らす」関数は、

音を鳴らしてください

と命令すると「ピッ」とか「ポン」という音を鳴らすだけで、それ以外の何らかの値を、呼び出し元のプログラムに返すわけではありません。

戻り値のない関数を定義する方法は、プログラミング言語ごとに異なります。たとえばC言語では、戻り値がないことを明確にするために「void」を書く決まりになっています。

3.2 結果を受け取るときに注意すること

板前さんに「出汁をとる」仕事をまかせた親方は、板前さんから返される「出汁」を受け取るために「コップ」を用意しておく必要があります。「ザル」を用意していたのでは、出汁を受け取ることができません。プログラムの世界でも、これと同じです。関数を呼び出したプログラムは、関数が返す値を受け取るために適切な入れ物（変数）を用意しておく必要があります。このときに、よくやってしまうのが、

用意していた変数のデータ型と、関数が返した情報のデータ型が異なる

という間違いです。

たとえば、AVERAGE関数が返す値は、実数型の平均値です。それなのに整数型の入れ物を用意して待っていたら、どうなるでしょう？　せっかく関数が正しい計算をしても、受け取るときに小数点以下の値が失われてしまったのでは意味がありません（**図8-8**）。関数を呼び出すときは、戻り値のデータ型に気をつけて、それと**同じデータ型で結果を受け取る**ようにプログラムを作成してください。

図8-8

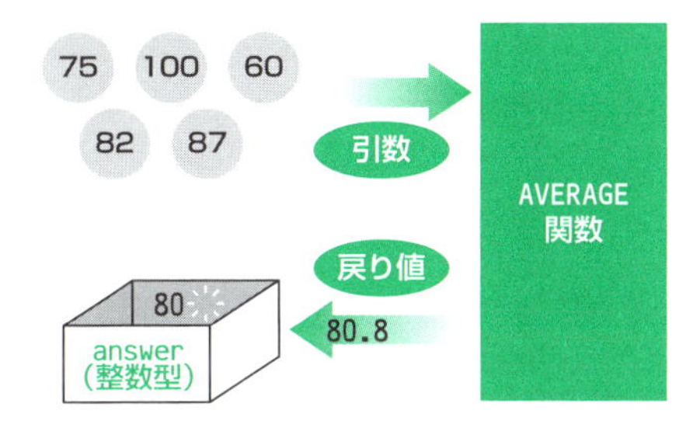

4 情報を共有する方法 ――ローカル変数／グローバル変数

プログラムの実行中に使う値は、変数を宣言して、そこに入れておく決まりになっています。しかし、変数は、一度宣言すれば永久に使えるというわけではありません。変数を宣言する場所や宣言に使う命令*10によって、その変数を利用できる範囲が決まります。これを変数の**有効範囲**または**スコープ**（*scope*；範囲）と呼びます。値を利用できる範囲によって、変数は**ローカル変数**または**グローバル変数**のように呼び方*11が変わります。

4.1 ローカル変数

プログラムを作るとき、必ず使うのが**ローカル変数**です。ローカル（*local*）には「ある場所の」という意味があり、プログラムの世界で「ローカル」と言った場合は、

*10 宣言する場所や、宣言に使う命令は、プログラミング言語ごとに異なります。プログラムを作成する前に、プログラミング言語のマニュアルで確認してください。

*11 この呼び方は、プログラミング言語ごとに異なります。ローカル変数の代わりに**プライベート変数**、グローバル変数の代わりに**パブリック変数**と呼ぶこともあります。プライベート（*private*）は「私的な」、パブリック（*public*）は「公的な」という意味です。また、複数の関数をまとめた一単位（モジュール）の中だけで有効な変数もあり、これを**モジュール変数**と呼ぶプログラミング言語もあります。第9章で紹介する予定の、オブジェクト指向を取り入れたプログラミング言語では、**クラス変数**と呼ぶ場合もあります。

宣言した関数の中だけで有効

という意味になります。他の関数は、その変数を利用することができません。たとえば、Aという関数で宣言した変数answerは、Bという関数からは利用できません（**図8-9**）。

図8-9

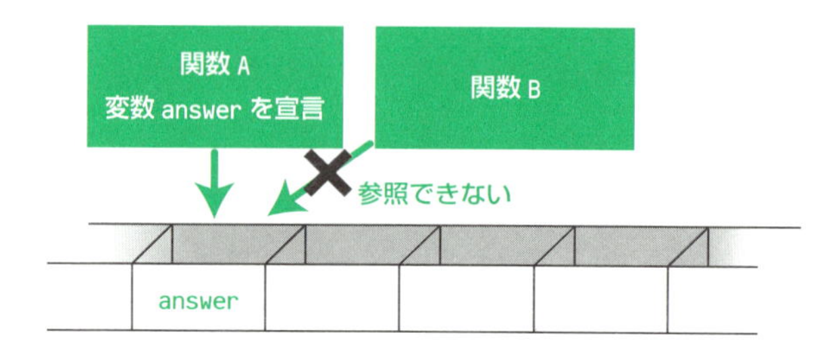

ローカル変数は、宣言した関数の中だけで有効です。他の関数からは利用できません。ということは、関数が異なれば、同じ名前を使うことができるということです。この場合は、同じ名前で別の入れ物が用意されます。それぞれの関数は、自分が用意した入れ物を使うことになります（**図8-10**）。

図8-10

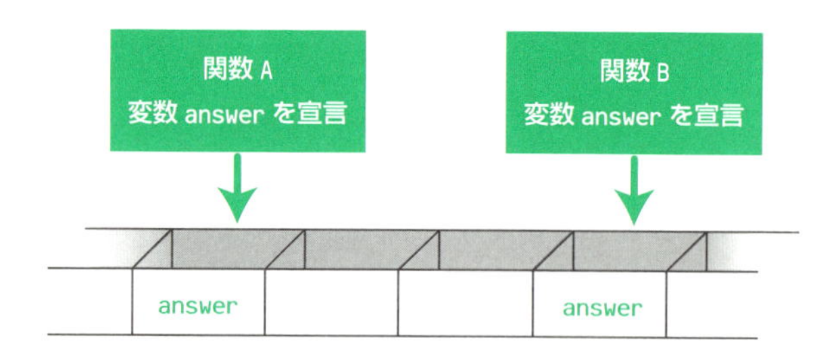

4.2 グローバル変数

グローバル (*global*) には「全体の」という意味があり、プログラムの世界では、

みんなが利用できる

という意味で使います。つまり、複数の関数が利用できる変数が、グローバル変数です (**図8-11**)。

図8-11

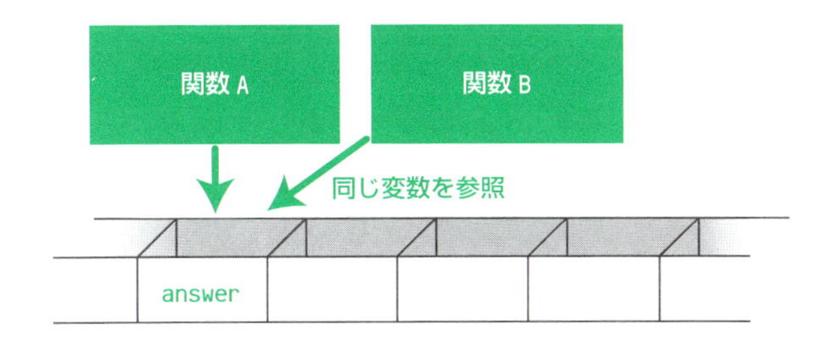

関数どうしで情報を受け渡しするときは、引数や戻り値を利用するのが基本です。しかし、関数に渡すデータの個数が多いときや、サイズの大きなデータをやりとりする場合など、グローバル変数を使ったほうが効率よくプログラムを作成できることもあります。

4.3 変数を使うときに注意すること

変数の有効範囲は、変数を宣言する場所や、宣言に使う命令によって決まります。この方法はプログラミング言語ごとに異なるので、プログラムを作成する前に、マニュアルできちんと確認してください。一般的に、関数の中で宣言した変数はローカル変数、関数の外で宣言した変数はグローバル変数になります。

関数の中で宣言するローカル変数は有効範囲がはっきりと決まっているため、問題になることはあまりありません。間違えるとすれば、同じ関数の中で、同じ名前の変数を宣言することくらいでしょうか。ローカル変数でもグローバル変数でも、

1つの有効範囲の中では、変数に同じ名前を付けることはできない

というのが決まりです。同じ名前で領域を確保できてしまったら、コンピュータはどちらの領域を使えばよいか迷ってしまうからです（**図8-12**）。

一方のグローバル変数は、みんなが使える変数です。有効範囲が広いために、**グローバル変数を使うときには、十分に注意**しなければなりません。

図8-12

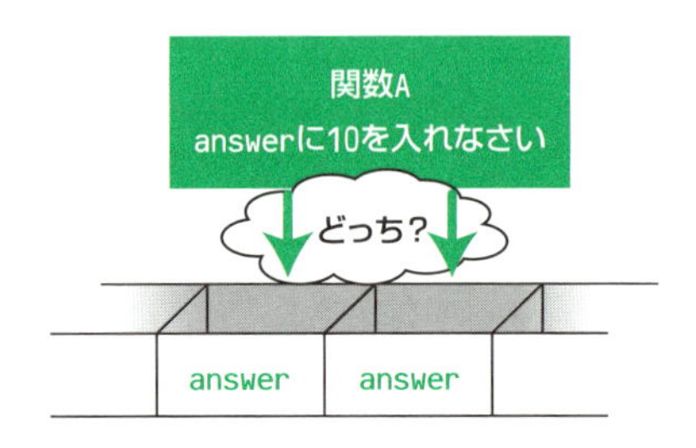

複数の関数が利用できるグローバル変数は、プログラムを実行しているときに、

いつどこで値が更新されるかが非常にわかりにくい

という欠点があります。そのため、Aという関数で100を入れたはずなのに、思わぬところで他の関数がその値を更新していて、いざ計算に使ってみたら結果がなんだかおかしい……という問題が発生する可能性があります。グローバル変数を使うときは、値が更新されるタイミングに注意してください。

また、変数名の付け方にも注意してください。プログラミング言語の中には、ローカル変数とグローバル変数に同じ名前を付けることを許可しているものもありますが、この場合でも**ローカル変数とグローバル変数には別の名前を付ける**べきです。もしも同じ名前にしてしまうと、プログラムを作っている本人が「これはローカル変数だったかな？　ん？　グローバルかな？」と迷ってしまうことになるからです。

このような混乱を未然に防ぐために、グローバル変数の前に「g」のような文字列を付ける方法があります。たとえば、数を数える変数の名前をローカル変数では「cnt」、グローバル変数のときは*global*の頭文字を先頭に付けて「gCnt」のようにする方法です。このように変数名の先頭に識別子が付いていれば、同じような変数名が出てきたときにも有効範囲を間違わずに済みます。変数名の先頭に付けるこの文字を、**プリフィックス**（*prefix*；接頭辞）と呼びます。

5 Q&A

Q1 どんなときに関数にするの?

1つのプログラムが長くなると、メインテナンス（間違いを修正したり、一部を変更したりする作業）が大変です。この場合は、プログラムの内容を確認して、まとまった処理がある場合はそれを関数として独立させられないかどうかを検討してください。

Q2 引数の個数や順番を間違えるとどうなるの?

関数を呼び出すときに渡した引数と、それを受け取る関数側が用意している入れ物の個数や種類が異なるというのは大問題です。コンピュータは辻褄（つじつま）の合わない情報をどう処理してよいかわからずに、仕事をすることを止めてしまいます。関数を使うときは、呼び出し側と受け取り側とで、引数の個数、順番、データ型が等しくなるように気をつけてください。

Q3 戻り値の受け取り方を間違えるとどうなるの?

関数が処理した結果と、それを受け取る側で用意した入れ物のデータ型が異なるというのは大問題です。たとえば「平均点を実数型で返す」という関数を作成したにもかかわらず、その値を入れる変数が整数型であれば、小数点以下の値は失われてしまいます。正しい結果を得るために、関数の戻り値とそれを受け取る変数のデータ型は、等しくなければなりません。

Q4 引数や戻り値のない関数もあるの?

あります。これらの関数を定義する方法は、プログラミング言語ごとに異なります。プログラムを作成するときに、マニュアルで確認してください。

Q5 同じ名前の変数を使ってもいいの？

変数はプログラムを実行するときに一時的に値を入れておくための入れ物です。たとえばローカル変数の場合、1つの関数の中で同じ名前を使うことはできませんが、関数が異なれば同じ名前を使っても問題ありません。メモリ上の別の場所に、それぞれの関数が使う値を入れる場所が確保されるため、プログラムの実行中に値が混乱することはありません。

第9章 モノを基準に組み立てる

プログラムの書き方がなんとなくわかってきて、そろそろ実際に手を動かして何か作ってみたくなった頃でしょうか。では「電卓」を作ってください！——といわれて、すぐに作れる人はいないので、安心してください。「プログラムを書くこと」と、電卓のような「アプリケーション[*1]を作ること」とでは、作業の進め方が少し違うのです。最後に「**アプリケーションを作る**」という視点から、プログラミングについて見ていきましょう。

1 プログラムが動くきっかけ —— イベント

パソコンやスマートフォンは、画面に表示されているアイコンやボタンをクリックするだけで、いろいろなことができますね。当たり前すぎて、これまで考えたことがなかったかもしれませんが、コンピュータの中では「アイコンをクリックする」「メニューを選択する」などの操作をきっかけに、決まったプログラムが動き始めます。このような仕組みを**イベント駆動型**または**イベントドリブン**(*event driven*[*2]) といいます。

---

*1 決まった目的のために作られたプログラムのことです。詳しくは、第2章の「**3.1 いろいろな種類のプログラム**」(52ページ) を参照してください。

*2 *driven*は英語の「*drive*」の過去分詞形です。*drive*には「運転」のほかにも「駆動」という意味があります。

1.1 イベントとは？

イベント（*event*）には「出来事」という意味があります。では、コンピュータの世界で起こる出来事には、どんなものがあるでしょう？

画面上のアイコンをクリックする
画面上でマウスポインタを動かす
キー入力する
ウィンドウが開く
ウィンドウが閉じる
⋮

——など、いろいろなことが起こっています。そして、これらがすべて**イベント**です。

1.2 イベントの種類

イベントは2種類に分けることができます。1つは「アイコンをクリックする」や「マウスポインタを動かす」「キー入力する」のように、

ユーザーの操作によって発生するイベント

です。もう1つは「ウィンドウが開く」「ウィンドウが閉じる」のように、

ユーザーには関係なく、コンピュータの内部で自動的に発生するイベント

です。1番目の、自分が何か操作をするとそれがイベントになるというのは理解できますね。難しいのは2番目の方——、コンピュータの内部で自動的に発生するイベントです。

たとえば、Windowsの「電卓」と「メモ帳」が同時に起動しているとしましょう。2つのウィンドウは、一部が重なっています。この状態で下になっているウィンドウ（**図9-1**左では「メモ帳」）をクリックすると「メモ帳」が画面上のいちばん上に表示されて、「電卓」はその下に隠れますね（**図9-1**右）。

「メモ帳のウィンドウをクリックする」こと自体は、ユーザーの操作によって発生したイベントですが、これに伴ってコンピュータの内部では、

図9-1

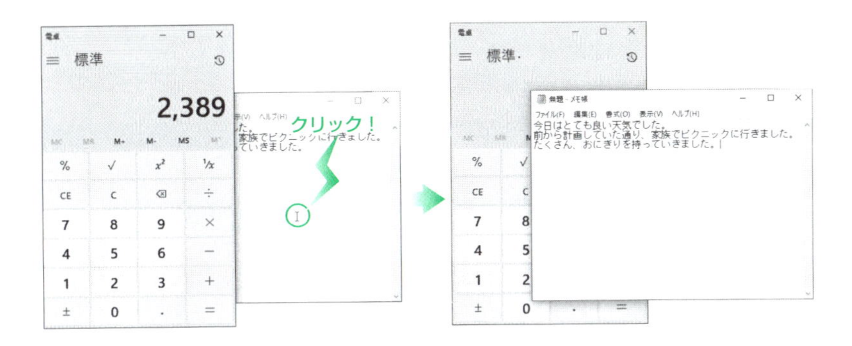

「メモ帳」のウィンドウがアクティブ[*3]になる
「電卓」のウィンドウが非アクティブになる
⋮

といったイベントが発生しています。私たちが意識していないだけで、コンピュータの内部では数えきれないほどたくさんのイベントが発生しているということを覚えておきましょう。

1.3 イベント駆動型のプログラミング

アイコンをダブルクリックすると、アプリケーションが起動する。スクロールバーを動かすと、次のページが表示される —— いつも使っているパソコンやスマートフォンは、イベントに応答して決まった処理を実行しますね。画面上のボタンをクリックしたとき、コンピュータには「クリックされたよ」という**メッセージ**が送られます。すると、メッセージを受け取ったコンピュータは「仕事をしなくちゃ！」という状態になり、

受け取ったメッセージに対応した処理

を実行する決まりになっています。たとえば「クリックされたよ」というメッセージに対応した処理が「音を鳴らす」であれば、コンピュータの音源を鳴らして仕

*3 **アクティブ**とは「ユーザーからのキー入力やマウス操作を受け付ける状態」という意味です。ユーザーからの命令を受け付けない状態は**非アクティブ**です。

事を終えます。画面を書き換えたり、印刷を開始したりといった他の仕事をすることは、絶対にありません(**図9-2**)。このように、**イベントに応じて決められた処理を実行する仕組み**を**イベント駆動型**と呼びます。

図9-2

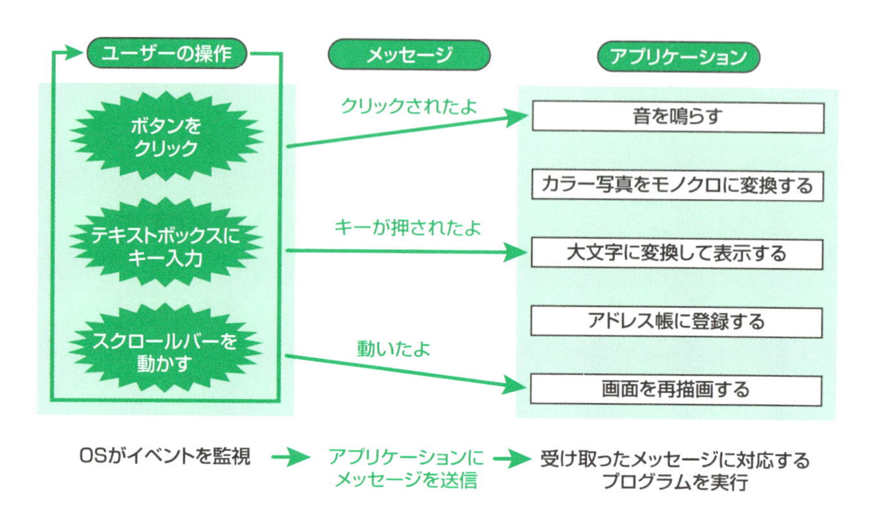

私たちが日頃使っているパソコンやスマートフォンは、どのような順番で何をするかが決まっていません。たとえば、太郎くんはメニューを選択してプログラムを実行するかもしれませんが、花子さんは同じ処理をするためにアイコンをクリックするかもしれません。いつ、どんなメッセージが送られてくるかは、誰にも(もちろん、コンピュータにも)わからないのです。とにかく、

イベントが発生したら、それに対応する処理を即座に実行する

――これがイベント駆動型の特徴です。そのためには、コンピュータの中でどのようなイベントが発生しているかをつねに監視していなければなりませんが、これはOSの仕事です。私たちが目を光らせて監視している必要はありません。私たちがすべきことは、OSが感知したイベントに応答してどんな処理を行うのか、その部分を考えて作り込むこと――つまり、**図9-2**の右側の部分です。このように、アプリケーションは、小さなプログラムがたくさん集まってできています。

2 モノを中心に部品を作る ——オブジェクト指向プログラミング

第3章の「**1　プログラムができるまで**」(60ページ)で、プログラムを作るための7つのステップを紹介しました。覚えていますか？　その中で**シナリオを書くときは順番が大切だ**という話をしました。コンピュータはプログラムに書かれた命令を上から順番に処理するので、順番を間違えて指示すると、おかしな動作をしたり、処理をストップしたりするのでしたね。いまのあなたなら「AとB、2つの値を使って足し算する」というプログラムのシナリオは書けると思います。では、パソコンやスマートフォンで動作する「電卓」はどうでしょう？　どこからシナリオを書き始めたらいいのか、迷いませんか？

「電卓」や「メモ帳」のようなアプリケーションを作るには、処理の流れだけでなく、そこで扱う**モノ**を基本にして、その特性や仕事を決めていくという考え方が必要になります。このような概念を**オブジェクト指向**といいます。

2.1 オブジェクトとは？

オブジェクト(*object*)には「物」や「物体」という意味があります。では、コンピュータが扱う「物」って、なんだと思いますか？　次ページの**図9-3**はWindowsの「ペイント」の画面です。タイトルバーやメニューバー、ボタン、スクロールバーなど、いろいろありますね。画面を構成するこれらの部品や描画した絵、ファイルやプリンタなど「ペイント」が扱うものは、すべて**オブジェクト**です。

図9-3

2.2 オブジェクト指向とは？

人間の頭には眉や目や鼻、口、耳など、たくさんの部品がありますね。それぞれの部品は受け取れる情報が決まっています。たとえば、目ならば明るさ、鼻ならば匂い、口ならば味が、それぞれの部品に認知可能な情報です。目で匂いを感じたり、鼻で明るさを感じたりすることはできません。

また、これらの部品ができる動作も決まっています。たとえば、目は開いたり閉じたり、鼻は空気を吸ったり吐き出したりすることができます。また、口は食べ物を噛み砕いたり、空気を吸ったり吐いたりすることができます。情報を受け取ることのできない眉も、上げたり下げたりすることはできますね。しかし、眉で食べ物を噛み砕いたり、目で空気を吸ったりすることはできません。

人間の頭に付いている部品は、**決まった情報を受け取って、決まった仕事をする**ようにできています。これをコンピュータの世界に戻して考えてみましょう。

もう一度、**図9-3**の「ペイント」の画面を参照してください。画面上のボタンは、クリックして命令を実行することができますが、ボタンをつかんで他の場所へ移動（ドラッグ）することはできません。しかし、スクロールバーはクリックしたりハンドルをつかんでドラッグしたりすることで、画面に表示する領域を変更することができます。また、画面下部にあるステータスバーはクリックしても何も変化はありませんし、ドラッグすることもできません。目で匂いを感じたり、口で音を聞いたりすることができないのと同じように、コンピュータ上のオブジェクトにも受け取ることのできる情報が決められているのです。

この情報は、イベントが発生したときに送られてくる**メッセージ**です。たとえば、ユーザーがボタンをクリックしたとき、ボタンは「クリックされたよ！」というメッセージを受け取ることができます。しかし、ボタンは「ドラッグされたよ！」というメッセージは受け取れません。

また、目や鼻、口は受け取った情報に対して、たとえば眩(まぶ)しいときには目を細めるとか、口に食べ物が入ってきたら噛み砕くのように、適切な処理を行います。コンピュータのオブジェクトも、これと同じです。ボタンが「クリックされたよ！」というメッセージを受け取ったときにブラシの色を変更したり、ファイルを保存したり……、そのボタンに決められているプログラムを実行します。

以上のことを、プログラムを作る立場から考えると、

オブジェクトが受け取ったメッセージに対して、適切な処理を実行するようにプログラムを作る

ことになります。つまり、**オブジェクトを中心にプログラムを考える**のが**オブジェクト指向プログラミング**です。

2.3 オブジェクトとクラス

突然ですが、あなたは「ペイント」の画面を作る係に任命されました（次ページの**図9-4**）。さて、どうしますか？

図9-4

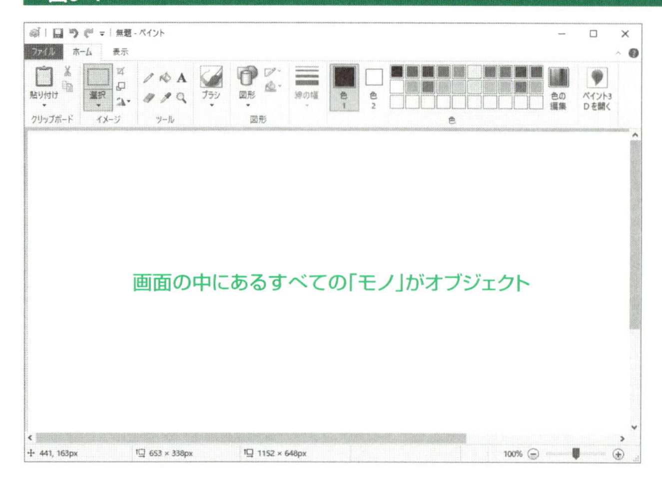

もちろん「プログラムを作れ！」なんて無茶はいいません。でも、少しだけ想像してください。もしも、それぞれのボタンを1つずつ、最初から作るとしたらどうでしょう？ “最初から”というのは「形も何もない状態から」という意味です。大きさを決めたり、色を決めたり、ボタンが受け取ることのできるメッセージ(「クリックされたよ！」や「ダブルクリックされたよ！」のようなもの)を決めたり……。1つのボタンに対して作り込まなければいけないことはたくさんあります。さらにいえば、画面を構成する部品はボタンだけではありません。タブもスクロールバーもステータスバーも、すべての部品を一から作るのは大変だと思いませんか？ できれば、工業製品の「金型」のようなものがあって、それを使って一般的なボタンが大量生産できれば、作業効率がグンと上がると思いませんか？ この金型に相当するものが**クラス**です。

プログラミングの勉強を始めたばかりの、いまの段階で「オブジェクト」とか「クラス」とかいわれても、頭が混乱するだけかもしれませんね。第11章で紹介するプログラミング言語の多くは、オブジェクト指向の概念を取り入れています。これらのプログラミング言語には、たくさんのクラスが用意されていて、私たちは必要なときに**クラスのコピーを作成して利用する**決まりになっています。厳密にいえば、このコピーが**オブジェクト**[*4]です。

＊4 **クラスのインスタンス**と呼ぶこともあります。

「クラスのコピーがオブジェクト？　もう、さっぱりわかんない！」――といいたくなりますね。わざわざコピーを作って、それを使うという、ちょっと面倒なことをする理由は、**開発効率を上げるため**です。たとえば、ボタンが3つ必要なときは、ボタンクラスのコピーを3つ作って、必要な箇所だけカスタマイズするという使い方をします(**図9-5**)。何もない状態からボタンを3つ作るよりも、はるかに簡単でしょう？　もしも、クラスのコピーが作れなかったら……。クラスそのものを自分用に書き換えてしまったら、オブジェクトを一から作るのと同じ状態になってしまいます。

図9-5

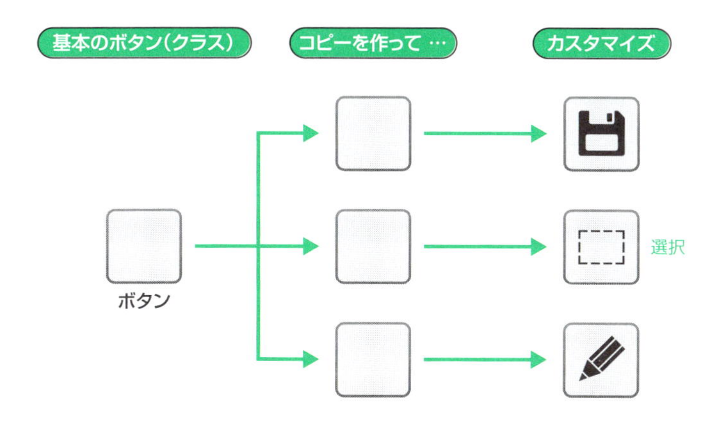

2.4 プロパティとメソッド

オブジェクト指向の世界では、クラスのコピーを作成することを**インスタンスを生成する**といい、コピーによって出来上がったものを**オブジェクト**と呼びます。生成した直後のオブジェクトは、クラスのコピーですから、個性も何もありません。その個性を決めるものが**プロパティ**と**メソッド**です。

◉ プロパティ

人間の顔には眉や目、鼻、口など、たくさんの部品があり、その特徴は人によってさまざまです。たとえば、目の虹彩の色には「茶色」や「濃灰色」「青」などがありますし、目の大きさも「大きい」「細い」などいろいろです。また、鼻も「大きい」「丸い」「とがっている」など、いろいろあります。このように部品には必ず特徴があり、その特徴が異なることを利用して、私たちは顔だけでその人を識別することができます。

コンピュータの世界でも同じです。たとえば**図9-6**の「ペイント」の画面で**[消しゴム]**と**[ブラシ]**は、どちらもオブジェクトとしては同じ「ボタン」ですが、コンピュータは、これらのボタンを間違えることなく識別して、決められた処理を実行します。また私たちも、これらのボタンをきちんと識別して使っていますね。

私たちはボタンの表面の「図柄」を手がかりに、また、コンピュータはボタンに付けられた「名前」を手がかりにして、それぞれのボタンを識別しています。図柄や名前のように**そのオブジェクトの特徴を表すもの**を、Windowsの世界では**プロパティ**（*property*）と呼びます。日本語で**属性**と呼ぶこともあります。

どんなプロパティを設定できるかは、オブジェクトごとに決められています。たとえば、ボタンであれば「名前」や「図柄」のほかに、ボタンを表示する位置や大きさなどがあります。また、スクロールバーであれば、1回のクリックでスクロールする分量や、ハンドルを最初に表示する位置などがあります。

図9-6

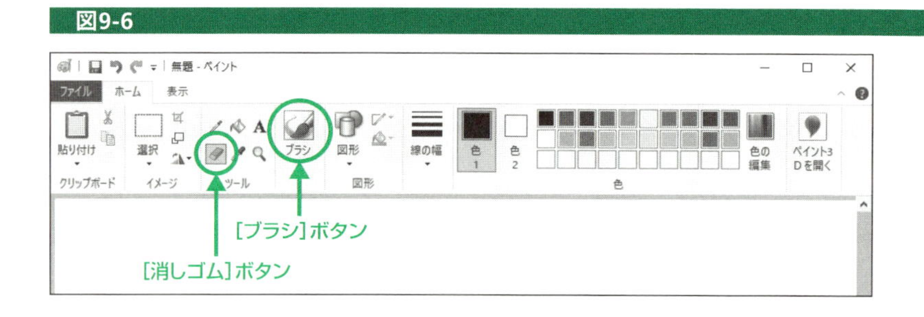

◉ メソッド

もうひとつ、オブジェクトには**メソッド**（*method*）というものがあります。プログラミング言語によっては**メンバー関数**と呼ぶ場合もあります。これらは、**そのオブジェクトに用意されている標準関数**のようなもので、オブジェクトの動作を決めるプログラムです。

目や鼻、口は、決まった動作を行います。たとえば、目は「開く」「閉じる」という動作、鼻は「吸う」「吐く」という動作ができます。また、口は「開く」「閉じる」「吸う」「吐く」のほかにも「噛み砕く」や「舐める」などの動作を行うことができます。コンピュータの世界に置き換えると、これらはすべてオブジェクトのメソッドとなります。

ボタンやテキストボックスなど、Windowsアプリケーション作成用のプログラミング言語に用意されているオブジェクトには、あらかじめメソッドが定義されていますが、どのオブジェクトにどのようなメソッドが用意されているかは、プログラミング言語ごとに異なります。プログラムを作成する前に、マニュアルで確認してください。

2.5 再び、クラスとは？

「**2.3 オブジェクトとクラス**」(239ページ)でも説明したように、クラスはオブジェクトのもとになる金型のようなものです。いまの段階では、まだよくわからなくてもかまいません。どのような構造になっているのか、どんな使い方があるのか、またどんな利点があるのか、イメージをつかんでおきましょう。

◉ クラスの構造

図9-7は「画用紙」というクラスを表したものです。「縦」と「横」は画用紙の大きさを表す変数で、これを**メンバー**または**データメンバー**[*5]と呼びます。また「描画する」「消す」「絵筆を用意する」は、画用紙の上でできる作業です。これらの動作を**メンバー関数**[*6]と呼びます。このように、関係のある変数や関数を集めて1つにまとめたものが**クラス**です。

図9-7

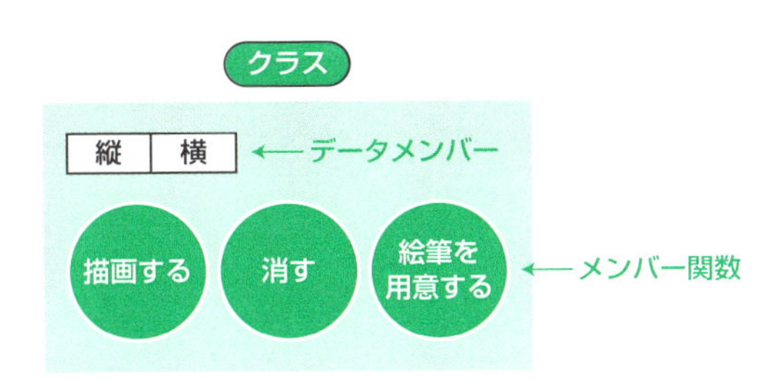

＊5 プログラミング言語によっては**プロパティ**と呼ぶ場合もあります。

＊6 プログラミング言語によっては**メソッド**と呼ぶ場合もあります。

基本クラスと派生クラス

すでに定義されているクラスにデータメンバーやメンバー関数を追加して、新しいクラスを作成することができます。これを**継承**または**インヘリタンス**（*inheritance*；遺伝）と呼びます。

たとえば、**図9-8**は「画用紙」クラスと「キャンバス」クラスです。2つの違いは「材質」というデータメンバーと「削る」というメンバー関数があるかどうかです。こういう場合は「画用紙」クラスをもとに「キャンバス」クラスを作成して「材質」と「削る」を追加しましょう。このときのもとになるクラスを**基本クラス**、新たに作成したクラスを**派生クラス**と呼びます。

図9-8

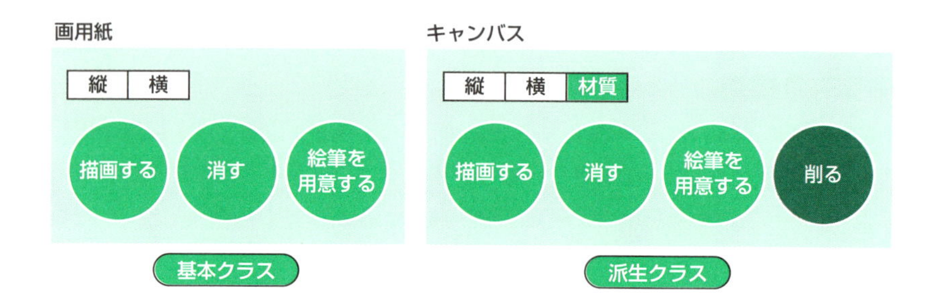

クラスを利用すると便利になること

クラスはコンピュータが扱う「モノ」の設計図です。プログラムを作る人は、用意されている設計図のコピーをカスタマイズしたり、派生クラスを作って新しい機能を追加したりすることができます。

たとえば「画用紙」クラスには「画用紙の大きさ」といった属性のほかに「描画する」「消す」「絵筆を用意する」など、画用紙上で実行できる機能が集約されています。もしも、あなたがお絵描き用のアプリケーションを作ろうと思ったときは「画用紙」クラスのコピーを利用しましょう。あらかじめ「描画する」や「消す」「絵筆を用意する」という命令が用意されているので、あとは、その命令をどう使うかを考えるだけです。画用紙に描画するにはどんな情報を使って、どのような処理をどんな順番で実行して……ということを考える必要は、いっさいありません。いまはまだイメージできないかもしれませんが、クラスのおかげでプログラム開発がとても楽になることを覚えておきましょう。

3 Q&A

Q1 イベントがないとプログラムは動かないの？

あなたが使っているパソコン、OSは何ですか？　WindowsやmacOSのように、画面上にアイコンが表示されていて、マウスで操作できるタイプであれば、イベントに応答してプログラムが動く決まりになっています。スマートフォンも同じです。イベントがなければ、プログラムは動きません。

Q2 アラームとかリマインダーとか、何も操作していないのに通知がくるのはなぜ？

イベントは、私たちの操作によって発生するものばかりではありません。コンピュータの内部でこっそり発生しているイベントもたくさんあります。たとえば、コンピュータに内蔵の時計は、ずっと時を刻み続けています。それをOSが監視して、設定時刻になったら「時間だよ！」というメッセージをアプリケーションに送ります。メッセージを受け取ったアプリケーションは、それに応答して音を鳴らしたりメッセージを表示したりするプログラムを実行しています。

Q3 「プログラム」と「アプリケーション」はどう違うの？

たとえば、Windowsの「電卓」や「メモ帳」「ペイント」がアプリケーションです。これらは「計算する」「文章を作る」「絵を描く」という決まった目的のために使うプログラムですが、たった1つのプログラムでできているわけではありません。「［ブラシ］ボタンがクリックされたらブラシの種類を変更する」「［色］ボタンがクリックされたら描画色を変更する」「画面の上でマウスポインタが動いたら軌跡を描画する」……など、たくさんのプログラムが集まって1つのアプリケーションができています。

Q4 オブジェクトとかクラスとか、なんだかよくわからないんだけど……

大丈夫です。いま主流になっているプログラミング言語は、ほとんどがオブジェクト指向の概念を取り入れているため、プログラミング言語に決められた作法[*7]

*7　プログラムの作り方や、命令の書き方のことです。

に従うだけで、自然にオブジェクト指向のプログラミングができるようになっています。

Q5 オブジェクトを中心に考えるって、どういうこと?

多くのプログラミング言語がオブジェクト指向を取り入れているのは、その考え方がとても優れているからです。**図9-9**は、文字や写真、音楽など、コンピュータが扱うデータに対する操作をまとめたものですが、どちらがわかりやすいと思いますか?

図9-9

機能を中心に考える

- 文字数を数える
- 写真の縦のサイズを調べる
- 写真の横のサイズを調べる
- 音楽の再生時間を調べる
- 先頭文字を取り出す
- 文字列の中から指定した文字を検索する
- 文字列の一部を置換する
- 音声を再生する
- 再生中の音楽を停止する

オブジェクトを中心に考える

文字

- 文字数を数える
- 先頭文字を取り出す
- 文字列の中から指定した文字を検索する
- 文字列の一部を置換する

写真

- 写真の縦のサイズを調べる
- 写真の横のサイズを調べる

画像

- 音楽の再生時間を調べる
- 音声を再生する
- 再生中の音楽を停止する

私たちにとって最も大切なことは**きちんと動作するアプリケーションを作ること**です。そのためには、いろいろな開発手法を知っていて損はありません。しかし、手法にとらわれすぎて先に進めなくなるのでは困ります。これから先、勉強を進めていく中で「アプリケーションに必要な機能を挙げてみたら、いろいろあった。どうすればうまくまとめられるかな……」というときは、オブジェクトのことを思い出してください。機能に注目していたときとはまた違った視点で考えることで、新たに気づくことがきっとあるはずです。

第3部
次のステージへ

第10章 何を作るか考えよう

第9章までで、プログラミングに最低限必要な事柄はすべて説明しました。次は、いよいよ実践！——といいたいところですが、ちょっと待って。自分が何を作りたいか、ちゃんとイメージできていますか？「電卓」や「ペイント」のように専用のウィンドウが表示されて、その中で動くプログラムを作るのか、それともインターネット上で動くプログラムを作るのか、それともスマートフォンで動くアプリを作るのか。——それによって、プログラムの作り方が変わります。まずは、自分がどんなプログラムを作りたいのか、きちんとイメージしましょう。

1 アプリケーションの種類

アプリケーションには、いろいろな種類があります。——「そんなの知ってるよ。電卓でしょ、メモ帳でしょ、ペイントでしょ……」——アプリケーションを使う側から見れば間違いではありませんが、ちょっと視点を変えて、作る側から見てみましょう。

1.1 GUIアプリケーションとコンソールアプリケーション

画面に表示されるアイコンやメニューを使って操作するか、それともコマンド（命令）をキー入力するか——コンピュータに命令する方法は2通りあります。広く普及しているのは、アイコンやメニューを使って操作するアプリケーションです。

GUIアプリケーション

あなたが使っているパソコンは、画面上にアイコンが表示されていて、それをダブルクリックすると新しいウィンドウが開いて仕事を始められるでしょう？また、そのウィンドウにはメニューバーやツールバーがあって、それらを使ってコンピュータに命令できるようになっていますよね。

このように**メニューやアイコンが中心のユーザーインターフェース**を**GUI**（*Graphical User Interface*）と呼び、このタイプのアプリケーションを**GUIアプリケーション**[*1]と呼びます（**図10-1**）。メニューの構成とマウス操作を覚えれば、誰でもコンピュータを自由に使うことができるので、いまはGUIのアプリケーションが主流になっています。もちろん、スマートフォンのアプリもGUIアプリケーションです。あなたが使っているスマートフォンやタブレットも、画面に表示されるアイコンをタップしたり、指をすっと動かしたりすると画面が切り替わって、いろいろなことができるようになっているでしょう？

図10-1

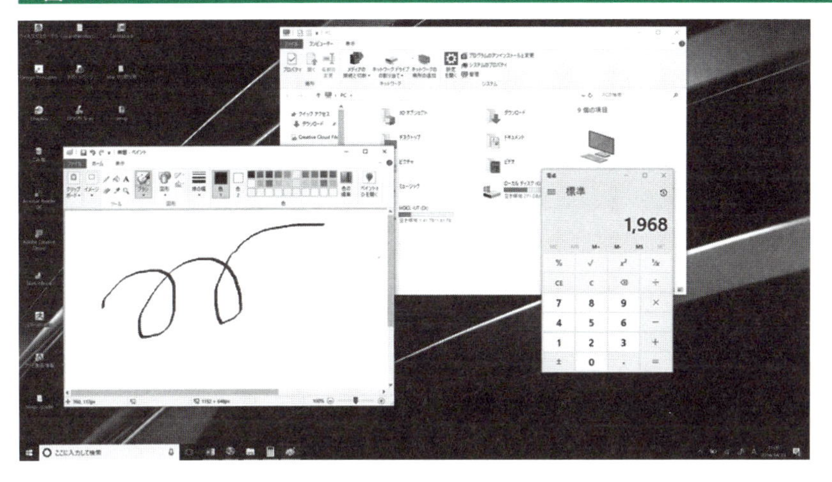

コンソールアプリケーション

しかし、GUIを備えたOSが広く普及したのは、1990年代に入ってからです。それまでは、コンピュータで何か作業をするときには、決められた命令をキーボー

*1 ウィンドウ（画面）上で操作できることから、**ウィンドウアプリケーション**と呼ぶこともあります。「Windowsで動くアプリケーション」という意味ではありません。

ドから入力しなければなりませんでした。そして、コンピュータも処理の結果を文字で、画面に表示していました。キーボード以外にコンピュータに情報を入力する方法がなく、また画面に文字以外で出力する方法がなかったのです。

図10-2はWindowsの「コマンドプロンプト」を実行した様子ですが、かつては、このように**文字中心のユーザーインターフェース**しかありませんでした。これを**CUI**（*Character User Interface*）と呼び、この中で動くアプリケーションを**コンソールアプリケーション**と呼びます。

図10-2

```
コマンド プロンプト
Microsoft Windows [Version 10.0.16299.334]
(c) 2017 Microsoft Corporation. All rights reserved.

C:¥Users¥ >cd anaconda3

C:¥Users¥ ¥Anaconda3>python
Python 3.6.3 |Anaconda, Inc.| (default, Oct 15 2017, 03:27:45) [MSC v.1900 64 bit (AMD64)] on win32
Type "help", "copyright", "credits" or "license" for more information.
>>> for i in range(1, 10):
...     for j in range(1, 10):
...         print(i*j, end=' ')
...     print()
...
1 2 3 4 5 6 7 8 9
2 4 6 8 10 12 14 16 18
3 6 9 12 15 18 21 24 27
4 8 12 16 20 24 28 32 36
5 10 15 20 25 30 35 40 45
6 12 18 24 30 36 42 48 54
7 14 21 28 35 42 49 56 63
8 16 24 32 40 48 56 64 72
9 18 27 36 45 54 63 72 81
>>> exit()

C:¥Users¥ ¥Anaconda3>
```

1.2 ネイティブアプリケーションとWebアプリケーション

アプリケーションは決まった目的のために作られたプログラムです。もちろん、プログラムにはコンピュータを動かすための命令が書かれているのですが、コンピュータは手許（てもと）にあるものばかりではありません。手許のコンピュータの先につながっているコンピュータを利用するアプリケーションもあります。

◉ ネイティブアプリケーション

「友だちに便利なスマホのアプリを教えてもらった。自分もほしい！」――こんなときは、ストア*2からアプリを入手しましょう。ほしいアプリのアイコンを

*2　ここでは、スマートフォン用のアプリを提供するサイトを**ストア**といっています。

選ぶと、自動的にダウンロードとインストールが行われて、画面にアイコンが追加されますね。このように、パソコンやスマートフォンにインストールして実行するタイプのアプリケーションを**ネイティブアプリケーション**[*3]といいます。インストールしたコンピュータ[*4]の中だけで動くことから、**スタンドアロンアプリケーション**[*5]と呼ぶこともあります（**図10-3**）。

第2章の「**3.1　いろいろな種類のプログラム**」(52ページ)で**アプリケーションはOSがあるから動く**という話をしたのですが、覚えていますか？　このときに、**OSごとに命令のしかたが違う**から、アプリケーションをインストールするときには、使っているOSに対応したものを選ばなければならないという話をしました。つまり、パソコンやスマートフォンで同じように動いている「電卓」も、Windows用、macOS用、iOS用、Android用[*6]……など、それぞれ独立した別のアプリケーションです。同じアプリケーションが動いているわけではありません。

ネイティブアプリケーションは、それぞれのOS専用に作られているため、カメラやセンサー、メモリなど、コンピュータに付属する装置を含めた機能を最大限に利用できるというメリットがあります。

図10-3

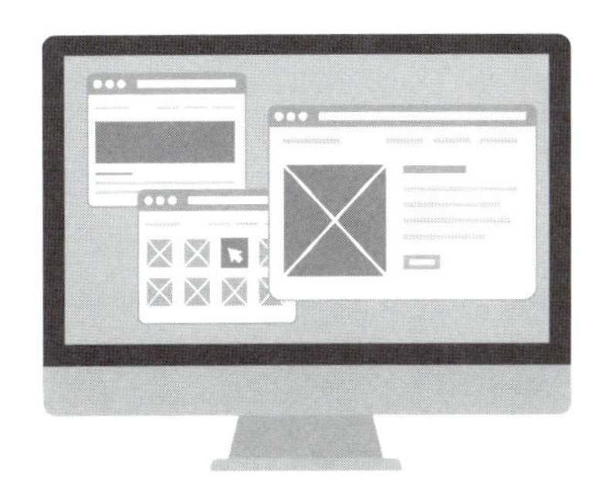

それぞれのコンピュータの中で動いている

＊3　パソコン用のアプリケーションを指して**デスクトップアプリケーション**、スマートフォンやタブレット用のアプリケーションを指して**モバイルアプリ**のように呼ぶこともあります。本書では、この2つを合わせて**ネイティブアプリケーション**といっています。

＊4　ここでは、パソコンやスマートフォン、タブレットなど、アプリケーションを動かす装置全般のことを**コンピュータ**といっています。

＊5　スタンドアロン（*standalone*）は「ネットワークに接続せずに単独に動く」という意味です。

＊6　WindowsとmacOSはパソコン用、iOSとAndroidはスマートフォンやタブレット用のOSです。

◉ Webアプリケーション

Microsoft EdgeやInternet Explorer、Safari、Chromeなど、インターネットを閲覧するときに使うプログラムを**ブラウザ**と呼びます。これらのブラウザの中で動くアプリケーションを**Webアプリケーション**といいます。インターネットを利用したショッピングサイトや銀行取引、掲示板などが、これに当たります。

Webアプリケーションは、手許のコンピュータとインターネット上のコンピュータ*7がやりとりすることで動いています(**図10-4**)。そのため、アプリケーションを利用するには、インターネット接続とブラウザの2つが必要です。いいかえると、**インターネットに接続していないとき、Webアプリケーションは利用できません**。なんだか不便なように感じるかもしれませんが、Webアプリケーションには、OSに関係なく利用できるというメリットもあります。Webアプリケーションが動く仕組みは、この後の「**3　Webのプログラム**」(257ページ)で改めて説明します。

図10-4

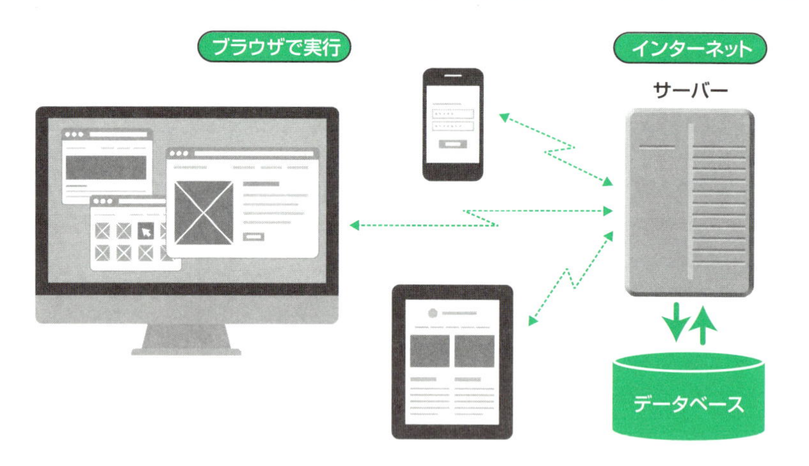

*7　正しくは**サーバー**といいます。

クラウドサービス　Column

インターネットを利用したサービスを表すときに使う**クラウド**（*cloud*；雲）という言葉。第1章の「**1.5　雲の上のコンピュータ**」（20ページ）でも紹介したように、私たちは、たくさんのクラウドサービスを利用しながら生活しています。しかし、手許で操作しているコンピュータの先につながった世界は、想像しようにもモヤモヤしていて、まるで雲の上にあるイメージでしょう？

インターネットが広く普及して、通信速度も向上したおかげで、クラウド上にある膨大な資源――ソフトウェアやプログラム開発環境、ストレージ[*8]やサーバーなど――を使ったサービスを、私たちは当たり前のように利用できるようになりました。技術的には異なるのですが、これらはWebアプリケーションが進化したものという理解でかまいません。

2 アプリケーションの組み立て方

アプリケーションを作る手法には、**手続き型**と**オブジェクト指向**の2通りがあります。GUIアプリケーションが中心の現在は、第9章で紹介したオブジェクト指向のプログラミングが主流になっています。

2.1 コンソールアプリケーション

次ページの**図10-5**は、Python（パイソン）というプログラミング言語で作成したプログラムです。このようにキーボードから命令を入力して実行するコンソールアプリケーションには、**命令に応答して動き始めるプログラムが1つだけあります**。これを**メイン関数**または**メインルーチン**と呼びます。

＊8　データを保管する場所のことを**ストレージ**（*storage*）といいます。

図10-5

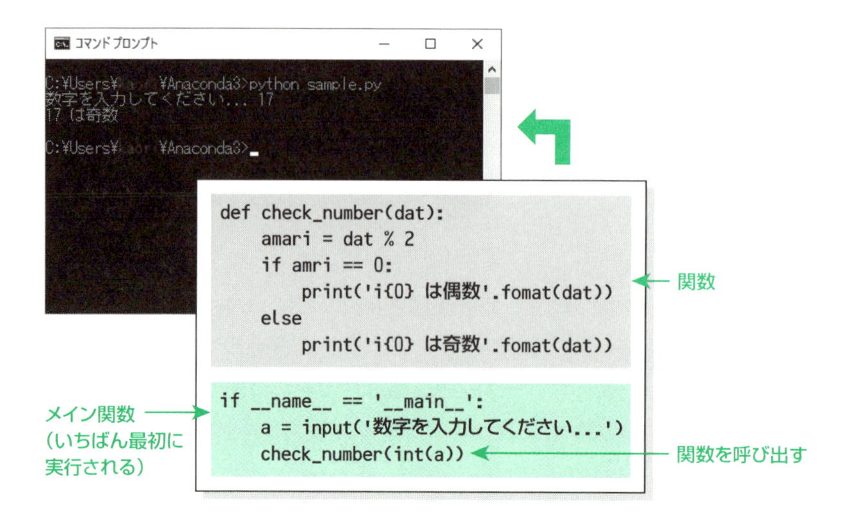

コンソールアプリケーションを作成するときは、手続き型の考え方が向いています。まず、どんな処理を行うアプリケーションを作るのか、アプリケーションのあらすじを考えてください。もしも、その中で1つの処理として独立させられる部分があったら、それを関数にしましょう(**図10-6**)。**関数の入口と出口、実行するプログラムの順番がはっきり決まっている**のが、コンソールアプリケーションの特徴です。

図10-6

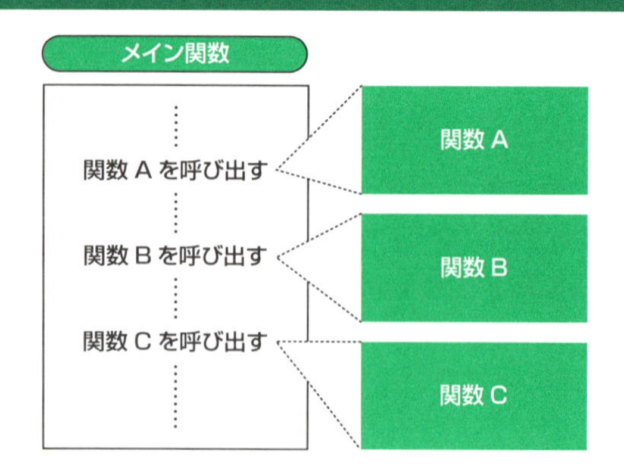

作成したプログラムはファイルに保存しますが、このとき、関数ごとにファイルを分ける必要はありません。**図10-6**全体を1つのファイルに保存してください。もちろん、複数のファイルに分けて保存してもかまいません。作成するプログラムの規模が大きい場合は、関数の仕事の内容別にファイルを分けて保存しておくと、管理しやすくなります。

2.2 GUIアプリケーション

コンソールアプリケーションとは異なり、GUIアプリケーションには**メインになるプログラムがありません**。プログラムは、**イベントに応答して決められた処理を実行する**という仕組みで動いています。第9章の「**1.3　イベント駆動型のプログラミング**」(235ページ)でも説明したように、いつ、どこで、どのようなイベントが発生したかを監視するのはOSの仕事です。つまり、私たちが作るのは、

アイコンをクリックしたときに実行するプログラム
メニューを選択したときに実行するプログラム
スクロールバーを動かしたときに実行するプログラム
⋮

というように、それぞれのイベントに応答して実行するプログラムです。これらのプログラムを**イベントプロシージャ**[*9]と呼びます。呼び方は違いますが、これまでに説明してきた**関数**と同じものと考えてかまいません。もちろん、イベントプロシージャの中に1つの処理として独立させられる部分があった場合は、それを関数にすることもできます(次ページの**図10-7**)。

*9　プロシージャ(*procedure*)には「手順」や「手続き」という意味があります。プログラミング言語の中には**イベントハンドラ**(*handler*；扱う人)と呼ぶものもあります。

図10-7

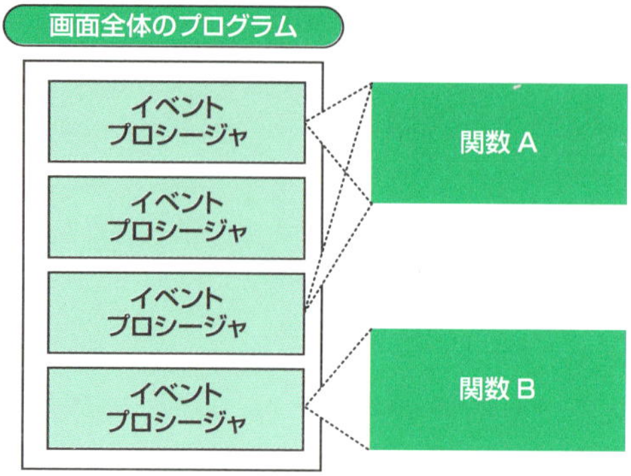

画面全体のプログラム

イベントプロシージャ
イベントプロシージャ
イベントプロシージャ
イベントプロシージャ

関数A

関数B

もうひとつ、コンソールアプリケーションと違う点は、

GUIアプリケーションには、ユーザーが操作するための画面（ウィンドウ）がある

という点です。プログラミング言語ごとに方法は異なりますが、この画面を設計することがプログラマーの最初の仕事です。「アイコンをクリックしたときに実行するプログラム」や「メニューを選択したときに実行するプログラム」など、イベントに応答して実行するプログラムは、画面を設計した後で作成することになります（**図10-8**）。

作成したプログラムをファイルに保存するときは、ユーザーが操作する画面単位で保存するのが一般的です。**図10-7**であれば、イベントプロシージャから呼び出す関数も含めて1ファイルとして保存します。

図10-8

画面設計

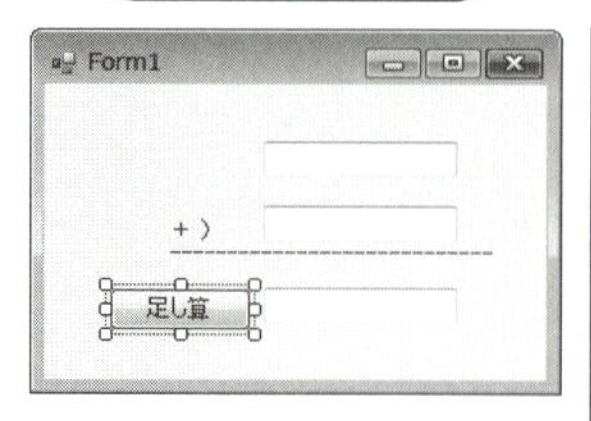

ボタンをクリックしたときに実行するプログラム

```
Private Sub Button1_Click(sender As Object, e As EventArgs) ...
  Dim a As Single      '値1
  Dim b As Single      '値2
  Dim answer As Single '答え

  '変数に値を代入
  a = CSng(txtA.Text)
  b = CSng(txtB.Text)

  '足し算
  answer = a + b

  '答えを表示
  txtAnswer.Text = CStr(answer)
End Sub
```

なお、オブジェクト指向であっても、個々のプログラムの作り方は手続き型と同じです。イベントが発生したときにどのような処理を行うか、そのためにはどのような情報が必要で、どんな順番で処理を行うか――これらをしっかり日本語で考えてください。

3 Webのプログラム

GUIアプリケーションには、手許(てもと)のパソコンやスマートフォンの中で動くもののほかに、ブラウザ上で動作するアプリケーションもあります。ここでは、それを「Webのプログラム」と呼び、どのような仕組みで動いているのかを簡単に紹介します。

3.1 Webのプログラムが動く仕組み

あなたは、インターネットを利用するときには何を使いますか？　パソコン？それともスマートフォン？

インターネットの世界には、必ずクライアントとサーバーという立場があります。**クライアント**とはパソコンやスマートフォンのようにインターネットに対して**要求する側**[*10]、**サーバー**（**Webサーバー**）はクライアントからの**要求に応える側**です。

たとえば、ブラウザでURL（*Uniform Resource Locator*）[*11]を入力すると、そのページが表示されますね。このときWebサーバーは、要求されたURLに対応するページをHTML（*HyperText Markup Language*）[*12]という形式でブラウザに返し、ブラウザは、受け取ったHTMLを解釈して画面に表示するという仕事をしています（次ページの**図10-9**）。

クライアントとWebサーバーの間でデータをやりとりするには、何らかの決まり事が必要です。その決まりが**HTTPプロトコル**（*HyperText Transfer Protocol*）です。

*10 正しくは、パソコンやスマートフォンで起動したブラウザを指して**クライアント**と呼びます。

*11 URLとは、インターネット上の住所のようなものです。**ホームページアドレス**と呼ぶ場合もあります。

*12 HTMLはWebページ作成用の言語です。詳しくは第11章の「**2.5　Webページ作成用**」（279ページ）を参照してください。

私たちがWebのプログラムを作る場合も、この決まり事に従うことになります。

図10-9

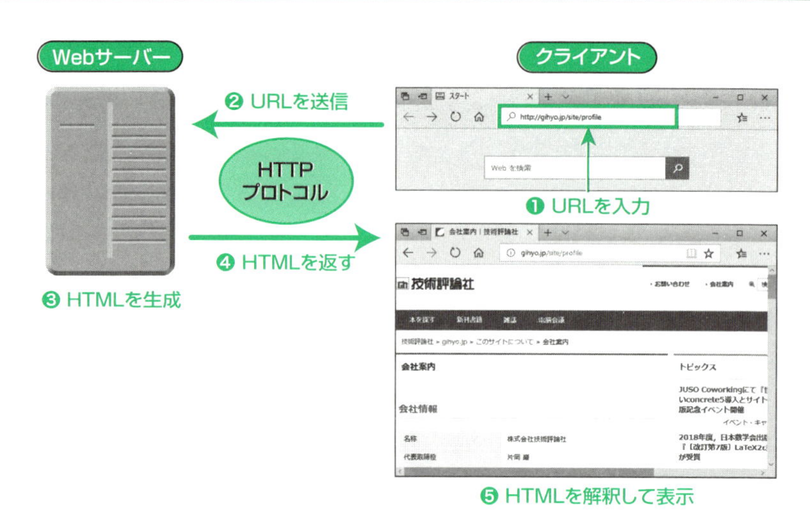

Webサーバー　Column

サーバー(*server*)の語源は「*service*」。つまり、サーバーとは「サービスを提供するもの」で、ブラウザとの通信を専門的に行うサーバーを**Webサーバー**と呼びます。

ところで、あなたは「サーバー」という言葉を聞いて、ハードウェアとソフトウェア、どちらを思い浮かべますか？　実は、どちらを選んでも間違いではありません。説明の都合上、**図10-9**のような絵が使われることが多いため、「ハードウェアじゃないの？」と思うかもしれませんが、ハードウェアだってソフトウェアがなければ何もできない"ただの箱"[*13]です。**図10-9**は「Webに関連するサービス全般を行うソフトウェア(Webサーバー)を組み込んだ状態のコンピュータ」を指して「Webサーバー」と呼んだ状態です。

*13 詳しくは、第2章の「**1　コンピュータ徹底解剖**」(37ページ)を参照してください。

「Apache(アパッチ)」や「Nginx(エンジンエックス)」という言葉を聞いたことはありませんか？　これらは「Webに関連するサービス全般を行うソフトウェア」で、一般的に「Webサーバー」と呼ばれています。これらのソフトウェアを組み込むことで、あなたが使っているパソコンでも、Webのプログラムを開発して、実行する環境を整えることができます。

3.2 Webページの種類

私たちが閲覧しているWebページは、大きく2つに分けることができます。1つは**静的なWebページ**で、クライアントからURLを受け取ったときに、Webサーバーに登録されている**内容をそのまま返す**タイプです(**図10-10**)。あらかじめ決められた内容を返すだけなので通信にかかる負荷は抑えられますが、たとえばショッピングサイトのように、ユーザーが入力した言葉に該当する商品一覧を表示したり、買い物カゴの内容を更新したりすることはできません。

図10-10

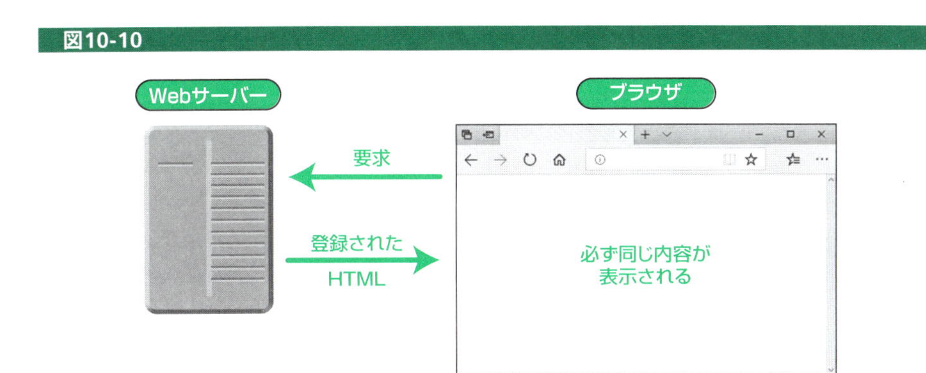

ショッピングサイトやニュースサイトのように、ユーザーがブラウザ上に入力した情報や閲覧した時刻をもとにWebページの**内容を逐次更新する**タイプを**動的なWebページ**と呼びます(次ページの**図10-11**)。このタイプのWebページでは、クライアントとWebサーバー間を何度も情報が行き来するために通信負荷は高くなりますが、ユーザーの要求に応じて、いろいろな情報を提供できます。

図10-11

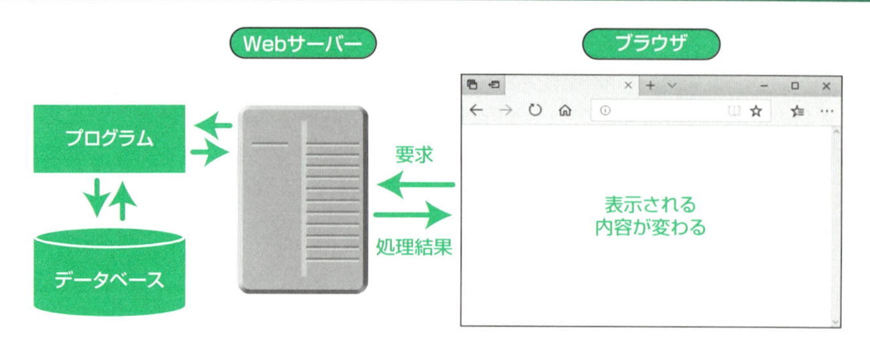

3.3 クライアント側でプログラムを動かす

図10-11を見ると「すべての動的なWebページは、Webサーバー側でプログラムを実行して作られる」と思うかもしれませんが、決してそうではありません。**クライアント側でプログラムを実行することで、動的なWebページを作る方法**もあります。

◉ クライアントサイドスクリプト

Webページは HTML という言語で定義されていますが、この中に**スクリプト**(*script*；台本)と呼ばれる小さなプログラムを埋め込む方法です(**図10-12**)。Webサーバーはクライアント側の要求に応じてHTMLを返し、それを受け取ったブラウザがスクリプトを実行します。Webページ上でアカウントを作成するとき、入力した内容に誤りがあったり抜けがあったりしたときに表示されるメッセージは、この方法を利用しています。

繰り返しになりますが、HTMLに埋め込んだプログラムはブラウザが実行します。そのため、同じプログラムでも、ブラウザのバージョンや種類によって動作が異なることがあります。また、プログラムを実行するかどうかもブラウザで設定できることも覚えておきましょう。

◉ プラグイン

Webページを閲覧中に「このコンテンツを表示するにはFlash Playerが必要です」という表示を見かけたことはありませんか？　もしかしたら、QuickTimeや

Real Playerかもしれません。これらは**プラグイン**[*14]と呼ばれるもので、ブラウザに足りない機能を補うためのプログラムです。

クライアントがプラグインを利用したWebページにアクセスすると、Webサーバーは HTMLと同時にデータを返します。ブラウザはそのデータに対応するプログラムを起動して、結果を画面上に表示します(**図10-13**)。Webサーバーが特別な処理をするわけではないのでサーバーに負荷はかかりませんが、データのサイズが大きいと通信にかかる負荷は高くなります。

図10-12

```
<!DOCTYPE html>
<html lang="ja">
<head>
    <meta charset="utf-8" />
    <title></title>
</head>
<body>
    <input type="button" value="実行" onclick="btnClick()" />
<script>
    function btnClick() {
        alert("この項目は省略できません");
    }
</script>
</body>
</html>
```

スクリプト

図10-13

*14 **アドオン**と呼ぶブラウザもあります。

Ajax　Column

インターネットでお店を検索したときに、地図を見たことはありませんか？

この章の「**3.1　Webのプログラムが動く仕組み**」（257ページ）で説明したように、Webページは、クライアント（ブラウザ）からの要求に応じてサーバーがHTMLを返し、それをブラウザが解釈してページ全体を更新するのが基本です。地図の表示領域を変更したときも、同じように、ページ全体の書き換えが行われます。しかし、地図用の領域がWebページの一部のときに、画面全体を書き換えるというのは非効率です。そこで、**Ajax**（*Asynchronous JavaScript + XML*）*15という仕組みが登場しました。

この仕組みを利用すると、地図の表示領域が変更されたとき、クライアントは書き換えに必要な部分だけをサーバーに要求し、サーバーも必要な部分だけを返します。クライアントは受け取ったデータを使って地図データだけを更新します。画面全体を書き換えるわけではありません（**図10-14**）。このときのデータのやりとりには、**XML**（*eXtensible Markup Language*）や**JSON**（*JavaScript Object Notation*）が使われます。どちらもデータを記述するための言語です。

図10-14

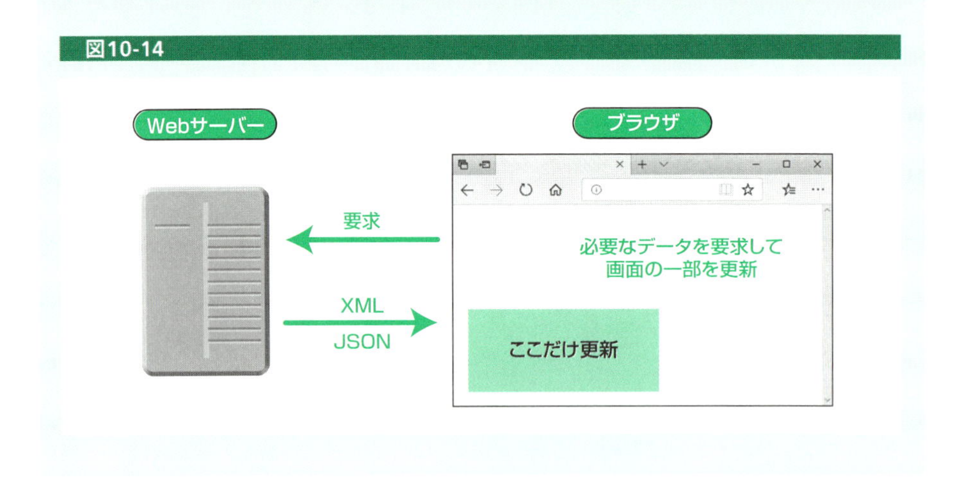

*15 *asynchronous*は「非同期の」という意味です。コンピュータの世界では、データを送信する側と受信する側とで、タイミングを気にせずにやりとりできることを表します。

3.4 サーバー側でプログラムを動かす

ショッピングサイトや検索サイトなど、ブラウザで入力した内容に応じて次々と変化するWebページ。——現在の主流になっていますね。このようなWebページは、**Webサーバー側で外部プログラムを実行する**ことで実現します。ブラウザはWebサーバーが処理した結果（生成されたHTML）を受け取って、それを表示するだけです。

◉ CGI

クライアントからの要求に応じてWebサーバーが対応するプログラムを実行し、そのプログラムの実行結果をブラウザに返すための仕組みを**CGI**（*Common Gateway Interface*）といい、この仕組みに従って作成されたプログラムを**CGIプログラム**と呼びます。

図10-15は、Webページ上にアクセスカウンタを表示する仕組みを表したものです。ブラウザがURLを送信すると、Webサーバーは、そこに定義されていた「カウンタ計算」プログラムを実行します。「カウンタ計算」プログラムは「カウンタファイル」からこれまでのアクセスカウンタを取得してカウンタを更新し、その結果をWebサーバーに渡します。Webサーバーは受け取った情報でHTMLを生成し、それをクライアントに返します。その結果、ブラウザに「あなたは○○番目のお客さま」と表示されます。

図10-15

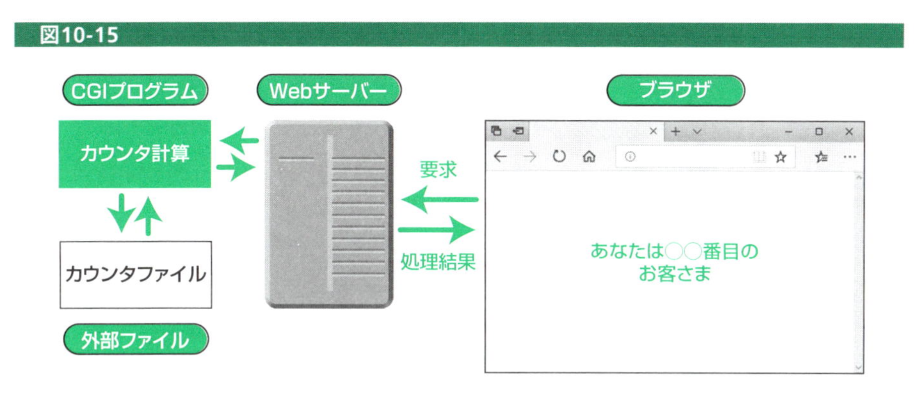

CGIを利用すると、アクセスカウンタや掲示板、ショッピングサイトなどを作成できます。しかし、CGIプログラムは、クライアントからの要求を個別のプロセス

として起動し、処理が終わるとプロセスを終了するということを繰り返します。そのため、大量のリクエストがサーバーに集中した場合は処理速度が低下したり、最悪の場合にはWebサーバーがダウンするということもあります（**図10-16**）。

図10-16

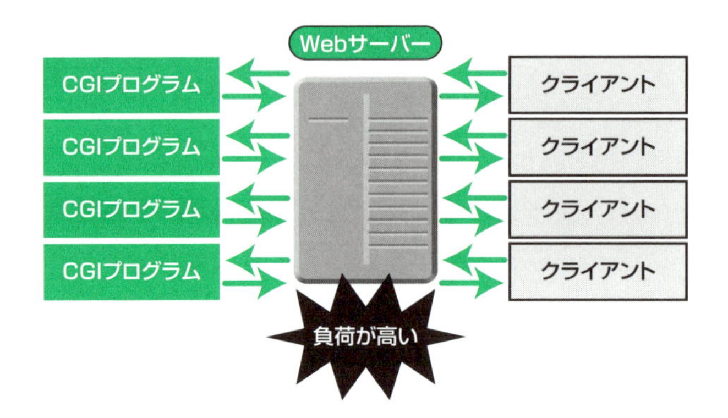

サーバーサイドスクリプト

Webページを定義するHTMLの中にスクリプトを埋め込むところまではクライアントサイドスクリプトと同じですが、そのスクリプトをサーバー側で実行するのが**サーバーサイドスクリプト**です。CGIプログラムとは異なり、Webサーバーと連動した**Webアプリケーションサーバー**上で動作します（**図10-17**）。

「アプリケーションサーバー」というとコンピュータのようなハードウェアをイメージしがちですが、Webアプリケーションサーバーは、クライアントの要求に応じて決められた処理を実行するプログラムの集まりです。Webサーバーから Webアプリケーションサーバーの仕事を独立させることで、Webサーバーはブラウザとの通信業務に専念できるようになり、より多くのクライアントを処理できるようになります。

図10-17

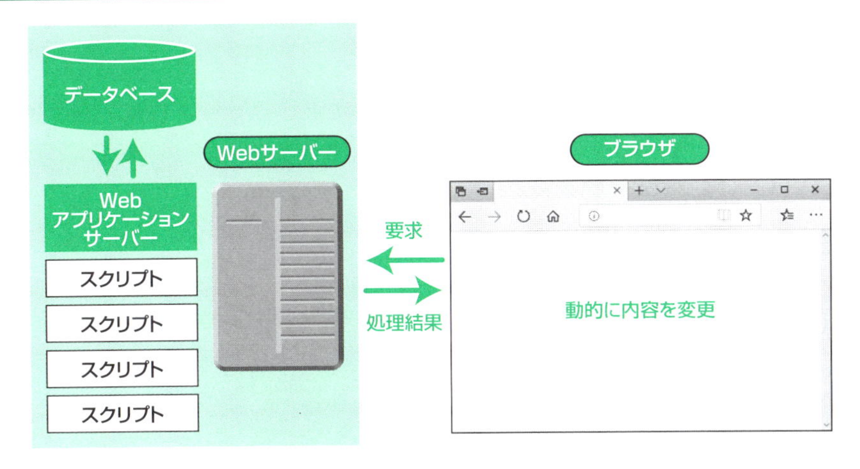

3.5 Webのプログラムを作る前に

インターネット上で動作するプログラムには、いろいろなタイプがあり、それぞれ作り方が異なります。最初に、

どのようなWebページを作りたいのか

ということを明確にしてください。たとえば学校案内や会社情報など、決まった情報を提供するのであれば**静的なWebページ**で十分です。文字や画像の上にマウスポインタを移動したときに、文字の色や画像が変化したほうが見ばえが良いというのであれば、**クライアント側で動かすプログラム**が必要です。この程度の簡単な処理のためにサーバー側でプログラムを動かす必要はありません。

ショッピングサイトを作る場合も、商品の一覧を表示して注文をメールで受け付けるタイプであれば、クライアント側で動かすプログラムで十分です。しかし、在庫状況やショッピングカートの内容をリアルタイムに更新したり、Webページ上で決済まで行うのであれば、**サーバー側で動かすプログラム**が必要です。

しかし、どんなタイプのWebページでも、いちばん重要なのは、ブラウザに表示する内容です。まずは内容をきちんと考えて、ブラウザ上にきちんと表示されることを確認するところから始めましょう。文字の色を変えたり画像を入れ替えたり、アクセスカウンタを表示したり…… いろいろな細工はその後です。小さな目標を立てて、それを1つずつクリアしていくという基本は、コンソールアプリケーションでもGUIを備えたネイティブアプリケーションでも、Webのプログラムでも同じです。

第11章

道具を揃えよう

パソコンでレポートを作成するときにはワープロ用のプログラムが、DVDを鑑賞するときには映像再生用のプログラムが必要なように、プログラムを作成するときにもプログラム開発用の道具が必要です。しかし、どんな道具が必要になるかは「プログラミング言語をどれにするか」で異なります。また、そのプログラミング言語も「どのようなプログラムを作るか」によって選び方が変わります。プログラムを作る前に、まずは正しい道具を用意しましょう。

1 プログラミング言語の種類

プログラミング言語には、機械語[*1]に近いものから人間の言葉に近いものまで、いろいろな種類があります。前者を**低水準言語**（または**低級言語**）、後者を**高水準言語**（または**高級言語**）と呼びます。コンピュータの世界で「水準」は機械と人間との距離を表しており、品質の良し悪しを指しているわけではありません。

＊1　0と1だけで書かれたプログラムです。詳しくは、第2章の「**3.3　プログラミング言語の生い立ち**」（56ページ）を参照してください。

1.1 低水準言語

代表的な低水準言語に**アセンブリ言語**(または**アセンブラ**)があります。人間が0と1だけでプログラムを書くのは難しいので、その代わりに**コンピュータの動作が連想できる言葉を使って命令**できるようにしたものです(**図11-1**)。「低水準」と聞くと「品質が悪いのかな?」とか「レベルが低い——つまり、簡単なのかな?」と思いがちですが、とんでもない。アセンブリ言語は、コンピュータの仕組みをよく知っていないと使いこなせない言語です。

図11-1

```
main segment public
     assume  cs:main
;
start: move dl,21h
next:  move ah,2
       int 21h
       inc dl
       cmp dl, 7fh
       joe next
;
```

アセンブリ言語の命令と機械語の命令は、ほぼ一対一に対応しています。そのため、コンピュータが命令を理解して実行するまでの時間が速く、ハードウェアの制御部分には不可欠の言語です。

しかし、機械語に近いということは、いいかえればハードウェアに近いということであり、同じプログラムがあらゆる種類のハードウェアで実行できるわけではありません。また、ハードウェアがどういう仕組みで動いているかを理解したうえでプログラムを作らなければならないので、高水準言語と比べると、開発効率はあまりよくありません。

1.2 高水準言語

もっと効率よく開発する方法はないだろうか……。そして、生まれたのが**人間の言葉(英語)に近い「高水準」のプログラミング言語**です(**図11-2**)。

図11-2

```
#include <stdio.h>

int main(void)
{
    char name[20];

    printf("名前を入力してください。¥n");
    scanf("%s", name);
    printf("こんにちは、%s さん。¥n", name);

    return 0;
}
```

しかし、人間の言葉に近い高水準言語は、そのままではコンピュータが理解できません。そこで、プログラミング言語から機械語に翻訳する作業が必要になります。この処理には**インタープリタ方式**と**コンパイラ方式**の2通りがあります。

◉ インタープリタ方式

インタープリタ（*interpreter*）を日本語に直すと「通訳」。つまり、インタープリタ方式とは、プログラムに書かれた**命令を1つずつ機械語に翻訳しながら実行する方式**です（**図11-3**）。イメージとしては、英語の放送を同時通訳で聞くようなものです。

図11-3

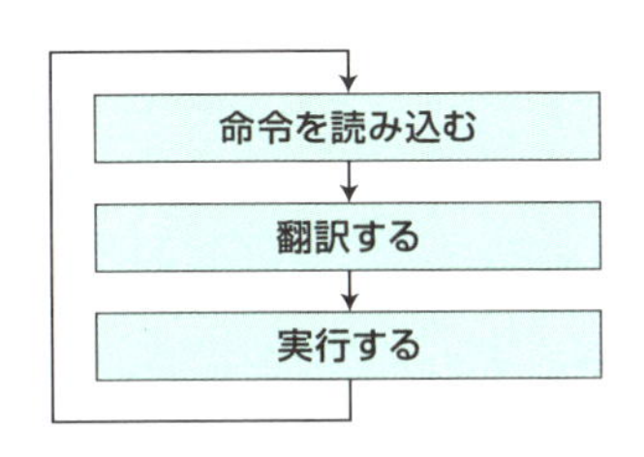

1命令ずつ翻訳と実行を繰り返すため、インタープリタ方式は処理に時間がかかります。しかし、作成したプログラムに間違いがあっても、その直前までは実行できます。間違った場所で動作を停止するため、プログラムの誤りを訂正しや

すいという利点があります。

インタープリタ方式の代表的な言語には、Python(パイソン)があります。また、JavaScript(ジャバスクリプト)やPerl(パール)、PHP(ピーエイチピー)などのスクリプト言語もインタープリタ方式です。

◉ コンパイラ方式

プログラムを**実行する前に、プログラム全体を一度に翻訳する方式**です(**図11-4**)。翻訳に成功すると機械語のプログラムが作成され、プログラムの実行にはこれを使います。そのため、命令を1つずつ翻訳するインタープリタ方式よりも処理速度が速いのが特徴です。また、プログラムの書き方に誤りがあったときは機械語に翻訳できないため、この段階でプログラムの誤りに気づくこともできます。

翻訳作業は毎回必要なわけではありません。新しくプログラムを作成したときや、一度翻訳した後にプログラムを修正したときなど、プログラムに変化があったときに実行してください。

図11-4

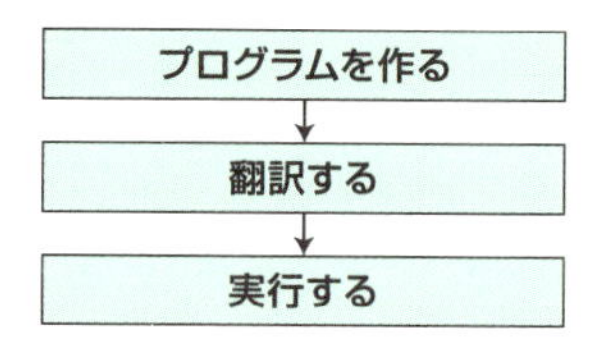

2 いろいろなプログラミング言語

プログラミング言語には本当にたくさんの種類があり、どれを選べばよいのか迷うのは当然です。ここでは、よく聞くプログラミング言語を用途別にまとめてみました。ただし、この分類は説明上のもので、その用途でしか使えないというものではありません。たとえばPythonは人工知能用に分類しましたが、Webアプリケーションの開発やプログラミングの学習用など、幅広く使われている言語です。

2.1 教育用

「コンピュータとはどういうものか」「プログラムとはどんなものか」など、学習に適したプログラミング言語です。もちろん、本格的なアプリケーションを作ることもできます。

◉ C言語（シーげんご）

もとはUNIXというOSを開発するために考えられた言語です。OSのように細かな仕事を行うプログラムの開発用だけあって、C言語はどんな処理でも作れるのが最大の魅力です。

プログラムは英単語によく似た命令を使って、英小文字で書くのが基本です（**図11-5**）。書き方の決まりも少なく、自由にプログラムを書くことができます。

プログラムの考え方は**手続き型**＊2が基本です。メインになるプログラムが存在し、まとまった処理は関数として独立させて、必要なときに呼び出して使います。

図11-5

```
#include <stdio.h>

int main(void)
{
    int dat1 = 10;
    int dat2 = 3;
    int ans;

    ans = calc_add(dat1, dat2);
    printf("足し算：%d", ans);
    return 0;
}

int calc_add(int a, int b)
{
    int answer;
    answer = a + b;
    return answer;
}
```


＊2　詳しくは、第10章の「**2.1　コンソールアプリケーション**」（253ページ）を参照してください。

C言語で作成したプログラムは、Windows用の翻訳プログラムを使えばWindows用の、またmacOS用の翻訳プログラムを使えばMac用の機械語に翻訳することができます。同じプログラムでも**翻訳プログラムを変えるだけで、違うOSで動作する**ため、再利用しやすいというのもC言語の魅力です。この後の「**2.4 組み込みシステム用**」(278ページ)で紹介するプログラムにも、よく利用されています。

ただし、使われる範囲が広いC言語には、多少の方言があります。日本語でも、地方によって、言葉が少し違いますね。これと同じことがC言語の世界でも起こっており、翻訳プログラムが変わると機械語にうまく翻訳できないという問題が発生するようになりました。この問題を解決するために、現在ではANSI(米国国家規格協会)によってC言語の標準化が行われています。この規格に従ってプログラムを作成すれば、OSやコンピュータが異なっても、ほぼ同じように動くことが保証されています。

◉ Visual Basic(ビジュアル ベーシック)

Microsoft社が開発したプログラミング言語で、略して「VB」と呼ばれることもあります。「フォーム」と呼ばれるウィンドウ上にテキストボックスやボタンなど、あらかじめ用意されている部品を貼り付けて画面を設計し、その部品の動作をプログラミングするのが基本的なスタイルです(**図11-6**)。

図11-6

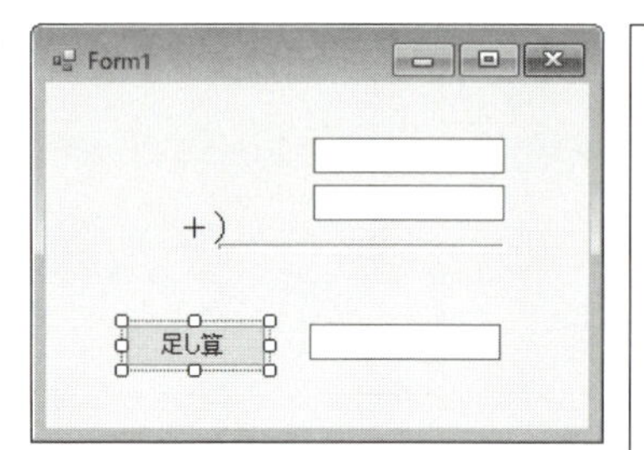


```
Public Class Form1
    Private Sub Button1_Click(sender As ...
        '変数の宣言
        Dim a As Single       '値1
        Dim b As Single       '値2
        Dim answer As Single '答え

        '変数に値を代入
        a = CSng(txtA.Text)
        b = CSng(txtB.Text)

        '足し算
        answer = a + b

        '答えを表示
        txtAnswer.Text = CStr(answer)
    End Sub
End Class
```

Visual Basicでは「ボタンをクリックしたときに実行するプログラム」「キー入力されたときに実行するプログラム」のように、発生したイベントごとに、実行するプログラムを作成します。ウィンドウを開いたり閉じたりする処理や、ウィンドウを移動したときの再描画に必要な処理などはVisual Basicが陰で行ってくれるため、自分の作りたい部分に集中してプログラムを作成することができます。

● Processing（プロセッシング）

プログラミングの学習を目的として開発された言語のため、プログラムを作るための準備*3がとても簡単です。たくさんのサンプルプログラムも提供されるので、それを眺(なが)めるだけでも学習に役立ちます。

また、Processingは図形を描画したり写真を加工したりするなど、**ビジュアルな表現がとても得意**なプログラミング言語です（**図11-7**）。投げたボールの軌跡や、物体の衝突などの物理シミュレーションや、3次元グラフィックスなど、ほかのプログラミング言語では難しい処理も簡単に作れることから、工学系の勉強をしている人には特にお勧めの言語です。

図11-7

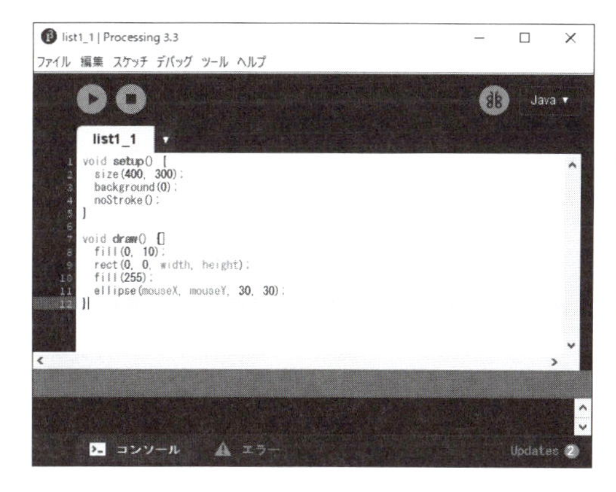

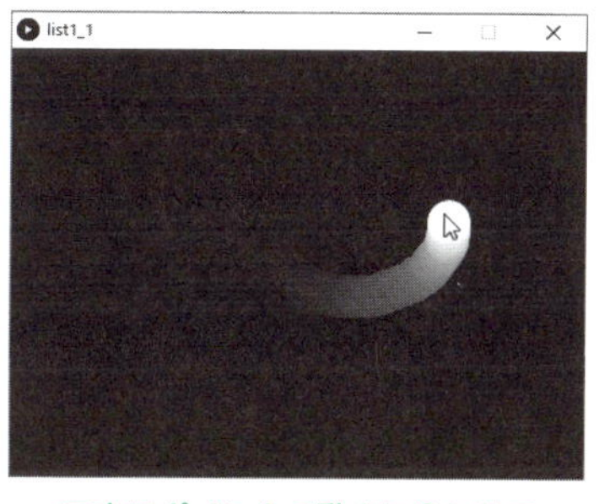

マウスポインタの動きに合わせて描画した軌跡がじわじわ消える

● Scratch（スクラッチ）

アメリカMITメディアラボがプログラミングの学習用に開発したプログラミング開発環境です。通常のプログラミング言語とは異なり、命令が書かれた

*3 「開発環境を整える」という言い方が一般的です。

第11章

ブロックを画面上で組み合わせてプログラムを作ります（**図11-8**）。また、ブロックをクリックするだけで実行できるため、作ったプログラムが動いた感動を繰り返し味わえる[*4]のも魅力です。

図11-8

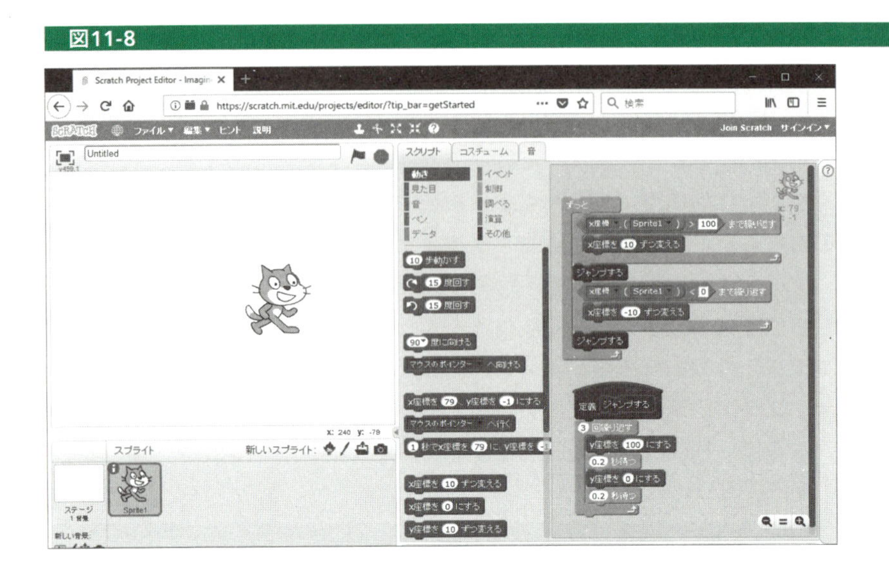

もとは子ども用に開発されたプログラミング開発環境ですが、大人がScratchを使って勉強しても、まったく問題ありません。Scratchのブロックは、条件判断や繰り返し構造はもちろん、変数や配列、関数など、プログラミングに最低限必要なことをすべて網羅しています。ほかのプログラミング言語のように英語によく似た命令語を覚える必要がないため、「プログラムの書き方」や「プログラムの考え方」をしっかり身につけられます。

2.2 一般アプリケーション用

自分用に楽しむプログラム、多くの人に使ってもらうプログラムなど、パソコンで動作する一般的なプログラムを作るときに利用する言語です。

*4　プログラミングの習得には、とても大切なことです。詳しくは、第1章の「**3.1　新しいことに興味はありますか?**」（28ページ）を参照してください。

C++（シープラスプラス）

名前が示すとおり基本的な特徴はC言語と同じですが、そこに**オブジェクト指向**[*5]の考え方をプラスした言語です。その分、C言語より難しくなるため、プログラミングの学習用にはお勧めしません。

しかし、オブジェクト指向を取り入れたことで、手続き型の考え方では難しかった大規模なプログラムを開発できるようになっています。たとえば、OSの核になる部分[*6]やデバイスドライバ[*7]、コンパイラやリンカ[*8]の開発などに利用されています。

C#（シーシャープ）

Microsoft社が開発したプログラミング言語で、C言語のように書きやすく、C++のようにオブジェクト指向を取り入れていて……。「え？　C#って、いったい何？」と思われるかもしれませんね。一言でいえば、それぞれのプログラミング言語の良いところを採用し、難しいところを改良した言語となるでしょうか。

たとえば、C#には誰もがつまずくといわれている「ポインタ」の概念がありません。また、C++ではプログラムが利用するメモリを管理するのもプログラムを作る人の仕事ですが、C#ではメモリの確保や解放に関する処理が自動化されています。そのおかげで、プログラマーは自分のしたい作業に専念できるようになっています。C#の良いところは、ほかにもまだまだたくさんあります。プログラムの学習用としても人気のある言語です。

Delphi（デルファイ）

DelphiはC++やC#のようなプログラミング言語そのものではなく、プログラムを開発するための環境（**統合開発環境**[*9]）の名前です。プログラミング言語には、教育用に開発されたPascal（パスカル）という言語の流れを汲んだObject Pascal（オブジェクト パスカル）を採用しています。ほかのプログラミング言語に比べると、Pascalはデータ型にとても厳しい言語です。

---

*5　詳しくは、第9章の「**2　モノを中心に部品を作る —— オブジェクト指向プログラミング**」（237ページ〜）を参照してください。

*6　これを**カーネル**といいます。

*7　プリンタやスキャナなど、パソコンに接続する周辺機器を制御するためのソフトウェアです。

*8　詳しくは、この章の「**3.3　コンパイラ**」と「**3.4　リンカ**」（287ページ〜）を参照してください。

*9　プログラミングに必要な道具をすべて揃えたプログラム開発環境です。「**IDE**」（*Integrated Development Environment*）と表記されることもあります。詳しくは、この後の「**3.4　リンカ**」のコラム「**統合開発環境を利用する**」（289ページ）を参照してください。

プログラムの作り方はVisual Basicと同じです。「フォーム」と呼ばれるウィンドウにテキストボックスやボタンなど、あらかじめ用意されている部品を貼り付けて画面を設計し、その部品の動作をプログラミングします。コンパイルの速度はとても速く、Visual Basicにはない機能も豊富に用意されているため、特にパソコン用のプログラムの開発では人気のある言語です。

2.3 モバイルアプリ用

モバイル(*mobile*)の意味は「可動式の」です。スマートフォンやタブレットなど、自由に持ち運びのできるコンピュータを総称して「モバイル端末」のように呼ぶこともあります。ここでは2つの言語を紹介しますが、どちらもモバイルアプリ専用というわけではありません。パソコン用のアプリケーション開発にも広く利用されています。

◉ Java (ジャバ)

Oracle (Sun Microsystems) 社から提供されているプログラミング言語で、Android OSを搭載したスマートフォンやタブレット用のアプリケーション開発に使います。統合開発環境には、Google社が用意したAndroid Studioが利用できます。

プログラムの書き方は、C言語やC++、C#によく似ています。オブジェクト指向のプログラミングができて、不要になったメモリを自動的に解放する機能もあります。

今回はAndroid用アプリの開発言語として分類しましたが、Javaは**Javaが動く環境**[*10]**さえ整っていれば、OSや機器が異なってもプログラムが動作する**のが最大の魅力です。もう少し具体的に説明すると、Javaで作ったプログラムは、Androidを搭載したスマートフォンだけでなく、WindowsやmacOSを搭載したパソコン、Microsoft EdgeやSafariなどのブラウザでも実行できるということです。いまの段階ではピンとこないかもしれませんが、OSや機器を選ばずに実行できる[*11]というのは、すごいことなのです。

＊10 これを**Java仮想マシン**といいます。

＊11 これを**マルチプラットフォーム**といいます。コンピュータの世界で「プラットフォーム」とは、コンピュータが動作する環境を表しています。

Java仮想マシンの役割　Column

この章の「**1.2　高水準言語**」(268ページ)で、人間の言葉に近いプログラミング言語はコンピュータが理解できないので、機械語に翻訳する必要があるという話をしました。しかし、機械語はすべてのコンピュータの共通言語ではありません*12。Windowsパソコンで動くプログラムがMacで動かないのは、そのせいです(**図11-9**左)。では、なぜ、Javaで作ったプログラムはOSや機器を選ばずに実行できるのでしょう？――それは、**Java仮想マシン**(JVM；*Java Virtual Machine*)のおかげです。「仮想マシン」というと何か特別な装置のように思いますが、これもひとつのプログラムで、OSごとに用意されています。

図11-9

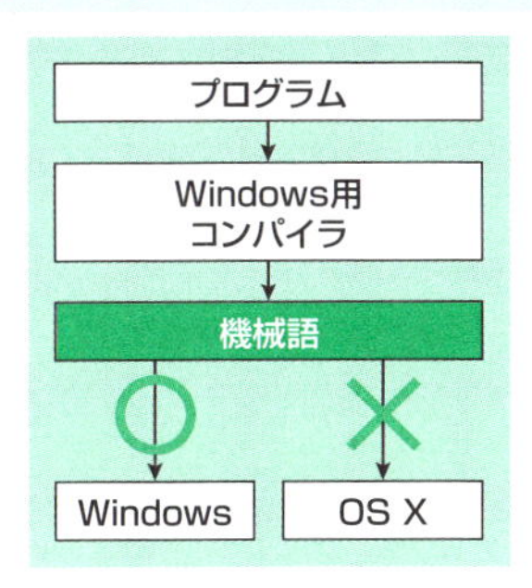

Windows用に翻訳したプログラムはMacでは動作しない

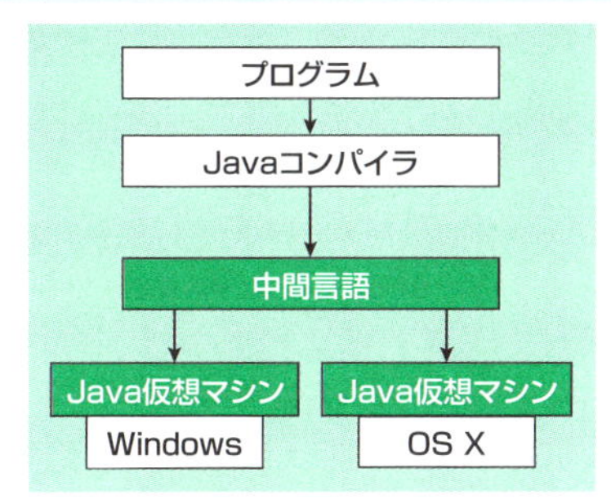

OSの差分をJava仮想マシンが吸収してくれるのでどのOSでも同じように動作する

Javaで作ったプログラムは、機械語の一歩手前の状態*13に翻訳されます。これをOS固有の機械語に翻訳しながら実行するのが、Java仮想マシンです(**図11-9**右)。途中まで翻訳したプログラムを再び翻訳しながら実行するなんて、手間が増えただけのように見えますが、実際にはOSによる違いをJava仮想マシンが吸収してくれるので、私たちは難しいことを気にすることなくプログラムを作ることができます。

*12 詳しくは、第2章の「**3.3　プログラミング言語の生い立ち**」(56ページ)を参照してください。
*13 これを**中間言語**または**中間バイトコード**といいます。

◉ Swift（スイフト）

Apple社が開発したプログラミング言語で、iOSを搭載したスマートフォンやタブレット用のアプリケーション開発に使います。もちろん、Swiftを使ってMacパソコン用のアプリケーションを開発することもできます。Apple社の製品に関わるアプリケーション開発には必須の言語です。

Swiftは、Objective-Cというプログラミング言語の後継版に当たります。Objective-Cという名前からもわかるように、プログラムの書き方はC言語によく似ていて、オブジェクト指向の概念も取り入れています。

プログラムの開発にはApple社が用意したXcodeを利用しますが、これはmacOS専用の統合開発環境です。つまり、iOS用のアプリを開発するには、macOSを搭載したパソコン（Mac）が必要です。

2.4 組み込みシステム用

第1章の「**2.2　いろいろな種類のコンピュータ**」（23ページ）で、家電製品には決められた仕事をするプログラムが組み込まれているという話をしました。これらのプログラムは、機械語に近いアセンブリ言語で書かれています。

◉ アセンブリ言語（アセンブラ）

外出先からテレビ番組の録画を予約したり、帰宅時間に合わせてエアコンを入れたり……。パソコンやスマートフォンだけでなく、エアコンやテレビ、照明器具、自動車……あらゆる「モノ」がインターネットにつながって、相互に情報をやりとりしています。もちろん、インターネットにつながるにはプログラムが必要ですが、家電製品はパソコンやスマートフォンのように、たくさんのメモリを使えるわけではありません。できるだけ小さなプログラムで効率よく動作するには、機械語に近いほうが有利です。

ただし、この章の「**1.1　低水準言語**」（268ページ）でも紹介したように、アセンブリ言語は機械語の命令に一対一で対応しているため、作成したプログラムがすべてのコンピュータで動くわけではありません。必ずプログラムを組み込むハードウェアに対応したアセンブリ言語を選択してください。学習用として人気があるのは**CASL Ⅱ**[*14]というアセンブリ言語です（**図11-10**）。

*14 COMET Ⅱという架空のコンピュータに対応したアセンブリ言語です。

図11-10

```
CALC START
     LD   GR0, DAT1
     ADDA GR0, DAT2
     ST   GR0, ANS
     RET
DAT1 DC   3
DAT2 DC   5
ANS  DS   1
     END
```

2.5 Webページ作成用

ブラウザ上に表示するドキュメントの内容を定義するための言語は、**マークアップ言語**と呼ばれています。「マークアップ」(*markup*)とは、印を付けること——つまり、**文字の体裁や印刷に関わる付加情報**という意味です。

◉ HTML(エイチティーエムエル)

*Hyper Text Markup Language*の頭文字をとってHTML。ハイパーテキストを日本語に直すと「文書を超えた文書」となるでしょうか。複数に分かれた文書を関連づけて、必要なときに特定の箇所を参照できるような仕組みを持たせた文書がハイパーテキストです。文書の中に貼り付けた画像や特定の文字列をクリックしたときに、対象箇所にジャンプするようになっています。

HTMLの命令には必ず開始と終了があり、それぞれを「**< >**」で囲む決まりになっています(次ページの**図11-11**)。これらは**タグ**と呼ばれる文字列で、「ここは見出しだよ」や「ここにジャンプするぞ」のように、表示するドキュメントの構成や役割を示した情報です。コンピュータは、これらのタグを解釈することでドキュメントの構造を理解し、体裁を整えてブラウザ上に表示しています。

効率よくHTMLを編集するためのソフトウェアも多数ありますが、HTMLは単純なテキストファイルです。Windowsの「メモ帳」でも編集できます。

図11-11

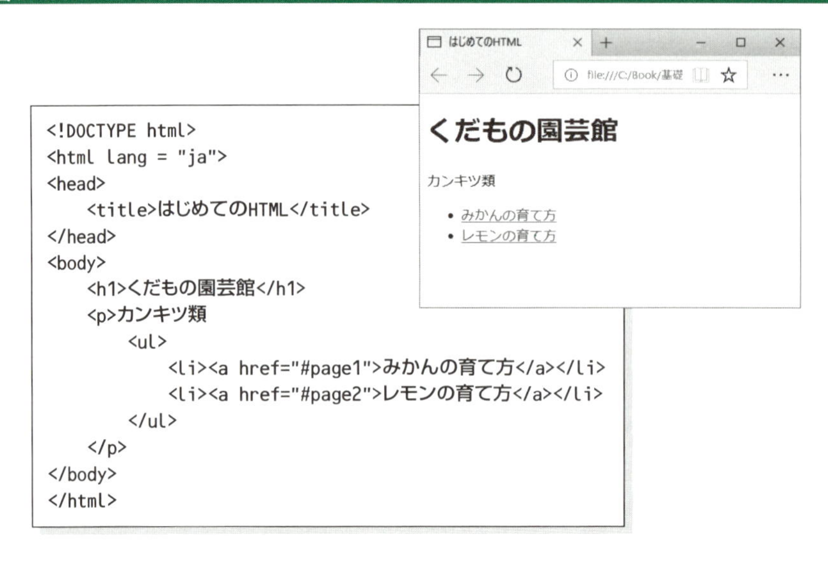

CSS（シーエスエス）

HTMLには、文字色や背景色など、文書の見ばえを定義するための命令も用意されています。それを使えば手軽に見ばえの良い文書を作成できるのですが、ブラウザに表示する内容と見ばえを整えるための情報が1つの文書中に混在すると、構造がわかりにくくなるという問題も抱えています。

これを解決する目的で考えられたのが**スタイルシート**です。スタイルシートは、文書の見ばえ（スタイル）を定義した一覧表（シート）のようなもので、HTMLから呼び出して利用します（**図11-12**）。このスタイルシートを作成するための言語が、CSS（*Cascading Style Sheets*）です。

図11-12

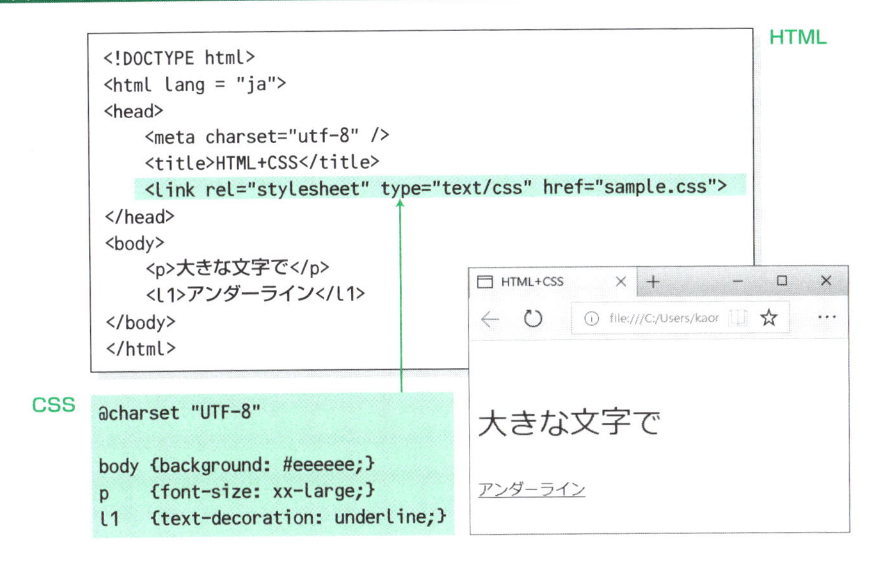

2.6 Webアプリケーション用

ブラウザに表示されるドキュメントはHTMLで定義されていますが、HTMLだけでは動的なWebページを作成できません。アクセスカウンタを表示したり、掲示板やショッピングサイトのようにユーザーの入力に応じてWebページの内容を逐次更新したりするには、クライアント側またはサーバー側でプログラムを実行する必要があります。

Webのプログラムを作成する言語には、**スクリプト言語**と呼ばれる簡易言語から、本格的なプログラミング言語まで、たくさんの種類があります。ここでは、よく耳にするスクリプト言語をいくつか紹介します。

◉ JavaScript（ジャバスクリプト）

第10章の「**3.3　クライアント側でプログラムを動かす**」のコラム「**Ajax**」（262ページ）を覚えていますか？　Webページ全体を更新するのではなく、更新に必要な情報をサーバーに要求して、サーバーが返した結果をもとにページの一部を更新する――この仕事をしているのがJavaScriptです。クライアントサイドで動かすプログラムの開発用というイメージが強いのですが、サーバーサイドで動くプログラムを作ることもできます。

JavaScriptの最大の魅力は、Windowsの「メモ帳」のようなテキストを編集できるエディタと、Microsoft EdgeやSafariのようなブラウザがあれば、すぐにプログラムを作って実行できるという手軽さです。プログラムを開発するために特別な環境を整える必要がないので、「いますぐにプログラミングを勉強したい」という人にもお勧めの言語です。

PHP（ピーエイチピー）

Webアプリケーションの開発に特化したスクリプト言語です。プログラムの書き方はC言語のようにシンプルで馴染みやすく、データベースとの連携にも優れているため、とても人気のある言語です。

PHPのプログラムはJavaScriptと同じようにHTMLに埋め込むこともできますが、作ったプログラムはサーバー側で動作します。学習のためにPHPを使用する場合は、自分のパソコンにサーバーをインストールして、プログラムを実行できる環境を整える必要があります。

Perl（パール）

文字列やテキストファイルの処理が得意なスクリプト言語です。アクセスカウンタや掲示板、チャットなど、幅広い場面で使われています。

1980年代後半に開発されて以降、Perl自体もバージョンアップを繰り返していますが、特徴はバージョンが変わってもプログラムが動く*15という点です。過去の資源も有効に利用できます。

Ruby（ルビー）

まつもとゆきひろ氏によって開発されたスクリプト言語です。Perlと同様に、文字列やテキストファイルの処理に優れています。書き方もシンプルで、わかりやすいプログラムを書くことができます。2011年にはJIS規格にも制定され、多くの人に利用されています。

*15 「**後方互換性がある**」と表現することもあります。

2.7 人工知能用

将棋の世界ではプロ棋士がコンピュータを相手に腕を磨き、医学の分野では人工知能が病名を突き止める――。ちょっと先の未来の話だと思っていた人工知能（AI；*Artificial Intelligence*）も、いまはとても身近な存在です。かつては大型コンピュータのイメージが強かったのですが、パソコンでもプログラミングできるようになりました。

◉ Python（パイソン）

Google社（特にYouTube）など、大きな企業が採用しているプログラミング言語で、大規模なWebアプリケーションの開発にも利用されています。プログラムの書き方には厳しいルールがありますが、そのおかげで、誰が書いても同じようなプログラムになるため理解しやすく、プログラミングの学習用にも人気があります。

今回、人工知能用として分類した理由は、Pythonには**数値計算やデータ分析、画像処理、機械学習**[*16]用など、**便利なプログラム**[*17]**がたくさん用意されている**からです。もう少し具体的に説明すると、カラー写真をモノクロに変換するときに、自分でプログラミングするのではなく、用意された命令（関数）を呼び出すだけで実現できるということです。データ分析や機械学習など、いろいろな場面で利用できる命令が豊富に用意されているので、短いプログラムで自分のやりたいことが実現できるという点が、Pythonの最大の魅力です。

◉ R言語（アールげんご）

本来は統計用のデータ解析のために開発されたプログラミング言語です。そのため、一般的なアプリケーションの開発はできませんが、C言語やC++、Javaなど、ほかの言語と組み合わせて利用できます。

統計と人工知能――実は、とても深い関係があります。**ビッグデータ**という言葉を聞いたことはありませんか？　インターネットの世界には、形式も内容も異なる、さまざまなデータが大量にあふれています。これを解析することで、売

第11章

＊16 たくさんのデータと人間が与えた特徴量を使ってコンピュータが繰り返し学習することで問題を解決する技術です。

＊17 これを**ライブラリ**といいます。

れ筋商品を見極めたり、渋滞を予測したり…… いろいろなことに利用できそうですね。R言語には、これらの解析に利用できるライブラリが豊富に用意されています。ただし、統計解析を目的とした言語のため、R言語の利用には統計の知識が必須です。

2.8 その他

プログラミング言語には、まだまだ紹介しきれないほどたくさんの種類があります。最後に、科学技術計算用、事務処理用、データベース用の言語を紹介しましょう。

◉ FORTRAN（フォートラン）

FORmula TRANslation（または*FORmula TRANsfer*）がその語源だとされるFORTRANは、数値計算が得意なプログラミング言語です。SINやCOSなどの三角関数や、LOGやEXPなどの対数関数が、命令としてそのまま使えるようになっています。また、小数点以下の桁数を指定できるため、精度の高い計算処理を行うことができます。

◉ COBOL（コボル）

*COmmon Business Oriented Language*の略で、主に事務処理や金融系のプログラムを作るときに使います。いろいろな形式のファイルからデータを読み込んだり、ファイルにデータを出力したりする機能があり、大量のデータを扱うことが得意です。事務処理用のプログラミング言語ということで、レポートを作成する機能や、数値データを「¥1,000」のように通貨の書式で出力する機能も備えています。また、計算時に小数点誤差を含まない工夫がされているのも、金融系で利用される理由のひとつです。

◉ SQL（エスキューエル／シークェル）

リレーショナル・データベースに問い合わせ（データの抽出や更新）を行うための言語で、データベースを使ったアプリケーションを開発する人には必須の言語です。SQLを単独で使用することはほとんどなく、通常はC++やC#、Javaなど、他の言語で作成したプログラムの中に組み込む形で利用します。

3 Cプログラミングに必要な道具

プログラミング言語をどれにするかで、プログラムを作るために必要な道具が異なります。たとえば、Windowsアプリケーションを作成するためにVisual BasicやC#を選んだ場合は、Microsoft社が提供する統合開発環境が利用できます。またDelphiを選んだ場合も、統合開発環境の中に、プログラム開発に必要な道具がすべて揃っています。新たに何かを用意する必要はありません。

しかし、これらの製品がなくても、プログラム開発は可能です。ここでは、プログラミング言語の中でも特に人気のあるC言語のプログラミングに必要な道具を紹介します。

3.1 プログラムの開発手順

図11-13は、C言語でプログラムを作成し、実行するまでの流れを表したものです。まずは、開発工程で使われる言葉を確認しましょう。

図11-13

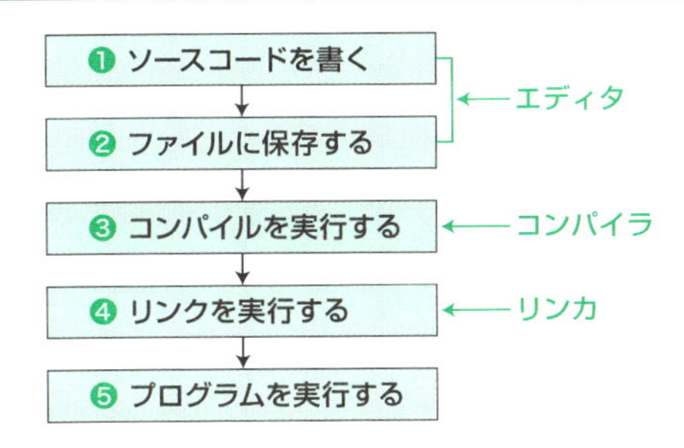

❶ ソースコードを書く

プログラミング言語で書いたプログラムを**ソースコード**（*source code*）と呼びます。ソースコードの作成には**エディタ**を利用します。

❷ ファイルに保存

作成したプログラムをファイルに保存したものを**ソースファイル**（*source file*）

と呼びます。エディタの機能を使って保存します。

❸ コンパイルを実行

プログラミング言語から機械語に翻訳することを**コンパイル**と呼びます。この作業には**コンパイラ**を使います。

❹ リンクを実行

機械語に翻訳されたプログラムを1つにまとめて実行形式のファイルを作成する作業を**リンク**と呼びます。この作業には**リンカ**を使います。

❺ プログラムを実行

実行形式ファイルが作成できたら、いよいよプログラムの実行です。もしもプログラムが動かなかったり、期待したように動作しなかったりした場合は、❶に戻ってプログラムを修正してください。その後に「**保存 ➡ コンパイル ➡ リンク**」の順番に作業を行って実行形式ファイルを作成し、修正したプログラムを実行してください。

ソースの意味 Column

ソースコード、ソースファイル、ソースリスト……。プログラムの世界では、**ソース**(*source*;源)という言葉をよく利用します。プログラムは、実行形式ファイルになるまでに、次々と形を変えていきます。「その源になるもの」という意味で、プログラミング言語で書いたプログラムに「ソース」という言葉が使われるようです。

3.2 エディタ

エディタはプログラムを書くときに使う道具です。テキスト形式のファイルを作成することができれば、何を利用してもかまいません。たとえば、Windowsであれば「メモ帳」を利用することができます。

もちろん「ワードパッド」やMicrosoft Wordなどのワープロソフトも利用でき

ます。ただし、これらはファイルに保存するときに文字の大きさや書式など、文書を修飾するための情報を同時に記録します。プログラムを書くときにワープロソフトを利用する場合は、これらの余分な情報が入らないように、**テキスト形式で保存する**ことを忘れないでください。

3.3 コンパイラ

コンパイラは、プログラミング言語で作成したプログラムを機械語に翻訳するための道具です。**コンパイル**＊18を実行すると**オブジェクトファイル**という中間ファイル＊19が作成されます（**図11-14**）。

図11-14

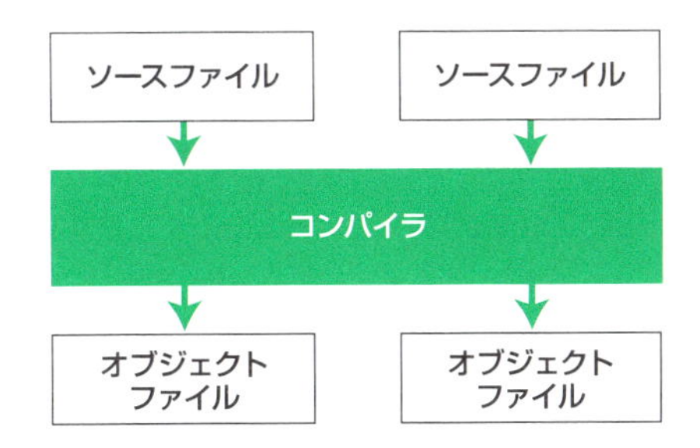

コンパイラは製品の名前ではなく、翻訳プログラムの総称です。C言語用のコンパイラもあれば、Java用のコンパイラもあります。通常は、これらのプログラミング言語の名前を頭に付けて、「Cコンパイラ」や「Javaコンパイラ」のように呼びます。

これらのコンパイラは、インターネットからダウンロードして入手することができます。たとえば、C言語のコンパイラには、次のようなものがあります。

- **GNU Cコンパイラ**
- **Visual C++コンパイラ**
- **Free C++コンパイラ**

＊18 **コンパイル**は、コンパイラを使ってソースファイルを機械語に翻訳する作業です。
＊19 ソースファイルから実行形式ファイルができるまでの間に作成されるファイルです。

ただし、一部のコンパイラは、使用目的を個人利用に限定しています。その場合、商用目的では利用できないので、注意してください。他者に販売するアプリケーションを作る場合は、別途ライセンス契約が必要です。コンパイラをダウンロードする前に、利用規約をしっかり確認してください。

3.4 リンカ

コンパイルを実行すると、機械語に翻訳されたオブジェクトファイルが作成されます。ソースコードを複数のファイルに分けて作成した場合は、その数だけオブジェクトファイルが出来上がります。また、プログラミング言語に用意されている命令（標準関数）は、**ライブラリファイル**[*20]という形で、プログラミング言語とともに提供されています。しかし、必要なものがすべて機械語になっていても、ファイルがバラバラな状態ではプログラムを実行できません。そこで、これらのファイルをまとめて、最終的に1つの実行形式ファイルを作成する作業が必要になります。この作業が**リンク**で、リンクを行うためのプログラムが**リンカ**です（**図11-15**）。リンクに成功して初めて、コンピュータで実行できる形式のファイルが生成されます。

図11-15

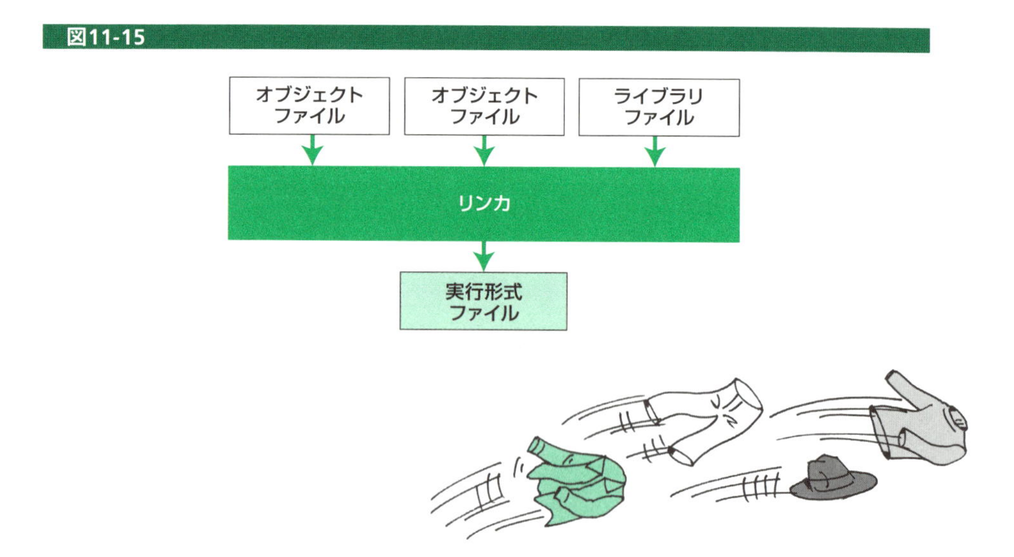

*20 ライブラリファイルには、プログラミング言語に用意されている標準関数を機械語に翻訳したものが記録されています。

統合開発環境を利用する

Column

ここでは、C言語でのプログラミングに必要な道具を、ひと通り説明しました。しかし、プログラミング言語の多くは、エディタとコンパイラ、リンカ、そしてデバッグ用の道具（デバッガ）なども含めた統合開発環境を用意しています。これを利用すれば、プログラミングに必要な道具を個別に準備する必要はありません。たとえば、**図11-16**は、Microsoft社が提供する統合開発環境です。

統合開発環境を利用すると、エディタでプログラムを作成した後、コンパイルとリンクが一連の作業で行われます。この作業を**ビルド**と呼びます。

図11-16

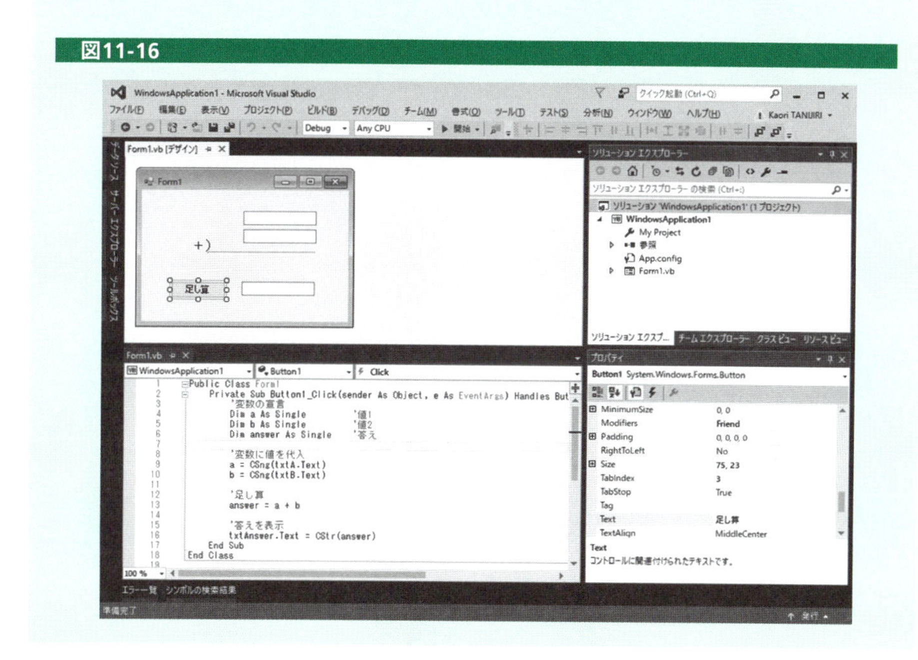

第12章 一歩前へ踏み出そう

プログラミングとはどういうものか、何をすればいいのか――なんとなくイメージできたでしょうか。あとは、一歩前へ踏み出して、実践あるのみです。小さなプログラムをたくさん作って、いろいろなことを経験してください。経験したことは、必ずあなたの力となって残ります。

プログラマーへの道を進む途中、いろいろなことで迷ったり悩んだりするかもしれません。そんなときは、ここに戻ってきてください。モヤモヤから抜け出すヒントが見つけられるかもしれませんよ。

1 プログラムが思いどおりに動かないとき

プログラムに潜(ひそ)む間違いを**バグ**（*bug*；害虫）と呼びます。最初からバグが1つもないプログラムを作ることができればよいのですが、そんなことは絶対にありません。プログラムがひと通り完成したら、あとはひたすらバグを退治しましょう。

1.1 エラーの種類

プログラムに間違いがあると、コンピュータは**エラー（*error*；間違い）が発生した**という状態になり、正しく動作してくれません。エラーは、発生する場面に応じて、次の3種類に分けることができます。

◉ コンパイルエラー

プログラムの書き方が間違っているときに発生するエラーです。プログラミング言語から機械語に翻訳するときに発生します。

たとえば「1＋1の答えをanswerに代入する」つもりで、

1＋1＝answer

というようにプログラムを書くと、ここでコンパイルエラーが発生します*1。また、

amswer＝1＋1

のように書いた場合も、コンパイルエラーが発生します*2。

プログラムの書き方が明らかに間違っていて機械語に翻訳できないときは、コンパイルの段階でエラーが発生します。コンパイラによっては、エラーの箇所を教えてくれるものもあります。その場合は、コンパイラが教えてくれたメッセージをよく読みましょう。これらは見つけやすく、修正しやすいエラーです。

◉ リンクエラー

コンパイルに成功した後、コンパイラが自動生成したオブジェクトファイルと、プログラミング言語から提供されているライブラリファイルを1つにまとめて、実行形式ファイルを作成するときに発生するエラーです。必要なファイルが不足しているときに発生します。

これもプログラムを実行する前に発見できるエラーです。ほとんどのプログラム処理系*3が足りないファイルを教えてくれます。メッセージをしっかり読んで、足りないファイルを補いましょう。

◉ 実行時エラー

コンパイル／リンクに成功した後、ワクワクしてプログラムを実行したときに初めて見つかるエラーです。実行時エラーには、いろいろなタイプがあります。たとえば、画面に表示されるべきものが表示されない、表示される位置がおかしい…… などは、比較的キズの浅い間違いです。条件分岐で「はい」という指示を

＊1　間違いの理由がわからない人は、第4章の「**4　箱を満たす —— 代入／代入演算子**」（106ページ）を参照してください。

＊2　スペルの間違いに気がつきましたか?

＊3　コンパイラおよびリンカを含んだプログラム開発環境を指します。

与えたときに「いいえ」のときの処理を実行していることもあります。これも修正しやすい間違いです。ひどいものになると、プログラムを実行した途端にコンピュータが暴走するということもあります。これは致命傷です。

実行時エラーは、プログラムの書き方には何の問題もないときに発生します。そのため、見つけにくくて修正しにくい、いちばん厄介なバグです。

ワーニング　Column

プログラム処理系の中には、コンパイル時にエラーだけでなく**ワーニング**（*warning*；警告）を出してくれるものもあります。ワーニングは、

間違いではないけれども、命令の書き方が適切ではない

ときに発生します。たとえば、変数を宣言したにもかかわらず、その変数を一度も利用していない場合は、エラーではなくワーニングが発生します。

ワーニングが発生しても実行形式ファイルは作成されて、プログラムも実行できます。しかし、プログラムにはエラーもワーニングもないほうがよいのです。もしもワーニングが発生したときは、できるかぎり、その部分を修正してください。

1.2 バグの見つけ方——日本語のプログラムを利用する

コンピュータが**暴走**した場合は、そのプログラムのどこかに必ずバグが潜んでいます。たとえば、繰り返し処理を終了するための条件が間違っている場合は、**無限ループ**となってコンピュータが暴走します。また、0で割り算したときにも、コンピュータは暴走します。まずは、エラーになりそうな箇所に気をつけて、プログラムを丁寧に見直してください。

「プログラムは動いているけれど、どうも結果がおかしい」という場合は、とにかくプログラムを実行することです。しかし、何も考えずに実行したのでは効率が悪いだけでなく、バグも発見できません。このときに役立つのが、**日本語の**

プログラム[*4]です。

日本語のプログラムには、必ず「何をしたら、どうなる」という記述があります。たとえば「テストの点数で成績をつける」という処理のシナリオが、

1 もしもテストの点数が81～100点ならば、
2 　　Aランクにする
3 もしもテストの点数が61～80点ならば、
4 　　Bランクにする
5 もしもテストの点数が41～60点ならば、
6 　　Cランクにする
7 もしもテストの点数が0～40点ならば、
8 　　Dランクにする
9 通信簿に記入する

であれば、いろいろな点数を入力してプログラムを実行してみるとよいでしょう。この例のように値の範囲を利用して条件判断を行っている場合は、値の境界や想定外の値も入力すべきです。たとえば「80」を入力したときに「Aランク」という結果になった場合は、条件式の書き方が間違っています。また「－50」を入力したときの結果を見れば、想定外の値が入力されたときの処理が必要かどうかもわかります。

プログラムはプログラミング言語で書かれています。そのため、プログラムをじっと見つめていても、なかなか間違いに気づきません。デバッグに日本語のプログラムを利用するのは、プログラムを少し離れた場所から見るためです。視点を変えるだけで、意外と簡単にバグは見つかるものです。

1.3 バグの見つけ方 ―― スピーカーやモニターを利用する

「プログラムは動いているけれど、どうも結果がおかしい」という場合は、**処理の区切りごとにコンピュータの音源を鳴らしてみる**のも有効です。本

*4 「日本語のプログラム」については「**第3章　日本語でプログラミング**」（60ページ～）を参照してください。

当はここで音が鳴るはずなのに鳴らない、または鳴るはずのない場所で音が鳴った場合は、命令を実行する順番がおかしいということです。「音を鳴らす」という命令を書いた付近を中心に、関数の呼び出し順や値の受け渡し方法に間違いはないかを確認してください。

また、**処理の区切りごとに変数の内容を画面に出力する**[*5]のも効果的です。プログラムを実行している途中で正常な値から突然おかしな値に変わった場合は、その直前の命令が間違っています。

プログラムをじっと見つめているだけでは、**デバッグ**（*debug*；害虫駆除）作業は、いつまでたっても終わりません。コンピュータの音源を鳴らす、画面に変数の値を表示してみる…… のように、コンピュータの動きを音や画面上に表すと、意外と簡単にバグが潜んでいる箇所を見つけられます。

ただし、この方法でデバッグした場合は、プログラムが正しく動くことを確認した後、忘れずにその命令を取り除いてください。取り除くことを忘れた命令は、それ自体がバグになる可能性があります。

1.4 エラートラップ

実行時エラーをすべて直したつもりでも、本当にすべてのバグを退治したとは言い切れません。思わぬところでエラーが発生する可能性は、ごくわずかですが残されています。

たとえば、コンピュータが何か処理をしている途中で、停電になったとしましょう。コンピュータの作業が事務処理であればデータが失われる程度の損害で済みますが、遊園地のジェットコースターを動かしているときはどうなるでしょう？停電によってジェットコースターが急停止するかもしれませんし、もしかしたら、そのまま走り続けるかもしれません。どちらにしろ大事故につながりかねない、大変な事態です。

プログラミング言語の中には、この**予期せぬエラーに対応する命令**が用意されているものがあります。この場合は、

もしも何らかのエラーが発生したら、この命令を実行しなさい

＊5 この作業を**デバッグプリント**といいます。

と書いておくと、コンピュータが暴走するのを防ぐことができます。エラーが発生したときに実行する命令として、

もしも停電になったら、ジェットコースターをゆっくり停止させなさい

というように書かれていたら、大事故を防げるかもしれません。

このように、エラーが発生しそうなところにエラー処理用の対策をしておくことを**エラートラップ**と呼びます。トラップ（*trap*）とは「罠」のことです。つまり、エラートラップとは、**エラーが起こりそうなところに罠を仕掛けておいて、エラーが発生した場合はその対策を実行する**という意味です。

2 プログラマーの心得 五箇条

何を基準に「優秀なプログラマー」と呼ぶのか、実は私にはよくわかりません。でも、ここに挙げた5つの項目を忘れずにいるプログラマーは「とても優秀なプログラマー」と呼ぶにふさわしいのではないでしょうか。

2.1 「どうして?」を口癖にしよう

プログラムが書けるようになりたいのであれば、つねに「どうして？」を頭の隅に置いておきましょう。

どうして動くの？
どうしてそうなるの？

物を見るときに「どうして？」と考える癖をつけてください。これはコンピュータの動作に限りません。普段の生活の中で、たとえば「ガステーブルのつまみをひねったら、どうして炎が出るのか」「テレビのリモコンを操作すると、どうしてチャンネルが変わるのか」などでもよいのです。

「どうして？」と思ったら、次は、それを実現する方法を考えてみましょう。ガステーブルが点火する仕組みを詳しく箇条書きにできれば、それでプログラムの完成です。

物が動く仕組みを考えること

これがプログラミングの第一歩です。

「どうして？」を頭の隅に置いておくと、物を注意深く見る癖も身につきます。もしかしたら、普段何気なく見ている物の中にも、プログラムのヒントになるようなものが隠されているかもしれません。だからといって、無理にコンピュータやプログラムと結び付けて考える必要はありません。むしろ、無理に結び付けている間は、何も見つからないかもしれません。そういうヒントは、無意識に「どうして？」が考えられるようになった頃に見つかるものです。たとえば、お気に入りの芸能人の名前。新聞のテレビ欄から簡単に見つけられたりしませんか？人間はとても優秀で、日頃から気にしているものに対しては、無意識のうちにセンサーが働くようにできています。そういうセンサーをフル活用できるようになるためにも、最初のうちは意識して「どうして？」を考えるようにしましょう。

2.2 紙と鉛筆を持ち歩こう

プログラミングが上達するための近道があるとすれば、それは、

「できた！」という達成感をきちんと味わうこと

です。そのためには「ここまで作ろう」という目標がはっきりしていなければなりません。目標が曖昧(あいまい)な状態で作り始めたプログラムは、どこまで作っても終わりがありません。いつまでたっても達成感や満足感を味わうことができないため、プログラムを作る情熱も次第に薄れてきます。そんな状態では、どれだけ時間をかけても、きちんとしたプログラムを書けるようにはなりません。

作りたいものが漠然としているときは、作りたいと感じたことを箇条書きにしてみましょう。不思議なもので、頭の中でぐるぐる考えているよりも、**紙に書き出したほうが自分の考えをまとめることができます**。「書く」という作業をしているときに、新しいアイディアが浮かぶかもしれません。

「考えていることを箇条書きにするのなら、ワープロでもいいじゃない？」と思うかもしれませんが、これはあまりお勧めできません。なぜなら、ワープロではカーソルの位置にしか文字を入力できないからです。いつの間にか「思いつい

たことを箇条書きする」という目的を忘れて、きれいな文書を作るほうに意識がいってしまったらどうなるでしょう？　文字の位置を揃えたり、言葉を選んだり……。そういう本質とは関係のないところに気を取られているうちに、頭に浮かんだアイディアを見失ったら大変です。その点、紙であれば好きなところに書くことができます。思いついたまま書きなぐってもかまいません。言葉が浮かばなければ、図や矢印でもよいのです。

人間の思考は、驚くほど速い速度で回転しています。どんなにキー入力が速くても、なかなか思考の速度に追いつくことはできません。それよりも、紙と鉛筆のほうが、はるかに便利です。コンピュータの前に座って作業するだけが、プログラミングではありません。紙と鉛筆を持って、考えることから始めましょう。

2.3 ポイントをはっきりさせよう

「良いプログラム」とは、**ユーザーが望んだ結果をきちんと返してくれるプログラム**です。どんなにおいしいレストランでも、ハヤシライスを注文したのに甘口のカレーが出てきたらガッカリするでしょう？　プログラムも同じです。どんなに完璧なプログラムでも、どんなに処理速度が速くても、ユーザーが望んでいない結果を返したのでは意味がありません。

「人が望んでいないものなんて、作るわけないじゃない」と思うかもしれませんが、プログラミングの経験を積んでくると、そのようなプログラムを作る傾向が出てきます。なぜなら、

あんなこともできる！　こんなこともできる！

と欲張ってしまうからです。はじめのうちは謙虚に目標を低い位置に設定していたのにもかかわらず、プログラムがだいぶわかってくると「自分はこんなこともできる」「自分はこんなことも知っている」と、自分の力を誰かに見せたくなってくるのです。もちろん、これは悪いことではありません。

しかし、その「誰かに見せたい機能」が本当に必要なものかどうか、よく考えてください。もしかしたら、最初に作ろうとしていたプログラムには不要なものかもしれません。不要なものは、たとえそれがどんなに素晴らしいものであっても、やっぱり必要のないものなのです。ユーザーの立場から見れば、逆に迷惑なものかもしれません。

いろいろなことができるプログラム。でも、よくよく見ると、使っている機能はごく一部……。という経験、ありませんか？「良いプログラム」とは、何でもできるプログラムではありません。

本当に必要なことが、間違いなく実行できるプログラム

これが良いプログラムであることを忘れないでください。

2.4 プログラムの先にいる人の顔を思い浮かべよう

自分だけが使うプログラムを作っている場合は関係ありませんが、他の人が使うプログラムを作るときは、使う人の顔を思い浮かべながら作業しましょう。料理も同じです。食べてくれる人の顔を想像しながら作ると気合いも入るし、おいしいものを作ろうと努力もするはずです。

友だちに頼まれてプログラムを作るときは、その友だちの顔を思い浮かべましょう。もしも不特定多数の人が使うものを作るときは、小学生が使うのか、大人が使うのか、コンピュータに詳しい人が使うのか、そうでない人が使うのか……。この程度のことをイメージするだけでかまいません。子どもの顔を思い浮かべるのか、大人の顔を思い浮かべるのかで、プログラムの作り方が変わるはずです。たとえば、画面のデザインであれば「子どもは漢字を読めないし、難しい言葉もわからないから、できるだけアイコンを使おう」と思いつくでしょうし、表示するメッセージも「子どもに優しく語りかけるようにしよう」と考えるでしょう。もしも使う人の顔を何も考えずに作ったら、子ども向けであるにもかかわらず、操作手順が複雑で、漢字だらけの難しいメッセージを表示するプログラムが出来上がるかもしれません。

使う人が決まっていて、その人の顔も思い浮かべられる場合は、料理を作るときと同じです。

こんなことができたら、きっと驚くだろうな
この手順を簡単にしてあげたら、きっと喜ぶだろうな

そう考えるだけで、不思議なことに、良いプログラムが出来上がるものです。ぜひ、使う人の顔を思い浮かべながらプログラムを作成してください。

2.5 人の意見に耳を傾けよう

プログラムが完成すると、ほとんどの人が「よくやった！」「オレって天才！」と、自分で自分のことを褒(ほ)めるものです。しかし、自分では完璧に作り上げたと思っていても、他の人から見れば不完全な場合もあります。これは当然のことです。自分と他人とでは考え方が違うし、これまでの経験も違うし、同じ物を見るときでも視点が違います。自分は正面からしか見ていなかったプログラムを、他の人は斜めから見るかもしれません。

プログラムが完成したら、他の人にも見てもらいましょう。おそらく、第一声は「すごいねえ！」というお褒めの言葉です。そして、次にくる言葉、これが大事です。「でもね」とか「どうして」という言葉が出てきたら、大きく深呼吸をした後、全神経をその人の言葉に集中しましょう。

ここで深呼吸をするのがポイントです。なぜなら「でもね」の後に続く言葉は、あなたがこれまでに**まったく気づいていなかったこと**の可能性が高いからです。その意見がもっともであれば、自分の実力のなさを見せつけられたような気持ちになるかもしれません。だから、深呼吸です。

その後は、相手の意見に頭から反論するのではなく、一度受け止めて、どうしてそんなことをいうのか考えましょう。考えてもわからないときは、相手に聞けばよいのです。考えた結果、その意見にあなたも賛成ならば、それを取り入れてプログラムを作り直すべきです。

第三者の意見には、自分では気づくことのできなかった大切なものがあります。それを受け入れるのか拒否するのかはあなた次第ですが、「自分が満足すれば、それでいい」という考え方は危険です。それでは、いつまでたっても、良いプログラムが作れるようにはなりません。

人の意見は落ち着いて、ゆっくり聞くこと。そして考えること

これが、プログラマーには最も大切な姿勢です。

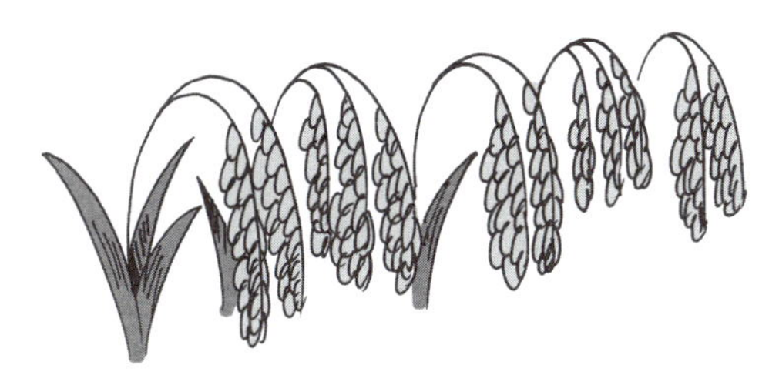

索 引

記号／数字

アルファベット

あ行

か行

さ行

た行

な行

は行

ま行

や行

ら行

わ

カバー&本文デザイン ❖ 釣巻敏康（釣巻デザイン室）
カバーイラスト ❖ 袴田一夫
本文イラスト ❖ 田中　斉
組版 ❖ 技術評論社 制作業務課
編集 ❖ 跡部和之

[改訂3版]
これからはじめるプログラミング
基礎の基礎

2018年11月16日　初版　第1刷発行
2023年 3 月17日　初版　第5刷発行

監修者　谷尻豊寿
著　者　谷尻かおり
発行者　片岡　巌
発行所　株式会社技術評論社
東京都新宿区市谷左内町21-13
電話　03-3513-6150　販売促進部
　　　03-3513-6166　書籍編集部
印刷／製本　日経印刷株式会社

定価はカバーに表示してあります

ISBN978-4-297-10118-3　C3055
Printed in Japan